# NIVEAU C1.1
# SICHER!

## DEUTSCH ALS FREMDSPRACHE
## KURSBUCH UND ARBEITSBUCH
## LEKTION 1–6

Michaela Perlmann-Balme
Susanne Schwalb
Magdalena Matussek

**Hueber Verlag**

**Für die hilfreichen Hinweise danken wir:**
Marija Francetić, Zagreb; Tünde Salakta, Budapest;
Ludwig Hoffmann, Birgit Kneiert, Frankfurt/Main

**Interaktive Übungen:**
Christine Schlotter, Nürnberg

**Phonetik:**
Silvia Dahmen, Köln

Der Verlag weist ausdrücklich darauf hin, dass im Text
enthaltene externe Links vom Verlag nur bis zum Zeitpunkt
der Buchveröffentlichung eingesehen werden konnten.
Auf spätere Veränderungen hat der Verlag keinerlei Einfluss.
Eine Haftung des Verlags ist daher ausgeschlossen.

| 7. 6. 5. | Die letzten Ziffern |
| 2024 23 22 21 20 | bezeichnen Zahl und Jahr des Druckes. |

Alle Drucke dieser Auflage können, da unverändert,
nebeneinander benutzt werden.
1. Auflage
© 2015 Hueber Verlag GmbH & Co. KG, München, Deutschland
Redaktion: Karin Ritter; Isabel Krämer-Kienle, Hueber Verlag, München
Umschlaggestaltung, Layout und Satz: Sieveking · Agentur für Kommunikation, München
Druck und Bindung: Westermann Druck GmbH, Braunschweig
Printed in Germany
ISBN 978–3–19–501208–9

Art. 530_08559_001_05

# INHALT KURSBUCH

| LEKTION 1 | MODERNES LEBEN | 13–24 |
|---|---|---|
| EINSTIEGSSEITE | Quiz zum Kennenlernen | 13 |
| SPRECHEN | Präsentation: Gesellschaftliche Veränderungen in den letzten Jahrzehnten | 14 |
| HÖREN 1 | Radioreportage: Handymanie | 15 |
| LESEN 1 | Glosse: Entdeckung der Langsamkeit | 16 |
| SCHREIBEN | Blogbeitrag: Was bedeutet Glück? | 18 |
| WORTSCHATZ 1 | Unsere Wegwerfgesellschaft | 19 |
| HÖREN 2 | Song: Lisa Bassenge „Van Gogh" | 20 |
| WORTSCHATZ 2 | Entspannung im Alltag | 21 |
| LESEN 2 | Zeitungsartikel: Der Trailer genügt | 22 |
| SEHEN UND HÖREN | Trailer: Frau Ella | 23 |
| GRAMMATIK | Subjektive Bedeutung der Modalverben *müssen, dürfen, können* und *wollen*; Wortbildung: Vorsilben *miss-, zer-, ent-* und *de-* | 24 |

| LEKTION 2 | IM TOURISMUS | 25–36 |
|---|---|---|
| EINSTIEGSSEITE | Über Umgangsformen in der Tourismusbranche sprechen | 25 |
| LESEN | Reportage: Menschen im Hotel | 26 |
| HÖREN 1 | Telefonat: Anruf im Hotel | 29 |
| SPRECHEN | Rollenspiel: Eine gemeinsame Reise planen | 30 |
| WORTSCHATZ 1 | Mit einem einsprachigen Wörterbuch arbeiten | 31 |
| SCHREIBEN | Zwei-Tages-Programm für Touristen | 32 |
| HÖREN 2 | Radiobeitrag: Reiseandenken | 33 |
| WORTSCHATZ 2 | Förderung des regionalen Tourismus | 34 |
| SEHEN UND HÖREN | Fotoreportage: Eine Jungunternehmerin | 35 |
| GRAMMATIK | Zweiteilige konzessive und restriktive Konnektoren; feste Nomen-Verb-Verbindungen | 36 |

| LEKTION 3 | INTELLIGENZ UND WISSEN | 37–48 |
|---|---|---|
| EINSTIEGSSEITE | Über längst vergangene Zeiten sprechen | 37 |
| LESEN | Zeitungsartikel: Der Mensch ist heute anders intelligent als früher | 38 |
| SCHREIBEN | E-Mail: Sinnvolle Frühförderung | 40 |
| HÖREN | Radiobericht: Neue wissenschaftliche Erkenntnisse | 42 |
| SPRECHEN | Diskussion: Eignungstests | 44 |
| WORTSCHATZ | Fabel: Der Rabe und der Fuchs | 46 |
| SEHEN UND HÖREN | Animationsfilm: Das Wissen der Welt | 47 |
| GRAMMATIK | Modalverben und ihre Alternativen; Irreale Folgesätze; Adjektivdeklination nach Artikelwörtern und nach Adjektiven/ unbestimmten Zahlwörtern | 48 |

| LEKTION 4 | MEINE ARBEITSSTELLE | 49–60 |
|---|---|---|
| EINSTIEGSSEITE | Über das Berufsleben sprechen | 49 |
| LESEN 1 | Ratgeber: Wissen Sie, was in Ihnen steckt? | 50 |
| SPRECHEN | Diskussion: Attraktive Arbeitgeber für die Zukunft | 52 |
| HÖREN | Interview: Arbeitnehmer mit Migrationshintergrund | 53 |
| WORTSCHATZ | Lohn- und Gehaltsabrechnung | 54 |
| LESEN 2 | Zeitschriftenartikel: Kollegen-Typen | 56 |
| SCHREIBEN | Offizielle und persönliche E-Mails | 58 |
| SEHEN UND HÖREN | Imagefilm: Neue Unternehmenskultur | 59 |
| GRAMMATIK | *Es* als nicht-obligatorisches und als obligatorisches Satzelement; Wortbildung: Graduierung von Adjektiven | 60 |

| LEKTION 5 | KUNST | 61–72 |
|---|---|---|
| EINSTIEGSSEITE | Ein Bild interpretieren | 61 |
| SEHEN UND HÖREN 1 | Künstlerporträt: Die Malerin Olivia Hayashi | 62 |
| WORTSCHATZ | Im Kunstbetrieb | 63 |
| LESEN | Infotext: Wissenswertes über die „documenta" | 64 |
| SPRECHEN | Projekt: Präsentation „Kunst" | 66 |
| SCHREIBEN | E-Mail: Ratschläge zum Kunststudium | 68 |
| SEHEN UND HÖREN 2 | Umfrage: Was ist eigentlich Kunst? | 70 |
| GRAMMATIK | Wortbildung: Vorsilben *be-* und *ver-*; Indirekte Rede: Fragen und Imperativ; Redewiedergabe mit *nach, laut, zufolge* und *wie* | 72 |

| LEKTION 6 | STUDIUM | 73–84 |
|---|---|---|
| EINSTIEGSSEITE | Über Studienziele sprechen | 73 |
| LESEN 1 | Test: Welche Studienrichtung passt zu Ihnen? | 74 |
| WORTSCHATZ | Schlagzeilen: Interessante Forschungsergebnisse | 76 |
| HÖREN | Radiobeitrag: Sprache und Geschlecht | 77 |
| LESEN 2 | Ausländische Studentinnen im Gespräch | 78 |
| SPRECHEN | Diskussion: Studienangebot für ausländische Studierende | 80 |
| SEHEN UND HÖREN 1 | Vorlesung: Interkulturelle Kommunikation | 81 |
| SCHREIBEN | Mitschrift einer Vorlesung | 82 |
| SEHEN UND HÖREN 2 | Informationsfilm: Studienberatung | 83 |
| GRAMMATIK | Präpositionen mit Dativ; Wortbildung: Nachsilben bei Nomen; Verweiswörter | 84 |

# KURSPROGRAMM

| LEKTION | LESEN | HÖREN | SCHREIBEN |
|---|---|---|---|
| **1**<br><br>**MODERNES LEBEN**<br>Seite 13–24 | 1 Glosse: Entdeckung der Langsamkeit<br>**Seite 16**<br><br>2 Zeitungsartikel: Der Trailer genügt<br>**Seite 22** | 1 Radioreportage: Handymanie<br>**Seite 15**<br><br>2 Song: Lisa Bassenge „Van Gogh"<br>**Seite 20** | Blogbeitrag: Was bedeutet Glück?<br>**Seite 18** |
| **2**<br><br>**IM TOURISMUS**<br>Seite 25–36 | Reportage: Menschen im Hotel<br>**Seite 26** | 1 Telefonat: Anruf im Hotel<br>**Seite 29**<br><br>2 Radiobeitrag: Reiseandenken<br>**Seite 33** | Zwei-Tages-Programm für Touristen<br>**Seite 32** |
| **3**<br><br>**INTELLIGENZ UND WISSEN**<br>Seite 37–48 | Zeitungsartikel: Der Mensch ist heute anders intelligent als früher<br>**Seite 38** | Radiobericht: Neue wissenschaftliche Erkenntnisse<br>**Seite 42** | E-Mail: Sinnvolle Frühförderung<br>**Seite 40** |
| **4**<br><br>**MEINE ARBEITS-STELLE**<br>Seite 49–60 | 1 Ratgeber: Wissen Sie, was in Ihnen steckt?<br>**Seite 50**<br><br>2 Zeitschriftenartikel: Kollegen-Typen<br>**Seite 56** | Interview: Arbeitnehmer mit Migrationshintergrund<br>**Seite 53** | Offizielle und persönliche E-Mails<br>**Seite 58** |

# KURSPROGRAMM

| SPRECHEN | SEHEN UND HÖREN | WORTSCHATZ | GRAMMATIK |
|---|---|---|---|
| Präsentation: Gesellschaftliche Veränderungen in den letzten Jahrzehnten **Seite 14** | Trailer: Frau Ella **Seite 23** | 1 Unsere Wegwerfgesellschaft **Seite 19**<br><br>2 Entspannung im Alltag **Seite 21** | Subjektive Bedeutung der Modalverben *müssen, dürfen, können* und *wollen*; Wortbildung: Vorsilben *miss-, zer-, ent-* und *de-* **Seite 24** |
| Rollenspiel: Eine gemeinsame Reise planen **Seite 30** | Fotoreportage: Eine Jungunternehmerin **Seite 35** | 1 Mit einem einsprachigen Wörterbuch arbeiten **Seite 31**<br><br>2 Förderung des regionalen Tourismus **Seite 34** | Zweiteilige konzessive und restriktive Konnektoren; Feste Nomen-Verb-Verbindungen **Seite 36** |
| Diskussion: Eignungstests **Seite 44** | Animationsfilm: Das Wissen der Welt **Seite 47** | Fabel: Der Rabe und der Fuchs **Seite 46** | Modalverben und ihre Alternativen; Irreale Folgesätze; Adjektivdeklination nach Artikelwörtern und nach Adjektiven / unbestimmten Zahlwörtern **Seite 48** |
| Diskussion: Attraktive Arbeitgeber für die Zukunft **Seite 52** | Imagefilm: Neue Unternehmenskultur **Seite 59** | Lohn- und Gehaltsabrechnung **Seite 54** | *Es* als nicht-obligatorisches und als obligatorisches Satzelement; Wortbildung: Graduierung von Adjektiven **Seite 60** |

# KURSPROGRAMM

| LEKTION | LESEN | HÖREN | SCHREIBEN |
|---|---|---|---|
| **5**<br><br>**KUNST**<br>Seite 61–72 | Infotext:<br>Wissenswertes über<br>die „documenta"<br>**Seite 64** | | E-Mail: Ratschläge<br>zum Kunststudium<br>**Seite 68** |
| **6**<br><br>**STUDIUM**<br>Seite 73–84 | 1 Test:<br>Welche Studienrich-<br>tung passt zu Ihnen?<br>**Seite 74**<br><br>2 Ausländische<br>Studentinnen im<br>Gespräch<br>**Seite 78** | Radiobeitrag:<br>Sprache und<br>Geschlecht<br>**Seite 77** | Mitschrift einer<br>Vorlesung<br>**Seite 82** |

# KURSPROGRAMM

| SPRECHEN | SEHEN UND HÖREN | WORTSCHATZ | GRAMMATIK |
|---|---|---|---|
| Projekt: Präsentation „Kunst" **Seite 66** | 1 Künstlerporträt: Die Malerin Olivia Hayashi **Seite 62**<br><br>2 Umfrage: Was ist eigentlich Kunst? **Seite 70** | Im Kunstbetrieb **Seite 63** | Wortbildung: Vorsilben *be-* und *ver-*; Indirekte Rede: Fragen und Imperativ; Redewiedergabe mit *nach, laut, zufolge* und *wie* **Seite 72** |
| Diskussion: Studienangebot für ausländische Studierende **Seite 80** | 1 Vorlesung: Interkulturelle Kommunikation **Seite 81**<br><br>2 Informationsfilm: Studienberatung **Seite 83** | Schlagzeilen: Interessante Forschungsergebnisse **Seite 76** | Präpositionen mit Dativ; Wortbildung: Nachsilben bei Nomen; Verweiswörter **Seite 84** |

# INHALT ARBEITSBUCH

**LEKTION 1  MODERNES LEBEN**  SEITE AB 9—AB 24

| WIEDERHOLUNG WORTSCHATZ | 1 | Modernes und Unmodernes | AB 9 |
| WORTSCHATZ | 2 | Meine Art zu leben | AB 9 |
| LESEN | 3 | Veränderungen in der Familie | AB 10 |
| KOMMUNIKATION | 4 | Konsumverhalten | AB 11 |
| WIEDERHOLUNG GRAMMATIK | 5 | Vergangene Zeiten | AB 11 |
| GRAMMATIK ENTDECKEN | 6 | Subjektive Bedeutung der Modalverben *müssen*, *dürfen* und *können* | AB 12 |
| GRAMMATIK ENTDECKEN | 7 | Subjektive Bedeutung der Modalverben: Ausdruck von großer Sicherheit | AB 12 |
| GRAMMATIK | 8 | Einschätzungen, Notwendigkeiten und Bitten | AB 13 |
| GRAMMATIK | 9 | Toms handylose Zeit | AB 13 |
| LESEN | 10 | Jugendliche sind immer online. | AB 14 |
| WORTSCHATZ | 11 | Fremdwörter | AB 14 |
| WORTSCHATZ | 12 | Paraphrasen | AB 15 |
| WIEDERHOLUNG GRAMMATIK | 13 | Unglaubliche Rekorde | AB 15 |
| GRAMMATIK ENTDECKEN | 14 | Subjektive Bedeutung des Modalverbs *wollen* | AB 16 |
| GRAMMATIK | 15 | Eine Weltreise | AB 17 |
| KOMMUNIKATION | 16 | Blogbeitrag | AB 17 |
| GRAMMATIK | 17 | Im Alltag | AB 18 |
| GRAMMATIK | 18 | Verben mit *miss-* und *zer-* | AB 18 |
| HÖREN | 19 | Alles auf den Müll? | AB 19 |
| GRAMMATIK | 20 | Anleitung für Eintopf | AB 19 |
| WORTSCHATZ | 21 | Richtig memorieren | AB 20 |
| GRAMMATIK | 22 | Verben mit *ent-* | AB 20 |
| GRAMMATIK | 23 | Aus dem Lateinischen? | AB 21 |
| HÖREN | 24 | Neues aus der Welt der Medien | AB 21 |
| WORTSCHATZ | 25 | Inhaltsangabe: *Frau Ella* | AB 21 |
| LANDESKUNDE/ LESEN | 26 | Neue deutsche Komödien | AB 22 |
| LERNWORTSCHATZ | | | AB 23 |
| LEKTIONSTEST 1 | | | AB 24 |

**LEKTION 2  IM TOURISMUS**  SEITE AB 25—AB 40

| WIEDERHOLUNG WORTSCHATZ | 1 | Reisende soll man nicht aufhalten. | AB 25 |
| WORTSCHATZ | 2 | Satzpuzzle | AB 25 |
| HÖREN | 3 | Arbeiten, wo andere Urlaub machen | AB 26 |
| LESEN | 4 | Heiteres Beruferaten | AB 27 |
| WIEDERHOLUNG GRAMMATIK | 5 | Jobs auf Kreuzfahrtschiffen | AB 28 |
| GRAMMATIK ENTDECKEN | 6 | Zweiteilige konzessive Konnektoren | AB 28 |
| GRAMMATIK | 7 | Trends im Tourismus | AB 29 |
| FILMTIPP/ WORTSCHATZ | 8 | Das Adlon: Eine Familiensaga | AB 29 |
| SCHREIBEN | 9 | Skurrile Urlauber-Beschwerden | AB 30 |
| WIEDERHOLUNG GRAMMATIK | 10 | Ostseehotel „Strandperle" | AB 31 |
| GRAMMATIK ENTDECKEN | 11 | Zweiteilige restriktive Konnektoren | AB 31 |
| GRAMMATIK | 12 | Restaurant „Nordlicht" | AB 32 |
| GRAMMATIK | 13 | Schwierige Freizeit- und Urlaubspläne | AB 32 |
| LESEN | 14 | Sanfter Tourismus | AB 32 |
| WIEDERHOLUNG GRAMMATIK | 15 | Rund um den Urlaub | AB 33 |
| GRAMMATIK ENTDECKEN | 16 | Feste Nomen-Verb-Verbindungen | AB 34 |
| GRAMMATIK | 17 | Chance auf einen Traumurlaub | AB 34 |
| WORTSCHATZ | 18 | Vorschläge für den Urlaub | AB 35 |
| WORTSCHATZ | 19 | Wie kann man noch sagen? | AB 35 |
| WORTSCHATZ | 20 | Diskussion im Forum für regionale Entwicklung | AB 36 |
| LESEN | 21 | Die Erfolgsgeschichte einer Unternehmensgründung | AB 37 |
| AUSSPRACHE | | Betonung und Bedeutung von *auch*, *denn* und *doch* | AB 38 |
| LERNWORTSCHATZ | | | AB 39 |
| LEKTIONSTEST 2 | | | AB 40 |

# INHALT ARBEITSBUCH

## LEKTION 3  INTELLIGENZ UND WISSEN    SEITE AB 41–AB 56

| | | | |
|---|---|---|---|
| WIEDERHOLUNG WORTSCHATZ | 1 | Rund ums Wissen | AB 41 |
| SCHREIBEN | 2 | In der Altsteinzeit | AB 41 |
| WORTSCHATZ | 3 | Ein wichtiger Entwicklungsschritt | AB 42 |
| BUCHTIPP/LESEN | 4 | Rabenschwarze Intelligenz | AB 42 |
| WIEDERHOLUNG GRAMMATIK | 5 | Intelligenz | AB 43 |
| WIEDERHOLUNG GRAMMATIK | 6 | Forschung | AB 43 |
| GRAMMATIK ENTDECKEN | 7 | Umschreibung der Modalverben *können*, *müssen* und *wollen* | AB 44 |
| GRAMMATIK | 8 | Gehirn-Jogging | AB 44 |
| WORTSCHATZ | 9 | Wie umschreibt man …? | AB 45 |
| KOMMUNIKATION | 10 | Sagen Sie es anders. | AB 45 |
| GRAMMATIK ENTDECKEN | 11 | Umschreibung der Modalverben *dürfen* und *sollen* | AB 46 |
| GRAMMATIK | 12 | Frühförderung: ja oder nein? | AB 46 |
| LESEN | 13 | Alte Weisheiten oder Unsinn? | AB 47 |
| WIEDERHOLUNG GRAMMATIK | 14 | Neue Erkenntnisse | AB 48 |
| GRAMMATIK ENTDECKEN | 15 | Irreale Folgesätze | AB 48 |
| GRAMMATIK | 16 | Rund ums Schlafen | AB 49 |
| HÖREN | 17 | Talk nach acht | AB 49 |
| KOMMUNIKATION | 18 | Diskussionsleitung und Argumentation | AB 50 |
| WIEDERHOLUNG GRAMMATIK | 19 | Eignungstests | AB 51 |
| GRAMMATIK ENTDECKEN | 20 | Adjektivdeklination nach Artikelwörtern und nach Adjektiven/ unbestimmten Zahlwörtern | AB 51 |
| GRAMMATIK | 21 | Ein – nicht ganz ernst gemeinter – Verkäufer-Test | AB 52 |
| SCHREIBEN | 22 | Eine Fabel interpretieren | AB 53 |
| HÖREN | 23 | Die Sonne und der Wind | AB 53 |
| WORTSCHATZ | 24 | Charaktereigenschaften | AB 54 |
| WORTSCHATZ | 25 | Die Machart eines Animationsfilms | AB 54 |
| LERNWORTSCHATZ | | | AB 55 |
| LEKTIONSTEST 3 | | | AB 56 |

## LEKTION 4  MEINE ARBEITSSTELLE    SEITE AB 57–AB 72

| | | | |
|---|---|---|---|
| WIEDERHOLUNG WORTSCHATZ | 1 | Kreuzworträtsel | AB 57 |
| WORTSCHATZ | 2 | Ingenieur – Traumjob oder Albtraum? | AB 57 |
| WORTSCHATZ | 3 | Mangelhafte Einarbeitung | AB 58 |
| WIEDERHOLUNG GRAMMATIK | 4 | Der falsche Beruf? | AB 58 |
| GRAMMATIK ENTDECKEN | 5 | *Es* als nicht-obligatorisches Satzelement | AB 59 |
| GRAMMATIK | 6 | Berufliche Neuorientierung | AB 59 |
| WORTSCHATZ | 7 | Eine tolle Firma! | AB 60 |
| KOMMUNIKATION | 8 | Mittelständische Unternehmen | AB 60 |
| WORTSCHATZ | 9 | Volontariat | AB 61 |
| HÖREN | 10 | Anruf bei der Minijobzentrale | AB 61 |
| LESEN | 11 | Bewerbertraining | AB 62 |
| SCHREIBEN | 12 | Meine Bewerberstory | AB 63 |
| WORTSCHATZ | 13 | Steuer, Versicherung oder Zuschlag | AB 63 |
| HÖREN | 14 | Gehaltszettel entziffern | AB 64 |
| WORTSCHATZ | 15 | Aus der Arbeitswelt | AB 64 |
| WORTSCHATZ | 16 | So kommt man mit schwierigen Kollegen aus. | AB 64 |
| WIEDERHOLUNG GRAMMATIK | 17 | Kollegengespräche | AB 65 |
| GRAMMATIK ENTDECKEN | 18 | *Es* als obligatorisches Satzelement | AB 65 |
| GRAMMATIK | 19 | Was es alles gibt! | AB 66 |
| GRAMMATIK | 20 | Joballtag | AB 66 |
| HÖREN | 21 | Anredeformen in E-Mails | AB 67 |
| KOMMUNIKATION | 22 | E-Mails im Geschäftsleben | AB 67 |
| SCHREIBEN | 23 | Dank an eine Vorgesetzte | AB 68 |
| GRAMMATIK | 24 | Ein supernetter Typ | AB 68 |
| LESEN | 25 | Mitarbeiterporträts eines Start-up-Unternehmens | AB 69 |
| SCHREIBEN | 26 | Meine Traumfirma | AB 69 |
| AUSSPRACHE | | Auslassungen und Verschleifungen; Rhythmus und Sprechflüssigkeit | AB 70 |
| LERNWORTSCHATZ | | | AB 71 |
| LEKTIONSTEST 4 | | | AB 72 |

# INHALT ARBEITSBUCH

## LEKTION 5 KUNST  SEITE AB 73–AB 88

| | | | |
|---|---|---|---|
| WIEDERHOLUNG WORTSCHATZ | 1 | Ausstellungsbesuche | AB 73 |
| FILMTIPP/LESEN | 2 | Beltracchi – Die Kunst der Fälschung | AB 73 |
| LESEN | 3 | Drei Atemzüge pro Bild | AB 74 |
| WORTSCHATZ | 4 | Im Atelier | AB 75 |
| GRAMMATIK | 5 | Kunst im Park | AB 75 |
| GRAMMATIK | 6 | Im Kunst-Workshop | AB 76 |
| GRAMMATIK | 7 | Gelungene oder misslungene Aktivitäten: Verben mit der Vorsilbe -ver | AB 76 |
| GRAMMATIK | 8 | Ölmalerei | AB 77 |
| HÖREN | 9 | Meine erste „documenta" – Eindrücke von der Weltkunst-ausstellung in Kassel | AB 77 |
| LESEN | 10 | „documenta 14": „Von Athen lernen" | AB 78 |
| WORTSCHATZ | 11 | Im Kunstbetrieb | AB 78 |
| WIEDERHOLUNG GRAMMATIK | 12 | Multitalent | AB 79 |
| GRAMMATIK ENTDECKEN | 13 | Fragen in der indirekten Rede | AB 79 |
| GRAMMATIK | 14 | Diskussionsrunde: Kunst | AB 80 |
| HÖREN | 15 | Drei Feedbacks | AB 80 |
| KOMMUNIKATION | 16 | Rückmeldungen formulieren | AB 81 |
| SCHREIBEN | 17 | Wie gelingt konstruktive Kritik? | AB 82 |
| LESEN | 18 | Beim Abschreiben erwischt! | AB 82 |
| LESEN | 19 | Brotlose Kunst | AB 83 |
| WORTSCHATZ | 20 | Was angehende Künstler beachten sollten! | AB 84 |
| GRAMMATIK ENTDECKEN | 21 | Imperativ in der indirekten Rede | AB 84 |
| GRAMMATIK | 22 | Marketing-Tipps für Künstler | AB 85 |
| GRAMMATIK | 23 | Bilder einer Ausstellung | AB 85 |
| GRAMMATIK | 24 | Kunstkritik | AB 86 |
| SCHREIBEN | 25 | Überlegungen zur Kunst | AB 86 |
| LERNWORTSCHATZ | | | AB 87 |
| LEKTIONSTEST 5 | | | AB 88 |

## LEKTION 6 STUDIUM  SEITE AB 89–AB 104

| | | | |
|---|---|---|---|
| WIEDERHOLUNG WORTSCHATZ | 1 | Rund um die Uni | AB 89 |
| HÖREN | 2 | Studium mit 50 | AB 89 |
| WORTSCHATZ | 3 | Studieninhalte | AB 90 |
| WORTSCHATZ | 4 | Hochschulen und Studiengänge | AB 90 |
| LESEN | 5 | Der deutsche Wortschatz aus Sicht der Wissenschaft | AB 91 |
| WIEDERHOLUNG GRAMMATIK | 6 | Modernes Studium | AB 92 |
| GRAMMATIK ENTDECKEN | 7 | Präpositionen mit Dativ | AB 92 |
| GRAMMATIK | 8 | Studierende und Ex-Studierende | AB 92 |
| GRAMMATIK | 9 | Studienfächer und Fachausdrücke | AB 93 |
| WORTSCHATZ | 10 | Korrekte Anrede | AB 93 |
| LANDESKUNDE/ LESEN | 11 | Was macht eine Frauen- oder Gleichstellungsbeauftragte? | AB 94 |
| WORTSCHATZ | 12 | Ausländische Studierende | AB 95 |
| WORTSCHATZ | 13 | Studium international | AB 95 |
| WIEDERHOLUNG GRAMMATIK | 14 | E-Mail aus Berlin | AB 96 |
| GRAMMATIK ENTDECKEN | 15 | Verweiswörter | AB 96 |
| GRAMMATIK | 16 | Informationen für Informatikstudenten | AB 97 |
| GRAMMATIK | 17 | Wie studiert man effektiv? | AB 97 |
| KOMMUNIKATION | 18 | Mentoring | AB 98 |
| WORTSCHATZ | 19 | Vorlesung gestern, heute und morgen | AB 98 |
| LESEN | 20 | Motivierende Vorlesung | AB 99 |
| WORTSCHATZ | 21 | Was passt am besten zusammen? | AB 99 |
| WORTSCHATZ | 22 | Körpersprache in verschiedenen Ländern | AB 100 |
| SCHREIBEN | 23 | Mitschriften verfassen: Abkürzungen | AB 100 |
| HÖREN | 24 | Anruf bei der Studienfachberatung | AB 101 |
| SCHREIBEN | 25 | E-Mail an das International Office | AB 101 |
| AUSSPRACHE | | Betonung von Prä- und Suffixen | AB 102 |
| LERNWORTSCHATZ | | | AB 103 |
| LEKTIONSTEST 6 | | | AB 104 |

## ANHANG  AB 107–AB 112

| | |
|---|---|
| WICHTIGE REDEMITTEL/KOMMUNIKATION | AB 107–AB 110 |
| LÖSUNGEN DER LEKTIONSTESTS | AB 111–AB 112 |

X

## Verweise und Piktogramme im Kursbuch

Dieses Symbol verweist auf einen Hörtext auf den Kursbuch-CDs aus dem Medienpaket (ISBN: 978-3-19-101208-3), hier auf CD 1, Track 6.

Dieses Symbol verweist auf einen Film(abschnitt) auf den DVDs aus dem Medienpaket (ISBN. 978 3 19 101208-3), hier auf DVD 1, Clip 4.

**→ AB 26/Ü3**

Solch ein Hinweis neben den Aufgaben im Kursbuch verweist auf eine dazugehörige Übung im Arbeitsbuch, hier z. B. auf Seite AB 26, Übung 3.

**GRAMMATIK**
Übersicht → S. 48/1

Solch ein Hinweis führt Sie zur Grammatik-Übersichtsseite am Ende der Lektion, hier auf Seite 48, Abschnitt 1.

← S. 57/4

Solch ein Hinweis auf den Grammatik-Übersichtsseiten verweist auf die Seite und Aufgabe im Kursbuch, auf / in der das Thema behandelt wird, hier z. B. auf Seite 57, Aufgabe 4.


## Verweise und Piktogramme im Arbeitsbuch

Dieses Symbol verweist auf einen Hörtext auf der eingelegten Arbeitsbuch-CD-ROM (Format: MP3), hier auf Track 6.

zu Hören, S. 19, Ü3

Solch ein Hinweis verweist auf die dazugehörige Aufgabe im Kursbuch, hier auf die Seite Hören, Seite 19, Übung 3.

ÜBUNG 2

Dieses Symbol verweist auf wiederholende oder vertiefende interaktive Übungen im Internet.
Die Übungen decken die Kategorien Wortschatz, Grammatik und Kommunikation ab.

Unter www.hueber.de/sicher/lernen finden Sie die Lösungen zu den Übungen im Arbeitsbuch.

# VORWORT

Liebe Leserinnen und Leser,

das Lehrwerk **SICHER!** führt zum Abschluss der Stufen **B1+**, **B2** oder **C1** des *Gemeinsamen Europäischen Referenzrahmens* für Sprachen. Es richtet sich an fortgeschrittene erwachsene Deutschlernende ab 16 Jahren. Nach erfolgreichem Durcharbeiten des Kurs- und Arbeitsbuchs **SICHER! C1** können alle Prüfungen auf diesem Niveau abgelegt werden.

Die Lektionen sind in die Bausteine LESEN – HÖREN – SCHREIBEN – SPRECHEN – WORTSCHATZ – SEHEN UND HÖREN gegliedert. Am Ende jeder Lektion befindet sich eine kompakte und übersichtliche Darstellung des jeweiligen Grammatikstoffs.

In verschiedenen Kursen kann das Lernprogramm je nach Bedarf, Interesse und Zeitrahmen individuell zusammengestellt werden. Die Lektionen enthalten aktuelle, authentische Lernmaterialien zu Alltag, Beruf, Studium und Ausbildung. Es findet sich ein breites Spektrum an aktuellen alltags- und berufsrelevanten Textsorten wie z. B. Zeitungs-artikel, Blogs, Prospekte, Diskussionsbeiträge. Dazu gibt es abwechs-lungsreiches Aufgaben- und Übungsmaterial, das die Rezeption und handlungsorientierte Produktion gleichermaßen fördert.

In der Rubrik *Wussten Sie schon?* wird modernes landeskundliches Wissen über die deutschsprachigen Länder vermittelt und damit der Blick für interkulturelle Themen und Fragestellungen geschärft.

Um individuellen Bedürfnissen gerecht zu werden, können Lernende auf die vertiefenden Übungen im Arbeitsbuch sowie auf das Angebot unter www.hueber.de/sicher zurückgreifen. Dort findet sich auch eine Vielzahl von Anregungen und Materialien für Lehrende.

Die Grammatik, der Wortschatz und die Redemittel verbinden durch „zyklisches Lernen" Bekanntes mit Neuem. Dadurch können die Lernen-den ihre Kenntnisse systematisch auf- und ausbauen.

Strategien zum Lernen werden durch gezielte Aufgaben und praxisnahe Tipps gefördert. Mit der Selbstevaluation am Ende von jedem Baustein können die Lernenden ihre Lernfortschritte selbst kontrollieren und dokumentieren.
Im Arbeitsbuch steht darüber hinaus noch ein Selbsttest am Ende der einzelnen Lektionen zur Verfügung.

Das **SICHER! C1** Medienpaket umfasst zwei CDs mit Höraufnahmen zum Kursbuch sowie zwei DVDs mit Filmen zum Baustein SEHEN UND HÖREN.

Viel Spaß mit **SICHER!** wünschen Ihnen
die Autorinnen

# MODERNES LEBEN

**1 Ein neuer Kurs**

a Arbeiten Sie in Kleingruppen.
Stellen Sie Fragen zu folgenden Themen und
notieren Sie die Antworten in Stichpunkten.

> Persönliches/Familienleben · Schule/Beruf ·
> kulturelles Leben · Konsumverhalten · ...

*Luis, 24, Spanier, Granada,*
*Zwillingsschwester, spielt Gitarre,*
*gibt viel Geld für gutes Essen aus ...*

b Überlegen Sie sich Quizfragen zu Ihren
Lernpartnerinnen / Ihren Lernpartnern.

*Wer hat wohl eine Zwillingsschwester?*

**2 Quiz**

Jede Gruppe stellt ihre Quizfragen im Kurs. Die anderen Gruppen raten.

*Wer aus unserer Gruppe hat wohl eine Zwillingsschwester?*

*Das könnten Sie / könntest du sein.*

*Ja, das bin ich, ich heiße ...*

# SPRECHEN

## 1 Im Wandel der Zeit

a Sehen Sie das Foto an und beschreiben Sie die Situation.

b Wie hätte die gleiche Situation wohl vor 20 Jahren ausgesehen?

## 2 Gesellschaftliche Veränderungen → AB 9–11/Ü 2–4

Arbeiten Sie zu viert. Wählen Sie eines der Themen für eine
Kurzpräsentation. Gehen Sie dann in folgenden Schritten vor.

> Familienleben • Lebenstempo • Partnerschaft • Kontaktpflege • Kommunikationsverhalten •
> Schule/Beruf • kulturelles Leben • Konsumverhalten • Mediennutzung • Verkehr

### Schritt 1: Sammeln, ordnen

Überlegen Sie: Was hat sich bezüglich Ihres Themas in
den letzten Jahrzehnten verändert? Entscheiden Sie
sich für ein Land. Schildern Sie die früheren und die
heutigen Verhältnisse und vergleichen Sie sie. Notieren
Sie Stichpunkte, bringen Sie diese in eine sinnvolle
Reihenfolge und fertigen Sie eine Gliederung an.

> 1. <u>Einleitung</u>: Vorstellung
> Thema „Veränderungen
> im Familienleben" am
> Beispiel Kolumbiens
> 2. <u>Aspekte</u>: Größe der
> Familien, Generationen,
> Anzahl der Kinder, …

### Schritt 2: Rollenverteilung

Legen Sie nun fest, wer von Ihnen welche Rolle in der Kurzpräsentation übernimmt.
Wer beginnt mit einer kurzen Einführung, wer stellt die einzelnen Aspekte des Themas vor,
wer schließt den Vortrag mit einer Zusammenfassung ab?

### Schritt 3: Den Vortrag ausprobieren

Halten Sie Ihre Kurzpräsentation zuerst einmal in der Gruppe. Verwenden Sie dabei die folgenden
Redemittel. Stoppen Sie die Zeit. Geben Sie sich gegenseitig Feedback und verbessern Sie danach
einzelne Formulierungen.

**den Aufbau des Vortrags vorstellen**

„ *In unserem Kurzvortrag befassen wir uns*
  *mit dem Thema „…".*
*Zunächst möchten wir folgenden Aspekt*
  *darstellen: …*
*Danach wird … über einen weiteren wichtigen*
  *Aspekt berichten.*
*… wird am Ende ein Beispiel aus … vorstellen.* "

**von einem Vorredner das Wort übernehmen**

„ *Das war … mit der Einführung. Jetzt …*
*In meinem Beitrag geht es nun um das*
  *Thema „…" / einen weiteren Aspekt des*
  *Themas „…"*
*Danke, liebe/lieber … Ich greife nun einen*
  *neuen Aspekt auf.* "

**verschiedene Situationen beschreiben
und vergleichen**

„ *Es ist zu beobachten, dass …*
*Es ist auffällig, dass …*
*Verglichen mit der Situation vor … Jahren …*
*Heute gibt es eine vergleichbare Situation …*
*Die Entwicklung in den letzten Jahren zeigt,*
  *dass …* "

**einen Vortrag beenden**

„ *Als Fazit/Ergebnis lässt sich festhalten …*
*Alles in allem zeigt sich, …*
*Wenn man die Entwicklung der letzten Jahre*
  *betrachtet, …*
*Die kurze Beschreibung führt zu der Frage,*
  *ob …* "

### Schritt 4: Präsentation

Halten Sie nun Ihren Kurzvortrag im Kurs.

---

Ich kann jetzt …
- über gesellschaftliche Veränderungen in den letzten Jahrzehnten sprechen.
- zusammen mit anderen einen klar gegliederten Vortrag vorbereiten und halten.

# HÖREN 1

**1 Subjektive Bedeutung der Modalverben *müssen*, *dürfen* und *können*** → AB 11–13/Ü5–9

GRAMMATIK
Übersicht → S. 24/1a

a **Ständig erreichbar? Ergänzen Sie die Sätze für sich persönlich.**

1 Wann haben Sie zuletzt auf Ihr Handy oder Smartphone gesehen?
*Wahrscheinlich vor _____ Minuten/Stunden. Das dürfte vor _____ Minuten/Stunden gewesen sein.*

2 Wie oft sehen Sie am Tag auf das Display?
*Ich bin mir fast sicher. Das müsste so _____ um Tag sein.*
*Ich bin mir absolut sicher. Das muss _____ am Tag sein.*

3 Wofür nutzen Sie Ihr Handy oder Smartphone am meisten?
*Ich weiß es nicht genau. Es könnte zum Lesen von Online-Nachrichten sein.*

b **Lesen Sie Ihre Antworten aus a und ergänzen Sie die fehlenden Modalverben. Was drückt aus, dass etwas wahrscheinlich, fast sicher, absolut sicher oder möglich ist?**

1 wahrscheinlich:   Das _____ fünfzigmal am Tag sein.
2 fast sicher:   Das _____ dreimal am Tag sein.
3 absolut sicher:   Das _____ zehnmal am Tag sein.
4 möglich:   Das _____ zwanzigmal am Tag sein.

c **Ergänzen Sie *muss*, *dürfte* und *könnte* auf der Skala.**

| 100 % | 90 % | 75 % | 50 % |
|---|---|---|---|
| | *müsste* | | |

**2 Handymanie** → AB 14/Ü10

a **Sehen Sie das Foto an. Was könnte man unter dem Begriff „Handymanie" verstehen?**

b *(CD1, 2)* **Hören Sie einen Radiobeitrag zuerst einmal ganz. Wer spricht und worum geht es in der Reportage?**

*Es muss sich um diese neue Sucht handeln ...*

c **Hören Sie dann den Beitrag in Abschnitten noch einmal und markieren Sie, welche Informationen Sie gehört haben.**

**Abschnitt 1** *(CD1, 3)*

1 Verlieren sich Leute in einem Einkaufszentrum, hilft ein Navigationssystem. ☐
2 Ein negatives Zeichen ist das ständige Bedürfnis, abwesende Personen zu kontaktieren. ☐
3 MAIDS ist ein neues Mittel gegen Sucht. ☐
4 An der Uni Bonn wurde eine App für Smartphones programmiert. ☐
5 Die meiste Zeit verbringen die User mit Spielen. ☐

**Abschnitt 2** *(CD1, 4)*

1 Körperliche Symptome der Sucht sind zum Beispiel schwitzende Hände. ☐
2 Der Jugendliche schenkt seinem Handy mehr Aufmerksamkeit als seiner Freundin. ☐
3 Handysucht ist bereits relativ gut erforscht. ☐
4 Die Bonner Forscher hoffen, dass es bald Gesetze gibt, die den Handykonsum regeln. ☐

Ich kann jetzt ...   ☺ ☺ ☺
▪ Vermutungen über den eigenen Handy-/Smartphone-Konsum äußern. ☐ ☐ ☐
▪ einem Radiobeitrag aus einem Wissenschaftsmagazin wichtige Informationen entnehmen. ☐ ☐ ☐

## 1 Lebenstempo

**Sehen Sie das Foto an und lesen Sie den Satz. Was bedeutet er für Sie? Geben Sie ein Beispiel aus Ihrem Alltagsleben.**

*Eines der stärksten Gefühle, das viele Menschen teilen, ist das Gefühl der Rastlosigkeit und der unaufhaltsamen Beschleunigung.*

## 2 Unsere moderne Lebensweise → AB 14–15/Ü11–12

a **Lesen Sie die erste Hälfte einer Glosse. Nummerieren Sie, in welcher Reihenfolge diese Aspekte angesprochen werden.**

☐ Beeinträchtigung des komplexen Textverständnisses

☐ Reduktion der Lesemenge

☑ Verschiedene Lesertypen

☐ Lesen zusammen mit anderen

☐ Kein genaues Studium der Originaltexte

### Entdeckung der Langsamkeit

Da dieser Text sowohl auf Papier als auch im Internet zu lesen ist, hat er zwei Sorten Leser: solche, die ihn auf Papier gedruckt lesen, und solche, die ihn im Internet zur Kenntnis nehmen. Neuere Untersuchungen haben nun ergeben, dass Leser von Gedrucktem ihre Lektüre oft bereits nach
5  der Hälfte des Geschriebenen beenden. Online-Texte werden in der Regel sogar schon nach einem Fünftel abgebrochen.
Weil der große Trend dahin geht, dass immer mehr Menschen sich vor den Bildschirm setzen, wenn sie lesen, bedeuten die Forschungsergebnisse: Immer weniger Texte werden zu Ende gelesen, immer häufiger ist die Lektüre immer früher zu Ende. An dieser Stelle möchte ich mich, weil
10  das erste Fünftel der Kolumne beendet ist, von vielen Lesern an den Computern verabschieden, die erschöpft die Segel streichen.
Aus Texten, deren erstes Fünftel ich im Internet gelesen habe, weiß ich, dass es einen Trend namens Slow Reading gibt, eine Langsam-Lesen-Bewegung, analog zu Slow Food, das sich im Gegensatz zu Fast Food einer würdevolleren Nahrungsaufnahme verschrieben hat. Viele jün-
15  gere Kollegen, schreibt der Historiker Keith Thomas, würden ihre Quellen nicht mehr in Büchern lesen, sondern mit einer Suchmaschine im Internet finden. Die Hyperaktivität der Internetnutzer, so der Wissenschaftspublizist Nicholas Carr, beeinträchtige deren intellektuelle Fähigkeiten, die nötig seien, umfangreichere Texte zu verstehen. Langsam lesen, sagt John Miedema, sei dagegen ein gemeinschaftliches Vorgehen: Man leihe sich wieder gegenseitig Bücher aus und diskutiere
20  darüber. Ein herzliches Adieu nun den Lesern, die nach der ersten Hälfte nicht mehr weiterkönnen. Wir sehen uns gewiss ein anderes Mal wieder, auf ein paar kurze Worte. ...

b **Lesen Sie nun die zweite Hälfte. Welche Phänomene beschreibt der Autor mit dem Begriff „Entschleunigung"?**

Die neuen Helden: Die Engländerin Jackie Cobell, 56 Jahre alt, hat kürzlich einen neuen Rekord bei der Durchschwimmung des Ärmelkanals aufgestellt: Sie schaffte die Strecke Dover-Calais in 28 Stunden und 44 Minuten, nie war jemand langsamer als sie. Der Geschwindigkeitsrekordhalter
25  auf dieser Strecke, ein Bulgare namens Stojtschew, hätte in dieser Zeit viermal hin und her kraulen und noch ein bisschen baden können; seine Zeit lag vor einigen Jahren bei sechs Stunden, 57 Minuten und 50 Sekunden. Aber was ist sein hektisches Geschwimme gegen die Fähigkeit, fast 29 Stunden Wind, Wellen und Kanalfähren zu trotzen? Warum rufen wir nicht Jackie Cobell zur Heldin einer Slow-Sport-Bewegung aus, die sich der Albernheit einer immer absurderen Tempojagd auf
30  den Feldern der Leichtathletik und in den Bassins der Schwimmbäder widersetzt?
Hier unsere neuen Helden: Lloyd Scott, der 2002 (bekleidet mit einem fünfzig Kilo schweren Tiefseetaucheranzug) sechs Tage, vier Stunden, 30 Minuten und 56 Sekunden für einen Marathon in Edinburgh benötigte, Weltrekord! Nicolas Mahut und John Isner, die dieses Jahr im Juni in Wimbledon elf Stunden und 15 Minuten Tennis spielten, das Match zog sich über drei Tage hin –
35  wann hätte man je für eine Eintrittskarte mehr geboten bekommen?!

Slow Sport, Slow Food, Slow Reading, Slow Writing! „Entschleunigung" – wohin man schaut! Für jeden meiner Texte benötige ich eine komplette Woche! Ich schreibe jeden Tag nur 85 Wörter, langsamer ist niemand in diesem Gewerbe, und ich werde künftig noch weniger schreiben, denn wenn die Leute nur ein Fünftel eines Textes in sich aufnehmen und wenn diesen Satz hier niemand mehr
40 liest, werde ich in Zukunft auch nur noch dieses erste Fünftel verfassen. Ich werde mir viel Zeit dafür nehmen, es werden nur noch zwölf Wörter jeden Tag sein, und ich werde mehr Zeit zum Lesen, Schwimmen, Laufen, Tennisspielen haben, alles schön slowly.

c | Wie beurteilen Sie die „Slow-Bewegung"? Wo sehen Sie die Vor- und Nachteile? Würden Sie sich ihr anschließen? Warum (nicht)?

> *Textsorten, ihre Intention und ihren Sprachstil erkennen*
> *Beim Lesen eines Textes sollten Sie sich zunächst die Frage stellen, um welche Art von Text es sich handelt. Ist es z. B. ein Zeitungsartikel, ein Werbetext oder ein Gedicht? Fragen Sie sich nach den ersten Zeilen auch: Worum könnte es inhaltlich gehen? Wer hat den Text geschrieben? Mit welchem Ziel? Verschiedene Textsorten haben unterschiedliche Aussageabsichten, wie z. B. Informationsvermittlung, Unterhaltung etc. und ihren eigenen Sprachstil.*

## 3 Die Glosse

a | Was fällt Ihnen am Stil des Textes auf? Nennen Sie Beispiele dafür.

> *Der Text ist sehr ironisch. Das sieht man an Ausdrücken wie „hektisches Geschwimme" in Zeile 27 ...*

b | Welches Textbeispiel passt zu welchem Stilelement einer Glosse? Ordnen Sie zu.

| Textbeispiel | Stilelement |
|---|---|
| 1 ... die Segel streichen (Z. 11) | in „Ich-Form" verfasst |
| 2 ... schreibt der Historiker ... (Z. 15) | Redewendung |
| 3 Wir sehen uns gewiss ein anderes Mal wieder ... (Z. 21) | subjektive Wertung |
| 4 ... Albernheit einer immer absurderen Tempojagd ... (Z. 29) | persönliche Anrede des Lesers |
| 5 Ich werde mir viel Zeit dafür nehmen ... (Z. 40) | Bericht über Forschungsergebnisse |

## 4 Subjektive Bedeutung des Modalverbs *wollen* → AB 15–17/Ü13–15

**GRAMMATIK**
Übersicht → S. 24/1b

a | Vergleichen Sie die Sätze. Welche Bedeutung haben sie? Ordnen Sie zu.

A Eine 56-Jährige **soll** durch den Ärmelkanal geschwommen sein.
B Eine 56-Jährige **will** durch den Ärmelkanal geschwommen sein.

☐ Sie hat das von sich behauptet. Ich habe es gehört und erzähle es weiter, zweifle aber daran.
☐ Das habe ich gehört, bin mir aber nicht sicher, ob es stimmt.

b | Peter hat das gehört, aber er glaubt nicht, was die Leute von sich behaupten. Schreiben Sie, was Peter sagt.

1 Karin sagt: „Ich habe den Rekord von Maren Zönker im 100-Meter-Hürdenlauf mit Schwimmflossen gebrochen!"
2 Unser Nachbar behauptet: „Ich habe eine Million Euro im Lotto gewonnen!"
3 Mein Freund Tim meint: „Ich bin mit meinem Sportwagen in zwei Stunden von Hamburg nach München gefahren!"

*1 Peter sagt: „Karin will den Rekord von Maren Zönker im 100-Meter-Hürdenlauf mit Schwimmflossen gebrochen haben."*

Ich kann jetzt ...
■ einem Text die Überlegungen des Autors entnehmen.
■ Stilelemente einer Glosse erkennen.
■ mit *wollen* Zweifel darüber ausdrücken, was jemand von sich behauptet.

# SCHREIBEN

## 1 Glück

Glauben Sie, dass die Menschen vor 20 Jahren glücklicher waren als heute?
Warum (nicht)? Diskutieren Sie.

## 2 Themenwoche in den Medien zum Thema „Glück" → AB 17/Ü16

a Lesen Sie den Ausschnitt aus einem Blog von Dr. Eckart von Hirschhausen (Arzt, Moderator und Autor). Um welche Aspekte des Glücks geht es ihm?

b Welches Anliegen hat der Autor? Was fordert er?

### *Was bedeutet Glück?*

Glück ist keine Frage des Schicksals, sondern in weiten Teilen eine Sache von innerer Einstellung und Übung. Wie gehe ich damit um, wenn etwas missglückt? Nehme ich es überhaupt wahr, wenn mir etwas glückt? Glück
5 fällt nicht vom Himmel – Glück kann man lernen. Glück ist gesund und ansteckend. Auf der einen Seite ist es wichtig, sich Glücksmomente bewusst zu machen und darüber zu reden, auf der anderen Seite besteht die Gefahr, diese zu zerreden: Entzaubern Sie sie nicht!
Glück ist aber vor allem auch eine Gemeinschaftsaufgabe, an der wir alle
10 arbeiten können: Wie kommen wir von einer Neidgesellschaft zu mehr Solidarität und bürgerschaftlichem Engagement? Vom Missgönnen zum Gönnen? Aus der Glücksforschung ergeben sich klare politische Prioritäten, wofür wir Steuern besser verwenden können als bisher: für Gesundheit, für Bildung, für Musik, Kunst und Gemeinschaftserlebnisse. Gemeinsam erlebtes Glück, sich verbunden fühlen – das stärkt uns alle und macht uns glücklich.

c Nehmen Sie Bezug auf den Textausschnitt und schreiben Sie Ihre Meinung in einen Blogbeitrag. Gehen Sie dabei auf zwei der folgenden Punkte ein.

- Inwiefern ist Glück eine Aufgabe der Gesellschaft?
- Wofür sollten Steuergelder verwendet werden, um Menschen glücklich zu machen?
- Geben Sie ein Beispiel für Solidarität, die glücklich macht.
- Geben Sie ein Beispiel für Neid, der unglücklich macht.

### Bezug auf die Quelle nehmen

„ *Während der Themenwoche zum Thema „Glück" las ich einen interessanten Beitrag: …*
*Unter anderem ging die Autorin / der Autor darauf ein, dass …*
*Das …, von dem … schreibt, finde ich sehr wichtig / finde ich einen wichtigen Gedanken.* "

### über eigene Erfahrungen berichten

„ *Die wichtigste Erfahrung war …*
*Mit … habe ich eigene Erfahrungen gemacht.*
*… hat für mich große Bedeutung, weil …* "

### generalisierende Vorschläge machen und begründen

„ *Wenn ich zu entscheiden hätte, würde ich mit … Steuern finanzieren.*
*Ich fände es gut, wenn die Politik / die Politiker …, da …*
*Außerdem sollten Steuern für … ausgegeben werden, weil …* "

---

Ich kann jetzt …      ☺   ☺   ☹
- meine Meinung zum Thema „Glück" äußern.    ☐ ☐ ☐
- Bezug auf einen Beitrag zum Thema „Glück" nehmen.    ☐ ☐ ☐
- in einem Blogbeitrag über eigene Erfahrungen zum Thema „Glück" berichten.    ☐ ☐ ☐

# WORTSCHATZ 1

## 1 Wortbildung: Die Vorsilben *miss-* und *zer-* → AB 18/Ü17–18

GRAMMATIK
Übersicht → S. 24/2

a Wie kann man die Sätze auf Seite 18 noch formulieren? Markieren Sie.

1 Wie gehe ich damit um, *wenn etwas missglückt*?
☐ *wenn etwas nicht glückt?*   ☐ *wenn ich nicht glücklich bin?*   ☐ *wenn etwas schiefgeht?*

2 ... [es] besteht die Gefahr, diese Glücksmomente zu **zerreden**.
☐ *diese so lange zu besprechen, bis sie nichts mehr bewirken.*   ☐ *zu viel über diese zu reden.*
☐ *nicht über diese zu reden.*

b Welche Bedeutung haben die Vorsilben *miss-* und *zer-*? Ergänzen Sie.

_____ : etwas in Stücke teilen                    _____ : das Gegenteil des Ausgangsverbs

## 2 Unsere Wegwerfgesellschaft → AB 19/Ü19

a Sehen Sie das Foto an. Worum könnte es sich hier wohl handeln?

b Ergänzen Sie.

| missfällt · zerstreut · zerlegt · zersprungenes · |
| missachtet · zerrissene · Misserfolg |

Das T-Shirt, das man gerade gekauft hat, missfällt (1) einem bereits zu Hause und landet im Müll. Mal wieder _____ (2) man den Ratschlag der Verkäuferin und kauft eine schlecht sitzende Hose, weil sie ja so ein Schnäppchen war. Kurz danach kommt die Einsicht und man denkt nur noch: Weg damit! Zweifel, ob dieses Verhalten richtig ist, werden
5  _____ (3): Das machen doch alle! Alle? „Zum Glück ist ein Bewusstseinswandel zu beobachten und Dinge werden wieder mehr geschätzt", so die Leiterin des „Repair Cafés" in Burgau. Das ist auch dringend nötig. Der kleinste _____ (4) lässt Reparaturwillige oft verzweifeln. Deshalb bieten im „Repair Café" Hobbybastler und ehemalige Handwerker ihre Hilfe an: Unter fast professioneller Anleitung werden Bilderrahmen
10  _____ (5) und wieder hergerichtet, _____ (6) Kleidungsstücke genäht, _____ (7) Geschirr geklebt und so das eine oder andere Lieblingsstück gerettet.

c Ersetzen oder umschreiben Sie die Wörter mit den Vorsilben *miss-* und *zer-*.

*Das T-Shirt, das man gerade gekauft hat, gefällt einem bereits zu Hause nicht mehr ...*

## 3 Kochrezepte und anderes → AB 19/Ü20

Arbeiten Sie zu zweit. Wählen Sie je ein Wort mit *miss-/zer-* aus. Schreiben Sie zu jedem Wort einen Satz. Lassen Sie eine Lücke für das ausgewählte Wort. Tauschen Sie nun den Zettel mit Ihrer Lernpartnerin / Ihrem Lernpartner und ergänzen Sie die Sätze. Die/Der andere korrigiert.

| **zer-:** drücken · fallen · fließen · gehen · hacken · kochen · laufen · legen · platzen · schneiden | **miss-:** achten · verstehen · fallen · (ge)lingen · (ge)raten |

*Für dieses Rezept sollte man die Knoblauchzehe nicht schneiden, sondern mit einem Messer vorsichtig                    .*

---

Ich kann jetzt ...                                                                 ☺    ☺    ☹
■ die Bedeutung von Wörtern mit den Vorsilben *miss-* und *zer-* verstehen.        ☐    ☐    ☐
■ Verben und Nomen mit den Vorsilben *miss-* und *zer-* bilden und anwenden.       ☐    ☐    ☐

## 1  Beziehung und Partnerschaft

**Wie würden Sie eine moderne Beziehung
zwischen zwei Lebenspartnern beschreiben?**

> gemeinsame Aktivitäten ·
> gemeinsame Ziele · Aufgabenteilung · …

## 2  Lisa Bassenge

LISA BASSENGE
WOLKE 8

a  **Sehen Sie das Cover einer Musik-CD an. Was fällt Ihnen zu dem
Titel der CD, *Wolke 8*, ein?**

b  **Was erfahren Sie in dem Zeitungsausschnitt
über die Entwicklung der Künstlerin und was hat das
mit dem Titel der CD zu tun?**

### Lisa Bassenge singt sich auf „Wolke 8"

**Hamburg.** Als Lisa Bassenge vor zwei Jahren ihr Album „Nur fort" herausbrachte, ging es um Bewegung und Aufbruch und um den Versuch, auf „Wolke 7" zu
5 fliegen. Darauf waren Lieder wie „Über Eis" und Sven Regeners „Seit der Himmel" mit einem zwar leicht melancholischen Touch, aber einem unbedingten Liebesgefühl. Doch die Verliebtheit hat sich etwas gelegt. Jetzt ist die Berliner Sängerin auf „Wolke 8"
10 hinübergeklettert. Sie ist angekommen, aus Verliebtheit ist Liebe geworden. „Das hier wird für immer sein", heißt die Ballade, in der das titelgebende „Wolke 8" auftaucht. Ob diese Liebe für die Ewigkeit hält, zweifelt die Sängerin an, da ist sie Realistin genug: „Ich hoffe, du bleibst an meiner Seite", singt sie 15 mit ihrem dunklen Timbre. Ewige Liebe gibt es nur im Heile-Welt-Schlager, aber von dem ist Bassenge eine Milchstraße weit entfernt. Sie beschäftigt sich auch immer wieder mit dem Aus von Beziehungen.

## 3  „Van Gogh"   AB 20/Ü21

a  **Hören Sie den Refrain des Liedes „Van Gogh". Worum geht es darin?
Wer ist wohl mit „ich" und „du" gemeint?**

> *Wär' ich 'ne Geschichte, kämst du nicht vor.*
> *Wär' ich van Gogh, wärst du das Ohr.*
>
> *Wärst du die Zeit, wär' ich der Zahn.*
> *Wärst du ein Telefon, ging' ich nicht ran.*

b  **Welche Stimmung wird in dem Song vermittelt? Markieren Sie und erklären Sie Ihre Wahl.**

☐ optimistisch   ☐ pessimistisch   ☐ ironisch   ☐ grausam

c  **Gefällt Ihnen das Lied? Warum (nicht)?**

d  **Arbeiten Sie zu dritt. Verteilen Sie die Strophen untereinander.
Je eine Person übernimmt die Strophen 1 und 4, 2 und 5, 3 und 6. Hören Sie nun das Lied
und ergänzen Sie die fehlenden Wörter in Ihrer Strophe.**

> 1 *Wär' ich 'ne Polizistin, wärst du im* Knast .  *Als Richter hätte ich dir lebenslang* .
> 2 *Wär' ich Schiedsrichter, flögst du vom* .  *Wär' ich Trainer, du nur* .
> 3 *Wär' ich Bahnfahrer, du* .  *Wär' ich der Winter, du* .
> 4 *Wär' ich ein Arzt, dann wärst du* .  *Wärst du Hippie, wär' ich* .
> 5 *Wärst du ein Bild, ich hing' dich* .  *Wär' ich Köchin, wärst du nie* .
> 6 *Wär' ich der Schwamm, wärst du ein* .  *Wärst du hier, dann wär' ich* .

e  **Schreiben Sie eigene Strophen nach dem gleichen Prinzip: *Wär' ich … Wärst du …***

Ich kann jetzt …
- Anspielungen in einem Lied verstehen.                         ☐  ☐  ☐
- über meine Interpretation eines Liedtextes sprechen.          ☐  ☐  ☐
- Einzelheiten in einem Liedtext verstehen.                     ☐  ☐  ☐

# WORTSCHATZ 2

## 1 Wortbildung: Die Vorsilbe *ent-* → AB 20/Ü22

GRAMMATIK
Übersicht → S. 24/2

**a** Unterhalten Sie sich zu zweit: Was tun Sie persönlich zur Entspannung im Alltag? Berichten Sie: was, wie oft, wie lange ...?

**b** Lesen Sie und markieren Sie die Wörter mit der Vorsilbe *ent-*.

*Ich war so verspannt von der Arbeit, aber jetzt bin ich ganz entspannt.*

*Durch das Thermalwasser werden dem Körper schädliche Stoffe entzogen.*

*Toll sind auch die Fruchtsäfte, die entgiften.*

**c** Welche Nomen stecken in diesen Verben?

1 sich entspannen → *die Spannung*     4 entzaubern     → _____
2 entgiften     → _____        5 entmutigen     → _____
3 entschuldigen     → _____

**d** Welche Bedeutung hat die Vorsilbe *ent* hier?

## 2 Synonyme und Antonyme

**a** Finden Sie Synonyme mit der Vorsilbe *ent-*.

1 sich ausruhen: _____     3 von schädlichen Stoffen
2 das Selbstvertrauen                   befreien: _____
  nehmen: *entmutigen*                4 um Verzeihung bitten: _____

**b** Welche Verben drücken das Gegenteil aus? Ergänzen Sie.

1 entkleiden → *bekleiden*          3 entgiften → _____
2 entspannen → _____      4 entzaubern → _____

## 3 *ent-* oder *de-*? → AB 21/Ü23

GRAMMATIK
Übersicht → S. 24/2

**a** Welche Vorsilbe könnte passen? Raten Sie und kontrollieren Sie dann mithilfe eines Wörterbuchs.

1 ein Computerprogramm *de* installieren     6 Schüler durch schlechte
2 eine Orange *ent* saften                        Noten _____ motivieren
3 ein Gleichgewicht _____ stabilisieren     7 einen Freund _____ täuschen
4 ein Programm _____ aktivieren             8 vom Schwitzen _____ hydriert sein
5 einen Apfel _____ kernen

**b** Wann verwendet man *de-* und wann *ent-*?

_____ verwendet man bei Fremdwörtern mit lateinischer Wurzel, _____ bei deutschen Wörtern.

---

Ich kann jetzt ...                                                     ☺  ☺  ☹
■ die Bedeutung von Wörtern mit der Vorsilbe *ent-* verstehen.       ☐  ☐  ☐
■ die lateinische Variante der Vorsilbe *ent-* erkennen.            ☐  ☐  ☐

## 1 Filmkonsum

a Wo und wie informieren Sie sich über neue Filme?

b Was hat sich bei Kinofilmen bezüglich Technik, Effekten, Themen etc. in den letzten Jahren verändert?

## 2 Veränderungen im Kino → AB 21/Ü 24

Lesen Sie den Text und ergänzen Sie die Erkenntnisse des Journalisten.

Trailer ...
1 sind häufig interessanter als   *die Filme an sich.*
2 enthalten alles, was _____
3 erfordern Aufmerksamkeit nur noch für _____
4 passen zum allgemeinen Trend zur _____
5 reichen als Information aus, wenn man _____
6 sind oft besser gemacht als _____

## Der Trailer genügt

**Ein guter Trailer ist oft spannender als jeder Film: Alle Höhepunkte in zwei Minuten – welcher Film soll da noch mithalten?**

Filme? Völlig überbewertet. Ich liebe großes Kino, keine Frage – aber eigentlich muss man nur den
5 Trailer sehen. Zwei Minuten genügen, danke. Alles drin, was drin sein muss. Drama, Action, Grusel, Aufregung. Der Rest: Imagination. Wer nichts als die Vorschau kennt, kann sich den Film so umwerfend, so gewaltig denken, wie er will. Viel zu häufig kommen die Filme gegen den ultra konzentrierten Appetitanreger nicht an, z. B. der neue James Bond-Film: vorher lauter starke Bilder, Explosionen und bedeutungsvolle Mienen – der Film dann langatmig und ermüdend.
10 Den Filmstudios kann das egal sein. Für die ist es absurderweise gar nicht wichtig, ob der Film gut ist – gut müssen nur die Argumente sein, die den Zuschauer ins Kino locken. Deswegen werden heute allein in die Trailer Millionen investiert, Hollywood bucht die besten Cutter und lässt eigene Zwei-Minuten-Soundtracks komponieren. Blockbuster in Kürzestfassung: Die Explosionen knallen, die aufregendsten Stunts sind zu sehen, die große Liebesgeschichte deutet sich an, wer
15 der „Böse" sein wird, erkennt man ohne Probleme. Und die starken Sätze tauchen sowieso alle auf, also alles, was in Erinnerung bleiben soll. Wer braucht mehr?
Vielleicht ist das ja ein Symptom dieses Zeitalters: SMS statt langer Telefonate. 140 Zeichen Tweet statt epischer Geschichten. Vielen Menschen reicht heute die Andeutung, die Kurzversion. Wo früher Witze erzählt wurden, liefern Blogs und Facebook-Posts im Grunde nur die Pointen. Kapier es
20 sofort oder vergiss es – was mehr Aufmerksamkeit fordert als ein paar Sekunden, hat schon verloren. Machen wir uns nichts vor: Wer eine gut gemachte Vorschau gesehen hat, kann in Diskussionen über den Film ziemlich lang mithalten, bevor ihm irgendwer auf die Schliche kommt, dass er den Film gar nicht gesehen hat.
Manchmal träume ich von einem Abend, an dem nur Trailer gezeigt werden, einer nach dem anderen. Nie ein langer Film. Immer nur zwei Minuten lange Minidramen, Minikomödien, Miniabenteuer, ultrahocherhitzt. Perfekter Abend.

## 3 Symptome unseres Zeitalters

Arbeiten Sie in Kleingruppen. Fassen Sie die Meinung des Autors in eigenen Worten zusammen. Stimmen Sie ihm zu oder nicht? Nennen Sie auch ein eigenes Beispiel.

*Der Autor beschreibt den Trend zur Kurzfassung. Auch ich ...*

Ich kann jetzt ...
■ einen kulturkritischen Kommentar verstehen.
■ subjektive Einstellungen des Autors erkennen und verstehen.
■ eigene Beobachtungen zu den Zukunftsperspektiven des Kinofilms erläutern.

# SEHEN UND HÖREN

## 1 Frau Ella

a Sehen Sie das Foto an. Um was für ein Filmgenre könnte es sich handeln? Woran erkennen Sie das?

b In welcher Beziehung stehen die Personen wohl zueinander? Was könnte ihnen passiert sein?

> *Der junge Mann dürfte der Enkel der Frau sein. Die Frau könnte aber auch seine Mutter oder Tante sein ...*

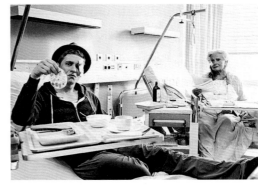

Sascha · · · · · · · · · · Ella

## 2 Figurenkonstellationen

**DVD1**

a Sehen Sie nun den Trailer an. Arbeiten Sie in Kleingruppen. Stellen Sie Vermutungen an über die Beziehung zwischen ...

| Ella und Sascha | Sascha und der jungen Frau | Ella und dem Mann auf dem Foto |
|---|---|---|
| | *Sascha: Vater des Babys?* | |

b Tragen Sie Ihre Ergebnisse im Kurs vor.

> *Sascha dürfte Taxifahrer sein und der Vater des Babys. Er kann sich wahrscheinlich noch nicht vorstellen, ...*

## 3 Filmstory → AB 21/Ü25

a Schreiben Sie aufgrund Ihrer Vermutungen eine Inhaltsangabe in sechs Sätzen.

*Der Film handelt von dem 30-jährigen Sascha ...*

b Vergleichen Sie Ihre Inhaltsangabe mit dem Text im Arbeitsbuch auf Seite 21. Waren Ihre Vermutungen richtig?

c Was meinen Sie? Was wird am Ende aus Sascha, der jungen Frau und Ella? Diskutieren Sie in der Gruppe.

*Ich vermute, Ella wird ...*

## 4 Ihre Meinung

Würden Sie den Film gern ansehen? Warum (nicht)?

> **Wussten Sie schon?** → AB 22/Ü26
>
> *Im Ausland schenkte man Filmen aus Deutschland lange Zeit keine große Beachtung. Erst seit dem Thriller „Lola rennt" (1998) des Regisseurs Tom Tykwer stieg das Interesse an Filmen „made in Germany" weltweit wieder an. Mittlerweile konnten bereits einige Produktionen auch internationale Filmpreise wie den „Oscar" gewinnen. Zuletzt wurden Caroline Links Afrika-Epos „Nirgendwo in Afrika" (2003) und Florian Henckel von Donnersmarcks Drama „Das Leben der anderen" (2006) in der Kategorie „bester fremdsprachiger Film" mit diesem Preis ausgezeichnet.*

Ich kann jetzt ...                                                                                   ☺  ·  ☹
- mithilfe eines Trailers Vermutungen zu Inhalt und Personen eines Films anstellen.          ☐  ☐  ☐
- eine auf Vermutungen basierende Inhaltsangabe zu einem Film verfassen.                       ☐  ☐  ☐

# GRAMMATIK

## 1 Subjektive Bedeutung der Modalverben

### a *müssen, dürfen* und *können*   ← S. 15/1

Modalverben haben neben einer objektiven eine subjektive Bedeutung. Welche der beiden Bedeutungen vorliegt, hängt in der Gegenwart vom Kontext ab. In der Vergangenheit ist der Bedeutungsunterschied an den unterschiedlichen Formen erkennbar.
Die Modalverben *müssen, dürfen* und *können* drücken aus, wie sicher sich der Sprecher bezüglich seiner Aussage ist.

| 100 %          | 90 %         | 75 %           | 50 %      |
|----------------|--------------|----------------|-----------|
| absolut sicher | fast sicher  | wahrscheinlich | möglich   |
| *muss*         | *müsste*     | *dürfte*       | *könnte*  |

| müssen | Es muss sich um eine Sucht **handeln**. | Der Sprecher **ist sich sicher**, dass es so ist. Er hat aber keinen Beweis, hat es nicht nachgeprüft. |
|--------|----------------------------------------------------------------------------------------------------------------------|---|
|        | Auch beim letzten Fall **muss** es sich um die neue Sucht **gehandelt haben**. | |
|        | Das **muss** Fritz sein.<br>= Das **kann nur** Fritz sein.<br>Diese Beziehung **muss** scheitern.<br>= Diese Beziehung **kann nicht** gut gehen. | |
| dürfen | Er **müsste** den Zug eigentlich noch bekommen, da er glücklicherweise Verspätung hat. | Der Sprecher **vermutet** das. |
|        | Die Sucht **dürfte** besonders junge Leute **betreffen**. | |
|        | Diese Sucht **dürfte** nur selten ältere Leute **betroffen haben**. | |
| können | Die Nervosität **könnte** von der Handysucht **kommen**. | Der Sprecher **hält es für möglich**, seine Unsicherheit ist relativ hoch. |
|        | Die Nervosität **könnte** von der Handysucht **gekommen sein**. | |

### b *sollen* und *wollen*   ← S. 17/4

*Sollen* und *wollen* drücken Behauptungen aus. Mit *sollen* wird eine fremde Behauptung wiedergegeben, mit *wollen* wird eine Behauptung wiedergegeben, die ein Sprecher über sich selbst gemacht hat.

| sollen | Der Täter **soll** sich zurzeit im Ausland **aufhalten**.<br>Eine 56-Jährige **soll** durch den Ärmelkanal **geschwommen sein**. Sie **soll** dafür extrem lang **gebraucht haben**. | In den Medien wird das berichtet. |
|--------|----------------------------------------------------------------------------------------------------------------------|---|
| wollen | Eine 56-Jährige **will** durch den Ärmelkanal **geschwommen sein**. Sie **will** dafür über 28 Stunden **gebraucht haben**. | Sie selber behauptet das. |

## 2 Wortbildung: Vorsilben *miss-, zer-, ent-* und *de-*   ← S. 19/1; 21/1+3

Die untrennbaren Vorsilben *miss-, zer-, ent-* und *de-* geben dem Ausgangsverb eine andere, häufig negative Bedeutung.

| miss- | Im Laden **gefällt** einem das T-Shirt gut. | Das T-Shirt, das man gerade gekauft hat, **missfällt*** einem bereits zu Hause. |
|-------|----------------------------------------------------|-----------------------------------------------------------------------------------|
| zer-  | Man sollte über Glücksmomente **reden**. | Man sollte die Glücksmomente aber nicht **zerreden**. |
| ent-  | Auch in der Sauna sollte man **sich angemessen kleiden**. | Bei manchen beginnt die Entspannung bereits, wenn sie **sich entkleiden**. |
| de-   | Dieses Programm wurde schon vor Jahren **installiert**. | Ein Kollege hilft mir, das alte Programm auf dem Computer zu **deinstallieren**. |

\* Bei Ausgangsverben mit der Vorsilbe *ge-* fällt die Vorsilbe weg und wird durch *miss-* ersetzt, z. B. *gelingen – miss*lingen.

Eine erweiterte Darstellung der Grammatikübersichtsseiten finden Sie im Lehrwerkservice unter www.hueber.de/sicher.

# 2

# IM TOURISMUS

## 1 Umgangsformen

Welche Eigenschaften braucht jemand,
der beruflich mit Reisenden oder Touristen
zu tun hat? Unterhalten Sie sich in Gruppen.

*Auf jeden Fall muss man
immer freundlich zu den Kunden
sein! Auch wenn man etwas zum
tausendsten Mal erklärt.*

*Ich finde Humor
auch ganz wichtig.*

## 2 Service für Fahrgäste → AB 25/Ü2

**a** Welche Art von Informationen und Serviceleistungen
erhalten Fahrgäste im Zug? Nennen Sie einige Beispiele.

**b** Hören Sie die Durchsagen 1–4 der Bahn und ordnen Sie sie den jeweiligen Gründen zu.

CD1 7

☐ Platzprobleme              ☐ Hinweis auf Zugausstattung       ☐ Verzögerung der Fahrt
☑ blockierte Zugtür          ☐ Übersehen einer Haltestelle      ☐ Notfall

**c** Wie finden Sie die Durchsagen? Warum?

☐ alltäglich    ☐ ungewöhnlich    ☐ ernst    ☐ lustig

## 1 Berufe im Tourismus

a Arbeiten Sie zu zweit. Ergänzen Sie weitere Berufe der Tourismusbranche. Das Team, das als Erstes zu jedem Buchstaben einen Beruf gefunden hat, ruft „Stopp". Vergleichen Sie im Kurs.

T
K O C H
U
R
I
S
M
U
S

b Wählen Sie nun zwei Berufe aus a aus.
Was wissen Sie über Anforderungen, Arbeitsbedingungen und Einsatzmöglichkeiten in diesen Berufen? Berichten Sie im Kurs.

*Als Koch hat man oft unregelmäßige Arbeitszeiten. ...*

## 2 In der Hotelbranche → AB 26/Ü3

a Lesen Sie die Reportage und ergänzen Sie die Informationen.

1 Samiras derzeitige Tätigkeit:
2 Ihre beruflichen Pläne: *ins Ausland gehen, z. B. nach Südafrika oder Mauritius, oder auf einem Kreuzfahrtschiff arbeiten*
3 Unterschiede in den Ausbildungen von Hotelfachleuten und Hotelkaufleuten:

4 Mögliche Einsatzbereiche für die beiden Gruppen:

5 Anforderungen an die Hotelmitarbeiter:

6 Arbeitsbedingungen des Hotelpersonals:

7 Samiras Weiterbildungspläne:

8 Tätigkeiten in dieser Funktion:

9 Besonderheit von Marco Pollinis Ausbildung:

10 Sein Berufsziel:

# Menschen im Hotel

Schon als Kind war Samira Seghmouti fasziniert, wenn sie im Urlaub mit ihren Eltern in einem Hotel übernachtete – dieses besondere Flair, diese eigene Stimmung hatten es ihr angetan. Heute macht die 21-Jährige eine Ausbildung zur Hotelfachfrau im Fünf-Sterne-Haus
5 „Regent Berlin" am Gendarmenmarkt. Im kommenden Sommer hat sie ausgelernt und hofft auf eine spannende Karriere.

Diese Hoffnung dürfte sich erfüllen: Wie schwankend die Situation auf dem Arbeitsmarkt insgesamt auch ist, in der Hotellerie werden immer gute Kräfte gesucht. Und zwar weltweit und in allen Facetten der Branche – vom Luxushaus über das Tagungshotel bis hin zum kleinen Privathotel. „Durch die Ausbildung lerne ich den Beruf von der Pike auf", sagt Samira Seghmouti.

Die angehenden Hotelfachleute durchlaufen in ihrer dreijährigen Lehrzeit verschiedene Abteilungen eines Hotels. So arbeiten sie unter anderem im Frühstücksservice, in den Restaurants, an der Rezeption oder im Housekeeping. Dabei sind eine hohe Servicebereitschaft, aber auch körperlicher Einsatz und eine schnelle und gründliche Arbeitsweise unverzichtbar. Die Kundenzufriedenheit hat immer oberste Priorität. Wer etwa am Empfang bzw. an der Rezeption tätig ist, muss zur optimalen Betreuung ausländischer Gäste natürlich auch Fremdsprachen beherrschen.

Wenn man in den meisten Hotelberufen auch direkt mit den Gästen zu tun hat, so gibt es doch Betätigungsfelder „hinter den Kulissen". Beispielsweise für die sogenannten Hotelkaufleute. Diese werden verstärkt in den administrativen Bereichen wie Sales and Marketing, Buchhaltung oder Public Relations eingesetzt. Im Gegensatz zu einer Ausbildung zur Hotelfachfrau bzw. zum Hotelfachmann stehen bei den Hotelkaufleuten deshalb auch Ausbildungsstationen in den Bereichen Marketing, Bürokommunikation und -organisation, Personalmanagement, kaufmännische Steuerung und Warenwirtschaft auf dem Plan. Wenn die Azubis diese Bereiche durchlaufen, erwerben sie die nötigen Kenntnisse und sind später in der Lage, die unterschiedlichen kaufmännischen Prozesse in der Hotelorganisation zu steuern und zu kontrollieren. Dennoch ähneln sich die beiden Ausbildungen sehr stark, auch die angehende Hotelkauffrau oder der Hotelkaufmann lernt alle anderen Bereiche des Hotels kennen.

Manch einer schließt noch ein Studium an, wie Betriebswirtschaft oder Marketing. „Wie reizvoll das auch klingen mag, Studieren ist nichts für mich", sagt Samira Seghmouti, „ich möchte lieber ins Ausland gehen und dort im Hotel arbeiten. Südafrika oder Mauritius wären toll." Auch einen Job auf einem Kreuzfahrtschiff hat sie im Blick. „Diese Jobs sind sehr beliebt, weil sie für den Lebenslauf super sind." Denn: Wer auf einem Schiff gearbeitet hat, gilt bei Personalchefs als fleißig und belastbar. Und Hotelfachleute sollten sich durch hohe Flexibilität auszeichnen, sowohl was die verschiedenen Einsatzbereiche als auch was die Arbeitszeiten betrifft.

Wenn Samira auch oft abends oder am Wochenende Dienst hat, so hat sie ihre Entscheidung noch nicht bereut. Und sie kann sich gut vorstellen, eines Tages eine Weiterbildung zur Hotelmeisterin zu absolvieren. Das ist frühestens drei Jahre nach Ausbildungsabschluss möglich. In dieser Funktion übt man qualifizierte Tätigkeiten im mittleren Management des Hotel- und Gaststättengewerbes aus. Hotelmeisterinnen und Hotelmeister planen, besprechen, organisieren und überwachen Arbeitsabläufe, je nach Spezialisierung und Einsatzbereich in und zwischen den einzelnen Abteilungen des Betriebes. Beispielsweise betreuen sie die Gäste während ihres Aufenthaltes, führen Ein- und Verkaufsverhandlungen, erledigen Arbeiten im betriebswirtschaftlich-kaufmännischen und im Verwaltungsbereich etc.

Samiras Kollege, der 23-jährige Marco Pollini, hat einen noch recht neuen Weg eingeschlagen: Er studiert an der Internationalen Berufsakademie in Berlin. In einem dualen Studiengang wird das Studium der BWL mit Schwerpunkt Hotel- und Tourismusmanagement mit der praktischen Ausbildung im Hotel verbunden. Drei Jahre dauert die Ausbildung. In dieser

Zeit lernt Pollini drei Tage in der Woche im Hotel „Regent Berlin" wie ein Hotelfachmann und zwei Tage sind für das Studium reserviert. „Als Page habe ich angefangen, mittlerweile war ich im Sales and Marketing, in der Reservierungsabteilung und im Front Office", erzählt er, „aber ich freue mich besonders auf das Sternerestaurant in unserem Haus." Auf die Frage

60 nach seinem Traumjob antwortet er: „Ich kann mir gut vorstellen, später einmal als Personalchef eines großen Hotels oder einer Hotelkette tätig zu sein. Da hätte ich dann vor allem mit den Hotelmitarbeitern zu tun und könnte mich um ihren optimalen Einsatz, ihre Bedürfnisse oder auch Fortbildungsmöglichkeiten kümmern."

b  **Könnten Sie sich vorstellen, in einem dieser Berufe tätig zu sein? Warum (nicht)?**

*Wussten Sie schon?* → AB 27/Ü4

*Viele Berufsbezeichnungen werden auch in den deutschsprachigen Ländern auf Englisch angegeben. Ursprünglich verwendete man englische Titel vor allem für Bereiche wie Informatik (z. B. Software Developer), Verkauf und Unternehmensberatung (z. B. Account Manager). Zunehmend findet man inzwischen auch in traditionellen Betätigungsfeldern wie dem Hotelgewerbe englische Bezeichnungen wie z. B. Front Office, Sales and Marketing, Housekeeping oder Food and Beverage-Abteilung. Diese sollen der Tätigkeit einen modernen, frischen und internationalen Anstrich geben.*

## 3  Zweiteilige konzessive Konnektoren   → AB 28–29/Ü5–8

**GRAMMATIK**
Übersicht → S. 36/1a

a  **Was bedeuten folgende Sätze aus dem Text? Markieren Sie.**

1 **Wie** reizvoll das **auch** klingen mag, Studieren ist nichts für mich. (Z. 35/36)
   ☐ Das klingt zwar reizvoll, aber Studieren ist nichts für mich.
   ☐ Das klingt reizvoll. Deshalb ist Studieren etwas für mich.

2 **Wenn** man in den meisten Hotelberufen **auch** direkt mit den Gästen zu tun hat, so gibt es doch Betätigungsfelder „hinter den Kulissen". (Z. 24/25)
   ☐ Man hat in den meisten Hotelberufen direkt mit den Gästen zu tun, weil es wenig Betätigungsfelder „hinter den Kulissen" gibt.
   ☐ Obwohl man in den meisten Hotelberufen direkt mit den Gästen zu tun hat, gibt es auch Betätigungsfelder „hinter den Kulissen".

b  **Formulieren Sie die Sätze mit** *wie ... auch* **oder** *wenn ... auch* **wie in a um.**

1 Wie sehr sich die Auszubildende auch bemüht, alles richtig zu machen, manche Tätigkeiten fallen ihr noch schwer.
   *Die Auszubildende bemüht sich zwar sehr, alles richtig zu machen, aber manche Tätigkeiten fallen ihr noch schwer.*

2 Wenn Samira auch lieber einen ruhigeren Beruf hätte, so mag sie doch ihre Arbeit im Hotel.

3 Wie vielfältig das Jobangebot in der Hotelbranche auch ist, die meisten Studierenden wollen doch im Management tätig sein.

Ich kann jetzt ...                                                                          ☺  ☺  ☹
- über Anforderungen und Arbeitsbedingungen in der Tourismusbranche sprechen.              ☐  ☐  ☐
- einer Reportage über Hotelberufe gezielt Informationen entnehmen.                        ☐  ☐  ☐
- Nebensätze mit den Konnektoren *wenn ... auch* und *wie ... auch* verstehen.             ☐  ☐  ☐

## 1 Anruf im Hotel → AB 30/Ü9

a Worauf würden Sie als Hotelmanagerin/
Hotelmanager in Ihrem Haus besonderen Wert legen?
Sammeln Sie zu zweit.

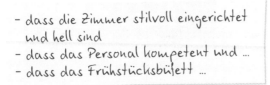

- dass die Zimmer stilvoll eingerichtet
  und hell sind
- dass das Personal kompetent und …
- dass das Frühstücksbüfett …

**8 CD 1** b Hören Sie nun einen Anruf an der Hotelrezeption und
ergänzen Sie die fehlenden Informationen.

1 Der Anlass des Anrufs ist, _Informationen zu einem Hotelaufenthalt zu erhalten._
2 Die gewünschte Reisezeit ist _____
3 Zusammen mit Herrn Heinert reisen _____
4 Höherer Zimmerpreis für das Südzimmer wegen _____
5 Die Preise beinhalten _____
6 Kinder erhalten _____
7 Beim Abendessen wählt man zwischen _____
8 Die „Rittencard" gilt für _____
9 Für einen Reiserücktritt braucht man eine Versicherung und ein _____
10 Herr Heinert möchte erst mit seiner Frau sprechen und dann _____

## 2 Zweiteilige restriktive Konnektoren → AB 31–32/Ü10–13

GRAMMATIK<br>Übersicht → S. 36/1b

**9 CD 1** a Hören Sie die Sätze aus dem Telefonat noch einmal.
Ergänzen Sie die fehlenden Konnektoren.

1 Die Familiensuite brauchen wir, glaube ich, nicht. _Außer wenn_ man kein zusätzliches
Beistellbett für die anderen Zimmer bekommen kann.
2 Die beiden Zimmer sind im Grunde ziemlich ähnlich, (…), _____ Sie eben im
Südzimmer vom Balkon aus eine wunderschöne Aussicht (…) haben.
3 Das klingt natürlich sehr verlockend und ist auch total praktisch, _____,
_____ man erst spät von einem Ausflug zurückkommt.
4 Mit Kindern ist es immer ratsam, eine Reiserücktrittsversicherung abzuschließen.
_____ man ein Attest von einem Arzt braucht, hat man keine größeren
Umstände damit …

b **Welche Bedeutungen entsprechen den Sätzen in a? Markieren Sie.**

1 Die Familiensuite brauchen wir nur, wenn wir ☐ *ein* ☐ *kein* zusätzliches Beistellbett für
die anderen Zimmer bekommen können.
2 Die beiden Zimmer sind im Grunde ziemlich ähnlich, ☐ *aber* ☐ *und* Sie haben im Südzimmer
vom Balkon aus eine wunderschöne Aussicht (…).
3 Das klingt natürlich sehr verlockend und ist auch sehr praktisch. Es ist nur dann
☐ *nicht so* ☐ *so* praktisch, wenn man erst spät von einem Ausflug zurückkommt.
4 Mit Kindern ist es immer ratsam, eine Reiserücktrittsversicherung abzuschließen.
Man braucht ☐ *nur* ☐ *nie* ein Attest vom Arzt.

---

Ich kann jetzt …                                                                    ☺ ☺ ☹
- ein Auskunftsgespräch an der Hotelrezeption verstehen.                            ☐ ☐ ☐
- Notizen zu einem Gespräch ergänzen.                                               ☐ ☐ ☐
- zweiteilige restriktive Konnektoren verstehen.                                    ☐ ☐ ☐

# SPRECHEN

## 1 Unterschiedliche Reiseformen

Lesen Sie die Infotexte. Welche Reiseform sagt Ihnen am meisten zu?

**Pauschalreisen** [A]

Sie eignen sich für Menschen, die der Ansicht sind, Ferien sollten so unkompliziert und entspannend wie
5   möglich sein. Viele Reiseveranstalter bieten ein Paket aus Flugreise, Transfer zum Hotel und Vollpension an. Am hoteleigenen Strand stehen Liegestühle und Sonnenschirme zur Verfügung.
10  Außer Kofferpacken muss man selbst kaum weitere Reisevorbereitungen treffen.

**Aktivurlaub** [B]

Für körperlich Aktive stehen verschiedene sportliche Aktivitäten zur Auswahl,
5   z. B. Wandern, Mountainbikefahren und Klettern. Natürlich gibt es auch exotischere Angebote wie Kajakfahren auf dem Amazonas oder Trekking im Himalaja. Dafür gilt es, auch „einfachere" Unterkünfte in Kauf zu nehmen.
10  Wer sich für eine solche Reise entscheidet, dem sollten auch größere körperliche Anstrengungen keine Schwierigkeiten bereiten.

**Individualreisen** [C]

Man reist in abgelegene Orte und Regionen. Land und Leute auf eigene Faust zu entdecken und
5   zu erleben, bereitet dabei die meiste Freude. Bei Verfechtern der Individualreisen kommt meist auch die Unterstützung des einheimischen Tourismus (private Pensionen, Angebote vor Ort, einheimi-
10  sches Kunsthandwerk) zur Sprache.

**Kulturreisen** [D]

Diese Art zu reisen kommt vor allem für diejenigen infrage, die sich für Museen,
5   Schlösser und Denkmäler eines Landes oder einer Region interessieren. Der Veranstalter stellt der Reisegruppe eine fachkundige Reiseleitung zur Verfügung, sodass das (kunst-)historische Verständnis der Reisenden
10  vertieft werden kann.

## 2 Rollenspiel – eine gemeinsame Reise planen  → AB 32/Ü14

a   Arbeiten Sie zu viert. Jede/r vertritt eine andere Reiseform.
Notieren Sie zunächst Argumente für „Ihre" Reiseform. Machen Sie auch Vorschläge für
geeignete Reiseziele, Reisedauer, Unterkünfte, Aktivitäten und Verkehrsmittel.

> _Individualreise_
>
> Argumente: Urlaub nach eigenen Wünschen gestalten, flexibel …
> Vorschlag: zwei Wochen im Urwald des Amazonas, in einfachen Hütten übernachten, …

b   Diskutieren Sie nun in der Gruppe. Ziel ist es, eine gemeinsame Reise zu planen.
Einigen Sie sich auf den bestmöglichen Kompromiss und verwenden Sie einige der folgenden
Redemittel. Stellen Sie dann Ihre Reise im Kurs vor.

**eigene Vorlieben benennen**

„ _Wenn ich verreise, steht … im Vordergrund._
_Als Unterkunft stelle ich mir … vor. Da fühlt man sich wie …_
_Natürlich könnte/sollte man unterwegs auch einmal …_
_Auf keinen Fall möchte ich die schönste Zeit im Jahr hauptsächlich damit verbringen, …_
_… kommt für mich gar nicht infrage, da …_
_… würde ich auch/nicht so gern in Kauf nehmen._
_Das verstehe ich schon, aber würde es dir nicht auch gefallen, …?_ "

---

Ich kann jetzt …                                                              ☺    ☺    ☹
- Argumente für eine Reiseform formulieren.                                   ☐    ☐    ☐
- individuelle Wünsche äußern und mich mit anderen einigen.                   ☐    ☐    ☐
- einen Vorschlag für eine gemeinsame Reise im Kurs vorstellen.              ☐    ☐    ☐

# WORTSCHATZ 1

## 1 Feste Nomen-Verb-Verbindungen →AB 33–34/Ü15–17

GRAMMATIK
Übersicht → S. 36/2

a Lesen Sie den Anfang des Textes A „Pauschalreisen" auf Seite 30 noch einmal.
Welche Bedeutung hat die Nomen-Verb-Verbindung *der Ansicht sein*? Markieren Sie.

☐ ansehen      ☐ besichtigen      ☐ meinen

b Lesen Sie alle Infotexte auf Seite 30 noch einmal. Markieren Sie dort alle Nomen-Verb-Verbindungen,
die den einfachen Verben in der Tabelle entsprechen, und ordnen Sie sie wie im Beispiel zu.

| Feste Nomen-Verb-Verbindung | Einfaches Verb |
|---|---|
| | ausgewählt werden können |
| in Kauf nehmen (Text B, Z. 9) | akzeptieren |
| | über etwas verfügen können |
| | eine Reise vorbereiten |
| | bereitstellen |
| | jemandem gefallen |
| | angesprochen/thematisiert werden |
| | schwierig sein |

## 2 Mit einem einsprachigen Wörterbuch arbeiten

a Lesen Sie den folgenden Wörterbucheintrag zum Schlagwort „Schwierigkeit".
Markieren Sie alle Nomen-Verb-Verbindungen mit und ohne Präpositionen/Artikel
und ergänzen Sie die Tabelle.

**Schwierigkeit**, die, -, -en (Schwie|rig|keit)
1. *etwas Schwieriges, das Schwierige, das Schwierigsein*
2. *Unannehmlichkeit, Hindernis*
• wenn du das tust, **bekommst** du ~en; jmdm. ~en **bereiten**, machen,
verursachen; ~en **beseitigen**, überwinden, umgehen, vermeiden [...]
• **auf** ~en stoßen; ~en **aus** dem Weg gehen; ~en aus dem Weg räumen; er befindet sich **in** (finanziellen) ~en; jmdm. in ~en bringen;
ich möchte nicht, dass Sie dadurch in ~en geraten; jmdm. ~en in
den Weg legen; **mit** ~en kämpfen; mit ~en rechnen; das ist mit
großen ~en verbunden [...]

> Mit dem einsprachigen
> Wörterbuch arbeiten
> Einsprachige Wörterbücher sind ein
> nützliches Hilfsmittel, um die Bedeu-
> tung oder die Verwendungsmöglich-
> keit von Wortkombinationen wie
> Nomen-Verb-Verbindungen nachzu-
> schlagen. Notieren Sie in Ihrer Voka-
> belkartei auch eigene Beispielsätze
> mit den Nomen-Verb-Verbindungen.

| Präposition/Artikel | Nomen | Verb |
|---|---|---|
| | Schwierigkeiten | bekommen |
| | jmdm. Schwierigkeiten | bereiten, machen, verursachen |
| | Schwierigkeiten | beseitigen, überwinden, umgehen, vermeiden |
| auf | Schwierigkeiten | stoßen |
| ... | | |

b Formulieren Sie nun eigene
Beispielsätze mit den festen
Nomen-Verb-Verbindungen aus a.

*Der Verzicht auf Luxus bereitet vielen
Reisenden Schwierigkeiten.*

---

Ich kann jetzt ...                                                            ☺  ☺  ☹
- Nomen-Verb-Verbindungen die entsprechenden „einfachen" Verben zuordnen.      ☐  ☐  ☐
- Nomen-Verb-Verbindungen verstehen und anwenden.                              ☐  ☐  ☐

# SCHREIBEN

## 1 Verwöhntage

**a** Lesen Sie die Infotafel der Tourismusinformation von der Gemeinde Naturns in Südtirol. Welche dieser Aktivitäten würden Sie wählen? Unterhalten Sie sich in Kleingruppen.

Naturns ist bekannt für seine wundervolle Natur und biologische Landwirtschaft. Um diese Besonderheiten direkt erleben zu können, bieten wir Ihnen heute folgendes Programm an:

8:00–9:00 Uhr: Wachen Sie auf mit **Qi Gong** im Kurpark am Walterplatz.

10:00 Uhr: Starten Sie mit einer **Panoramawanderung** in den Tag: Bei einer leichten Kurzwanderung erfahren Sie Interessantes über Land und Leute sowie über Wander- und Freizeitmöglichkeiten in und um Naturns. Treffpunkt vor dem Tourismusbüro, Dauer: ca. 2 Stunden. Denken Sie unbedingt an gutes Schuhwerk, Sonnen- und Regenschutz.

11:00 Uhr: **3D-Bogenparcours** in Katharinaberg/Schnalstal. Stellen Sie Ihr Talent fürs Bogenschießen auf die Probe! Anmeldung bei Valentin Müller, Tel.: +39 333 4 95 92 13.

13:30 Uhr: Erkunden Sie unseren **Biobauernhof** Oberniederhof im Schnalstal, wo Ihnen auf anschauliche Weise der Weg der Milch vom Erzeuger bis zur Ladentheke nahegebracht wird. Hier können Sie Tiere hautnah erleben und Selbstgemachtes probieren. Dauer: ca. 2 Stunden, Kosten 6 €/Person.

16:30 Uhr: Lassen Sie sich mit einer **Marmorstein-Massage** verwöhnen. Die ganzheitliche Massage mit naturbelassenen Lavasteinen und warmem Latschenöl wirkt beruhigend und ausgleichend. Genießen Sie die wohltuende Tiefenentspannung! Dauer: 50 Min., Kosten: 50 €. Bitte vorher im Tourismusbüro einen Termin vereinbaren!

20:30 Uhr im Konzerthaus: Lassen Sie den Tag mit **Gesang und Musik** des bezaubernden Damentrios „Ganes" ausklingen; Karten ab 20 € im Tourismusbüro Naturns erhältlich.

**b** Notieren Sie alle Verben (+ Ergänzungen) aus dem Text, die zu den verschiedenen Aktivitäten auffordern.

*– Wachen Sie auf mit ...*
*– Starten Sie mit ...*

## 2 Mein Zwei-Tages-Programm → AB 35/Ü18

**a** Verfassen Sie ein Zwei-Tages-Programm für Touristen in Ihrer Heimatstadt. Verwenden Sie dabei auch die Formulierungen aus 1b und die Nomen-Verb-Verbindungen der Wortschatz 1-Seite (S. 31). Bringen Sie Programmpunkte zu den folgenden Aspekten unter:

- Kultur und Tradition
- Fitness und Natur
- Kulinarisches
- Entspannung und Wellness
- Einkaufen und Unterhaltung

*Erfahren Sie Wissenswertes über die 2000-jährige Geschichte unserer Stadt.*

**b** Hängen Sie anschließend Ihre Programme im Kursraum auf. Wählen Sie Ihr Lieblingsprogramm aus und stellen Sie der Verfasserin / dem Verfasser noch einige Fragen dazu.

*Gibt es in ... noch viele Überreste aus dieser frühen Zeit, zum Beispiel einen Tempel oder Brunnen?*

Ich kann jetzt ...    ☺ ☺ ☹
- über angebotene touristische Aktivitäten sprechen.    ☐ ☐ ☐
- einem Tourismusprogramm die wesentlichen sprachlichen Mittel entnehmen.    ☐ ☐ ☐
- ein Programm für mögliche Aktivitäten in meiner Heimatstadt erstellen.    ☐ ☐ ☐

## 1 Reiseandenken

a Notieren Sie Reiseandenken, die Sie schon einmal mitgebracht haben.

| Was? | 1 | 2 | 3 |
|---|---|---|---|
| Wo und wann erstanden? | | | |
| Warum gekauft? | | | |
| Was ist damit passiert? | | | |

b Vergleichen Sie Ihre Ergebnisse jeweils zu viert. Gibt es Übereinstimmungen? Wenn ja, welche?

c Welche Synonyme kennen Sie für das Wort „Reiseandenken"?

## 2 „Eulen aus Athen" → AB 35/Ü19

C·10 CD1   a Hören Sie den Anfang eines Berichts. Welche Aussage ist jeweils richtig? Markieren Sie.

    1 Die Journalistin hat genau 1250 Reiseandenken zu Hause. ☐
    2 Sie verwendet gern die aus Thailand mitgebrachte Currysoße. ☐
    3 Sie ärgert sich über die vielen Souvenirs in ihrer Wohnung. ☐

b Hören Sie den mittleren Teil nun in Abschnitten. Welche Aussage ist richtig? Markieren Sie.

C·11 CD1   **Abschnitt 1:**

    1 Das „Mitbringsel aus schlechtem Gewissen" ist meist gut ausgewählt. ☐
    2 Die verreiste Person will der Familie zu Hause mit einem Geschenk ihre Zuneigung zeigen. ☐
    3 Mit „Gutmenschen-Geschenken" hilft man der Wirtschaft in unterentwickelten
      Ländern enorm. ☐

C·12 CD1   **Abschnitt 2**

    1 Mit dem „Konservier-Souvenir" möchte man die erlebten Gefühle mit nach Hause nehmen. ☐
    2 Meist freut man sich auch später noch über die gekauften Dinge. ☐
    3 Häufig bringt man Lebensmittel mit, weil deren Qualität besonders gut ist. ☐

C·13 CD1   **Abschnitt 3**

    1 Mit „Kalkül-Kauf"-Mitbringseln sollte man möglichst wenige Freunde beschenken. ☐
    2 „Kalkül-Käufe" sind nicht sehr beliebt. ☐
    3 „Spontan-Souvenirs" kauft man oft in einem Zustand geistiger Umnachtung. ☐

C·14 CD1   c Hören Sie nun den Schluss. Welche Aussage ist richtig? Markieren Sie.

    1 Ihr Mann freut sich über alle Arten von Souvenirs. ☐
    2 Sie bringt ihm nur noch konsumierbare Dinge mit. ☐

d Was will die Autorin wohl mit ihrer detaillierten Analyse von Mitbringseln erreichen?

    1 Sie will den Hörer genau über die möglichen „Andenken-Typen" aufklären. ☐
    2 Sie will zeigen, wie gut sie sich auskennt. ☐
    3 Sie macht sich über den Souvenir-Kauf lustig. ☐

## 3 Verschiedene Motivationen

Welche der genannten Kauf-Motivationen können Sie am besten nachvollziehen. Warum?

Ich kann jetzt ...     ☺   ☺   ☺
 ■ über selbst gekaufte Reiseandenken sprechen.    ☐ ☐ ☐
 ■ einen ironischen Bericht über den Sinn von Reiseandenken detailliert verstehen.    ☐ ☐ ☐

## 1 Ideen für eine touristische Region → AB 36/Ü20

a Lesen Sie folgende Ankündigung des Bundeslandes Mecklenburg-Vorpommern.
   Wozu wird hier aufgefordert? Sprechen Sie.

Unsere einzigartige und liebenswerte Region Mecklenburg-Vorpommern braucht weitere neue Impulse für eine zeitgemäße touristische Entwicklung. Es soll ein zukunftsweisendes Konzept für „sanften, umweltschonenden, also nachhaltigen Tourismus" entstehen, an dem sich möglichst viele Institutionen, lokale Unternehmen und interessierte Bürger beteiligen.
5 Posten Sie Ihre Ideen bis 18.5. auf unserer Internetplattform www.tourismusplattform-mecklenburg-vorpommern.de.

b Arbeiten Sie zu zweit. Welche Adjektive, Nomen und Verben passen zusammen,
   um Ideen für die touristische Entwicklung der Region sinnvoll auszudrücken?
   Wer findet in fünf Minuten die meisten möglichen Kombinationen und kann noch
   weitere ergänzen? Vergleichen Sie anschließend im Kurs.

| Adjektiv | Nomen | Verb |
|---|---|---|
| öffentlich__ | Erzeuger | ausbauen |
| lokale__ | Nahverkehr | unterstützen |
| vergleichbar__ | Radwege | sich mit … vernetzen |
| alternativ__ | Gastgewerbe | anregen |
| einheimisch__ | Segeltörns | fördern |
| erneuerbar__ | Entwicklung | berücksichtigen |
| landschaftlich schön__ | Partnerregionen | anbieten |
| nachhaltig__ | Produkte | stärken |
| unvergesslich__ | Wochenmärkte | verarbeiten |
| … | Energieerzeugung | auf … hinweisen |
| | … | … |

c Wählen Sie zu zweit Kombinationen aus b aus
   und erläutern Sie, was Sie darunter verstehen.
   Führen Sie auch konkrete Ideen und Beispiele an.

*Lokale Erzeuger zu unterstützen bedeutet, nur Produkte aus der Region, zum Beispiel Milch direkt vom Bauern, zu kaufen.*

d Fassen Sie Ihre Ergebnisse auf Kärtchen zusammen.
   Erstellen Sie mit dem gesamten Kurs eine Collage.

Man muss unbedingt lokale Erzeuger unterstützen, damit sie qualitativ hochwertige Produkte anbieten können. In Ferienwohnungen und Tourismusämtern kann man z. B. auf lokale Wochenmärkte oder den Direktverkauf beim Bauern hinweisen.

---

Ich kann jetzt ...                                                                ☺ ☺ ☹
 ▪ Ideen für die Entwicklung einer touristischen Region zusammenstellen.          ☐ ☐ ☐
 ▪ meine Vorschläge zur Förderung des nachhaltigen Tourismus einer Region formulieren.  ☐ ☐ ☐

# SEHEN UND HÖREN

## 1 Eine Jungunternehmerin → AB 37/Ü21

**Sehen Sie eine Fotoreportage in Abschnitten an und beantworten Sie die Fragen.**

### Abschnitt 1

1 Sehen Sie den Abschnitt zunächst <u>ohne Ton</u>.
- Was für ein Unternehmen hat die junge Frau wohl?
- Was könnte das Besondere daran sein?

2 Sehen Sie den Abschnitt nun <u>mit Ton</u>.
- Waren Ihre Vermutungen richtig?
- Was bietet Sibila Tasheva an? Für wen?
- Wo ist ihr Arbeitsplatz?

### Abschnitt 2

- Wie bereitet Sibila ihr Serviceangebot vor?
- Wie unterscheidet sie sich von großen Anbietern?

### Abschnitt 3

- Was ist in Sibilas Betrieb eher günstig, was war zu Beginn kostspielig?
- Wie ist ihr die Finanzierung ihres Unternehmens gelungen?
- Sibila Tasheva ist Juristin. Welche Vorteile hatte das wohl bei der Unternehmensgründung?

### Abschnitt 4

Welche Vorteile ihrer juristischen Ausbildung nennt Sibila selbst? Notieren Sie.
- In Bezug auf ihr theoretisches Wissen:

- In Bezug auf ihre Qualitäten als Anwältin:

### Abschnitt 5

- Wie ist die Unternehmenssituation derzeit?
- Was sind Sibilas Ziele?

## 2 Ihr Eindruck

**Sehen Sie die Fotoreportage noch einmal ganz an und unterhalten Sie sich dann in Kleingruppen.**

1 Wie gefällt Ihnen Sibilas Unternehmen?
2 Welche Chancen und Risiken sehen Sie dabei?
3 Fänden Sie es reizvoll, selbst ein kleines Unternehmen zu gründen? Wenn ja, in welchem Bereich?
4 Wie könnte sich Sibilas Unternehmen in zehn Jahren entwickelt haben?

> *Ich könnte mir vorstellen, dass der Trend zur Individualisierung weiter anhält und Sibilas Unternehmen deswegen ...*

---

Ich kann jetzt ...                                                            ☺  ☺  ☹
- den Bericht einer jungen Unternehmerin über ihre Firma verstehen.           ☐  ☐  ☐
- Überlegungen zu Unternehmensgründungen anstellen.                           ☐  ☐  ☐
- Vermutungen über die Zukunftsaussichten des porträtierten Unternehmens äußern. ☐  ☐  ☐

# GRAMMATIK

## 1 Zweiteilige Konnektoren

### a Zweiteilige konzessive Konnektoren ← S. 28/3

*Wenn ... auch, (so)* und *wie ... auch* drücken eine Bedingung oder Ursache aus,
die nicht die zu erwartende Wirkung hat.

| Zweiteilige konzessive Konnektoren | Varianten |
|---|---|
| **Wenn** Samira **auch** oft abends oder am Wochenende Dienst hat, **so** hat sie ihre Entscheidung noch nicht bereut. | **Obwohl** Samira oft abends oder am Wochenende Dienst hat, hat sie ihre Entscheidung noch nicht bereut. |
| **Wie** sehr sich die Auszubildende **auch** bemüht, alles richtig zu machen, manche Tätigkeiten fallen ihr noch schwer. | Die Auszubildende bemüht sich **zwar** sehr, alles richtig zu machen, **aber** manche Tätigkeiten fallen ihr noch schwer. |

### b Zweiteilige restriktive Konnektoren ← S. 29/2

*Es sei denn, (dass) ...; außer, (wenn) ...; außer dass ...* und *nur dass ...* drücken eine Einschränkung aus. Man verwendet diese, wenn etwas nur in einem bestimmten Fall oder in einer bestimmten Situation gilt.

| Zweiteilige restriktive Konnektoren | Varianten |
|---|---|
| Wahrscheinlich reisen wir am Freitag an, ... <br> – **es sei denn**, unser Kind wird krank. <br> – **es sei denn, dass** unser Kind krank wird. <br> – **außer** unser Kind wird krank. <br> – **außer wenn** unser Kind krank wird. | Wir reisen am Freitag an. Dies gilt nicht, wenn unser Kind krank wird. <br><br> *oder* <br><br> Wir reisen am Freitag nur dann nicht an, wenn unser Kind krank wird. |
| Die beiden Hotelzimmer sind fast gleich, **außer dass** Sie im teureren Zimmer Alpenblick haben. <br><br> **Außer dass** Sie im teureren Zimmer Alpenblick haben, sind die Hotelzimmer fast gleich. <br><br> Die beiden Hotelzimmer sind fast gleich, **nur dass** Sie im teureren Zimmer Alpenblick haben.* | Die beiden Hotelzimmer sind fast gleich. Der einzige Unterschied besteht darin, dass Sie im teureren Zimmer Alpenblick haben. |

*\* Der Satz mit *nur dass* ist immer der zweite Satz.*

## 2 Feste Nomen-Verb-Verbindungen ← S. 31/1

Nomen können mit verschiedenen Verben, manchmal mit Artikeln oder Präpositionen in Nomen-Verb-Verbindungen stehen. Sie haben dann unterschiedliche Bedeutungen.

| Feste Nomen-Verb-Verbindung | Einfaches Verb |
|---|---|
| zur Auswahl stehen | ausgewählt werden können |
| zur Verfügung stehen | über etwas verfügen können |
| zur Verfügung stellen | bereitstellen |
| Vorbereitungen treffen | etwas vorbereiten |
| der Ansicht/Meinung sein | meinen |
| Freude bereiten | jemandem gefallen |
| Schwierigkeiten bereiten | schwierig sein |
| zur Sprache kommen | angesprochen/thematisiert werden |
| das Verständnis vertiefen | besser verstehen |
| in Kauf nehmen | akzeptieren |
| einen Kompromiss finden | sich einigen |
| infrage kommen | möglich, denkbar sein |

Eine erweiterte Darstellung der Grammatikübersichtsseiten finden Sie im Lehrwerkservice unter www.hueber.de/sicher.

# INTELLIGENZ UND WISSEN

**3**

## 1 Quiz: Testen Sie Ihr Wissen über vergangene Zeiten.

Markieren Sie und vergleichen Sie anschließend mit den Lösungen auf Seite AB 110.

1 In welcher Zeit lebten die Menschen auf dem Bild?
- ☐ in der Eiszeit
- ☐ im Mittelalter
- ☐ in der Steinzeit

2 Was waren sie von Beruf?
- ☐ Siedler und Bauern
- ☐ Jäger und Sammler
- ☐ Ritter und Krieger

3 Was war wichtig für den täglichen Überlebenskampf?
- ☐ Geschicklichkeit und Vorsicht
- ☐ mathematisch-logisches Denken
- ☐ sprachliche Fähigkeiten

## 2 Ihre Meinung → AB 41/Ü2

Verfassen Sie in Kleingruppen einen kurzen Text über die Menschen auf dem Bild und ihr Leben. Beantworten Sie dabei folgende Fragen:

- Was waren damals die größten Herausforderungen für die Menschen?
- Welche Fähigkeiten und Fertigkeiten brauchten sie?
- Wie könnte ihr Tag ausgesehen haben?

> *Vor mehreren tausend Jahren standen die Menschen vor existenziellen Herausforderungen …*

1   **Menschliche Fähigkeiten im Wandel**

a   Sehen Sie sich das Foto an. Was müssen
    Menschen heute beherrschen, was ist weniger
    wichtig als früher? Weshalb?

b   Sind die Menschen Ihrer Meinung nach heutzutage
    intelligenter oder weniger intelligent als damals?
    Aus welchen Gründen?

2   **Vom Jäger zum User**  → AB 42/Ü3−4

Lesen Sie erst den Text und ergänzen Sie dann die Textzusammenfassung.

## Der Mensch ist heute anders intelligent als früher

Der US-Forscher Gerald Crabtree behauptet, unsere Vorfahren seien intelligenter gewesen
als wir, weil sie gezwungen waren, ihr Gehirn anzustrengen, um zu überleben. Dem wider-
spricht unter anderen der Psychologe Professor Schmale, der meint, der Mensch von heute
5   sei anders intelligent als der von früher.

### Provokante These: Der Mensch wird immer dümmer
Heiße Diskussionen über die Intelligenzentwicklung löste der Entwicklungsbiologe Gerald
Crabtree mit der Behauptung aus, dass die durchschnittliche Intelligenz des Menschen all-
mählich schwinde. Seine Theorie: Die geistige Kapazität war einst entscheidend, um etwa bei
10  der Jagd erfolgreich zu sein. Wer hingegen nicht imstande war, Tiere zu erlegen, verhungerte.
Nur die Schlauesten überlebten und vererbten ihre Intelligenz weiter. Abwärts ging es seiner
Ansicht nach, seitdem der Mensch sich in größeren Gruppen niederließ, also sesshaft wurde.
Die Stärkeren fütterten die Schwächeren mit durch. Intelligenz war nicht mehr unbedingt
erforderlich für das Überleben. Deshalb entwickelten sich langsam die durchschnittlichen
15  geistigen Fähigkeiten der Spezies des Homo sapiens zurück.

### Intelligenz verändert sich
„Intelligenz sinkt nicht, sie verändert sich", meint dagegen Schmale. „Durch Intelligenz ist
man in der Lage, sich an die Außenwelt anzupassen." Ändert sich die Umwelt, ändern sich
auch die Bereiche, in denen der durchschnittliche Mensch mit Klugheit glänzen kann.
20  Seit jeher beeindruckten Menschen mit einer ausgeprägten Merkfähigkeit und umfangrei-
chem Wissen ihre Mitmenschen. Aber auch in diesem Bereich gab es einen Wandel. Herrscht
beim gemütlichen Zusammensein Uneinigkeit über etwas, zückt garantiert einer in der
Runde sein Smartphone. Ein Ozean an Informationen, in dem er schnell die Antwort findet,
ohne die Notwendigkeit, seine Erinnerung zu bemühen. Die moderne Technologie macht es
25  möglich, dem User nicht nur das Erinnern, sondern auch das Orientieren und selbst das Wissen abzunehmen, aber verdummen lasse sie einen dadurch nicht, sagt Schmale. Sie fördere
die menschliche Intelligenz auf andere Weise, als es dies zum Beispiel das Jagen von Wildtie-
ren vor Tausenden von Jahren gemacht habe.
Die Wissenschaft unterscheidet zwischen zahlreichen Intelligenzfaktoren. Für Schmale sind
30  die drei wichtigsten Faktoren die numerische, die sprachliche und die anschaulich-prakti-
sche Intelligenz. Bei Letzterer muss das Gehirn zum Beispiel in relativ kurzer Zeit begrei-
fen, was das Balkendiagramm auf dem kleinen Display über seinen Kontostand aussagt und
wohin der Finger zu schieben ist, um die genauen Ausgaben vom 12. November anzusehen.
Auch Professor Dirk Hagemann von der Universität Heidelberg hält es für unwahrscheinlich,
35  dass das Internet die Menschen zu „denkfaulen" Wesen macht. Es stellt für ihn lediglich eine
bessere Verfügbarkeit von Wissen dar. Die Menschen hätten nicht den Wunsch, das eigenständige Denken einzustellen, das liege nicht in ihrer Natur. „Da gibt es noch ein anderes
Prinzip, das dem entgegensteht, nämlich Neugierde, die Lust am Denken."

Wissenschaftler sind unterschiedlicher (0) darüber, ob und wie sich die Intelligenz der Menschen im Laufe der Zeit verändert hat. Laut Gerald Crabtree werden die Menschen seit einigen tausend Jahren langsam immer (1). In der Zeit der Jäger und Sammler (2) nämlich nur die Schlauesten. Sie bekamen wiederum intelligente (3). Als diese Gruppen sesshaft wurden, mussten auch (4) nicht mehr unbedingt verhungern und vererbten ihre geringere Intelligenz weiter. Einige deutsche Forscher meinen dagegen, der Mensch würde sich seiner Umwelt (5), aber nicht schlauer oder dümmer werden. Ein gutes Beispiel für diese (6) sei das Faktenwissen. War es früher etwa wichtig, sich an vieles zu (7), findet man heutzutage fast alles Wissenswerte in Sekundenschnelle über sein Smartphone. Für den Umgang mit den modernen Medien nutzt man beispielsweise einen anderen Bereich der menschlichen (8) als die früheren Jäger. Außerdem gehen (9) nicht davon aus, dass die Menschen immer weniger Lust am Denken haben, weil sie von Natur aus (10) sind.

| 0 | *Meinung* |
|---|---|
| 1 | |
| 2 | |
| 3 | |
| 4 | |
| 5 | |
| 6 | |
| 7 | |
| 8 | |
| 9 | |
| 10 | |

> *Textzusammenfassung ergänzen*
>
> *Achten Sie bei den Wörtern, die Sie ergänzen sollen, auf inhaltliche und formale Richtigkeit. Überlegen Sie, welche Wortart zu ergänzen ist: Fehlt hier ein Adjektiv, ein Nomen, ein Verb etc. und in welcher Form? Vergleichen Sie den unvollständigen Satz mit der entsprechenden Stelle im ausführlichen Text. Nicht immer finden Sie dort genau den passenden Begriff, manchmal muss man z. B. statt eines Nomens ein Adjektiv oder auch ein Synonym für den Begriff im Originaltext einsetzen.*

**3** **Umschreibung der Modalverben *können, müssen* und *wollen*** → AB 43–44/Ü5–8

**GRAMMATIK**
Übersicht → S. 48/1

Welche der folgenden Formulierungen kann man mithilfe der Modalverben *können, müssen* oder *wollen* umschreiben? Schreiben Sie die Sätze neu.

1 ..., weil sie **gezwungen waren**, ihr Gehirn anzustrengen, um zu überleben. (Z. 3)

*..., weil sie ihr Gehirn anstrengen mussten, um zu überleben.*

2 Wer hingegen nicht **imstande war**, Tiere zu erlegen, verhungerte. (Z. 10)

3 Intelligenz war nicht mehr **unbedingt erforderlich** für das Überleben. (Z. 13/14)

4 „Durch Intelligenz ist man **in der Lage**, sich an die Außenwelt anzupassen." (Z. 17/18)

5 ... ohne **die Notwendigkeit**, seine Erinnerung zu bemühen. (Z. 24)

6 ... wohin der Finger **zu** schieben **ist**, um die genauen Ausgaben ... anzusehen. (Z. 33)

7 Die Menschen hätten nicht **den Wunsch**, das eigenständige Denken einzustellen ... (Z. 36/37)

---

Ich kann jetzt ...                                                                                    ☺ ☺ ☺
- Meinungen über die Entwicklung der menschlichen Intelligenz austauschen.                            ☐ ☐ ☐
- die Zusammenfassung einer Reportage ergänzen.                                                       ☐ ☐ ☐
- Umschreibungen der Modalverben *können, müssen* und *wollen* verstehen.                             ☐ ☐ ☐

# SCHREIBEN

## 1 Sinnvolle Frühförderung?

**a** Sehen Sie die Fotos an. Um welche Art der Frühförderung handelt es sich wohl?

**b** Ordnen Sie die Texte den Fotos zu.

☐ 1 Durch die Bauchlage werden Reflexbewegungen der Babys stimuliert und die Koordination wichtiger Bewegungen früher aktiviert und stabilisiert. Die großflächigen Berührungsreize stimulieren die Nerven unter der Haut. Das aktiviert die Muskulatur, ermöglicht Entspannung und führt zu längerem und tieferem Schlafen der Kinder.

☐ 2 In diesem Kurs werden Kinder auf spielerische und kindgerechte Weise auf den Instrumental-unterricht vorbereitet. Im Vordergrund stehen vor allem das Erleben und Fördern von kreativen Ausdrucksformen wie Gesang, Tanz, Malerei und Spiel.

☐ 3 Der Umgang mit den unterschiedlichen Formen macht schon den Kleinsten Spaß. Durch Berühren und Zuordnen prägen sich die Symbole ganz spielerisch ein und machen die Kinder früh mit Dingen vertraut, mit denen sie in der Schule später täglich umgehen müssen.

**c** Unterhalten Sie sich in Gruppen.

1 Welche positiven Effekte der Frühförderung werden hier dargestellt?
2 Glauben Sie, dass diese Angebote bei den Eltern gut ankommen? Warum?

> *Eltern wollen ja immer das Beste für ihre Kinder und sind bestrebt, sie optimal zu fördern ...*

## 2 Karola macht sich Gedanken → AB 45/Ü9

Lesen Sie die E-Mail von Karola. Welches Anliegen hat sie?

Lieber Paul,

wie geht es Dir? Ich hoffe, Dein Urlaub war erholsam und schön! Ich habe gerade Zeit für ein paar Zeilen an Dich, bald kommt ja unser Nachwuchs zur Welt, dann komme ich wohl kaum mehr zum Schreiben. ☺

5 Es klingt vielleicht komisch, aber eine Frage beschäftigt mich jetzt schon manchmal: Immer öfter lese ich in Zeitschriften für Eltern etwas zum Thema „Frühförderung". Und das fängt ja nicht erst im Kindergarten an! Schon für sechs Wochen alte Säuglinge wird Babyschwimmen angeboten, die Rhythmusgruppe wird bereits für Zweijährige ange-boten. Einige unserer Freunde schicken ihren Nachwuchs zusätzlich zum normalen Kin-

10 dergarten noch in eine private Vorschule, wo sie dann nicht nur Englisch spielerisch üben, sondern auch sogenannte „Lerneinheiten" zu Themen wie Kommunikation, Mathematik oder sogar Rhetorik absolvieren. Die Anbieter versprechen, dass diese Lernprogramme später für einen Vorsprung in der Ausbildung und im beruflichen Leben sorgen werden. Regelmäßige Anwesenheit der Vorschulkinder im Unterricht wird dabei erwartet.

15 Tim meint auch, es könne nie schaden, Kindern schon möglichst früh verschiedene Aktivitäten anzubieten, aber bei mir sträubt sich innerlich alles bei dem Gedanken an einen festen Stundenplan für Babys. Haben wir denn das Recht, unseren Kindern schon vor Schulbeginn Leistung abzuverlangen? Wäre es nicht wichtiger, dass sie genügend

20 Zeit zum fantasievollen Spielen haben? Erwachsenen Angestellten ist es beispielsweise verboten, mehr als zehn Stunden am Tag zu arbeiten, kleine Kinder sollen jedoch rund um die Uhr etwas für ihre Entwicklung tun! Andererseits will man natürlich auch nichts versäumen und später denken: „Hätten wir das unserem Kind nur auch schon früh genug angeboten!"

Nun würde ich gern Deine Meinung dazu erfahren. Hältst Du so ein Zusatztraining für
25 sinnvoll? Würdest Du uns empfehlen, unser Baby auch in so einer Gruppe anzumelden?

Ich freue mich, bald von Dir zu hören.
Liebe Grüße
Deine Karola

## 3 Ihre Meinung → AB 45/Ü10

**Verfassen Sie mithilfe der Redemittel eine Antwort an Karola.**
**Schreiben Sie etwas zu folgenden Punkten:**

- Was haben Sie schon von solchen Frühförderprogrammen gehört?
- Kennen Sie persönlich jemanden, der mit seinen Kindern solche Kurse gemacht hat?
- Welche Meinung haben Sie zur Frühförderung und was empfehlen Sie Karola?

| **auf etwas Bezug nehmen** | **den eigenen Standpunkt erläutern** |
|---|---|
| „ Neulich hörte ich von … <br> Schön, mal wieder von Dir … <br> … ist mir nicht ganz unbekannt. <br> Dazu kann ich allerdings … sagen <br> … kann ich überhaupt nicht nachvollziehen. <br> Besonders kritikwürdig ist … " | „ Meine Ansicht dazu ist folgende: Ich … <br> … beurteile ich positiv/negativ, weil … <br> … sehe ich eher kritisch/positiv/entspannt. <br> Ich bin der festen Überzeugung, dass … <br> Mein persönliches Fazit ist … " |

## 4 Umschreibung der Modalverben *dürfen* und *sollen* → AB 46/Ü11–12

**GRAMMATIK**
Übersicht → S. 48/1

**3**

**Schreiben Sie folgende Sätze aus Karolas E-Mail mit den Modalverben**
***dürfen* oder *sollen* neu.**

1 Regelmäßige Anwesenheit der Vorschulkinder im Unterricht **wird** dabei **erwartet**. (Z. 14)
   *Die Vorschulkinder sollen regelmäßig anwesend sein.*

2 **Haben wir** denn **das Recht**, unseren Kindern schon vor Schulbeginn Leistung abzuverlangen? (Z. 17/18)

3 **Wäre es** nicht **wichtiger**, dass sie genügend Zeit zum fantasievollen Spielen haben? (Z. 18/19)

4 Erwachsenen Angestellten **ist es** beispielsweise **verboten**, mehr als zehn Stunden am Tag zu arbeiten, … (Z. 19/20)

5 **Würdest Du** uns **empfehlen**, unser Baby auch in so einer Gruppe anzumelden? (Z. 25)

---

| Ich kann jetzt … | 😊 | 😐 | ☹ |
|---|---|---|---|
| ■ kurze Texte über unterschiedliche Formen der Frühförderung verstehen. | ☐ | ☐ | ☐ |
| ■ verstehen, was jemand in einer E-Mail zum Thema „Frühförderung" äußert. | ☐ | ☐ | ☐ |
| ■ meine eigene Meinung zum Thema „Frühförderung" detailliert schriftlich darstellen. | ☐ | ☐ | ☐ |
| ■ Umschreibungen der Modalverben *dürfen* und *sollen* verstehen und anwenden. | ☐ | ☐ | ☐ |

# HÖREN

## 1 Was meinen Sie? Stimmt das?

Arbeiten Sie in Kleingruppen. Lesen Sie die folgenden drei Bildunterschriften.
Was könnten Wissenschaftler dazu untersucht und herausgefunden haben? Diskutieren Sie.

*Macht Bewegung schlau?*

*Beeinflusst Temperatur das Körpergewicht?*

*Erst mal darüber schlafen?*

## 2 Neue Erkenntnisse → AB 47/Ü13

a Hören Sie drei kurze Radioberichte einmal komplett.
Welches Thema finden Sie besonders interessant?

b Hören Sie die Berichte noch einmal einzeln. Welche Aussage ist jeweils richtig?
Markieren Sie.

### Text 1

1 Bei einer Versuchsreihe wurde getestet, ob ...
☐ bei Sportlern ein Zusammenhang zwischen Joggen und Hirnleistung besteht.
☐ sich die Gehirnleistung bei unsportlichen Personen durch regelmäßiges Joggen ändert.
☐ das Gehirn älterer Menschen durch Sport leistungsfähiger wird.

2 Am Ende stellte sich heraus, dass ...
☐ rund 20 % der Jogger bessere geistige Leistungen erzielten.
☐ Aktivitäten in verschiedenen Hirnbereichen keine Wirkung auf die Merkfähigkeit haben.
☐ die körperlich aktive Gruppe eine schnellere Reaktion und eine bessere Merkfähigkeit hatte.

### Text 2

3 Was fanden Forscher in Bezug auf Raumtemperatur und Gewichtsabnahme heraus?
☐ Wenn man sich täglich länger in Räumen unter 15 Grad aufhält, nimmt man ab.
☐ Bei kurzem Aufenthalt in etwas kühleren Räumen bildet der Körper eine Art Fettverbrenner.
☐ Um abzunehmen, braucht man zusätzlich zum Aufenthalt in kühleren Räumen viel Bewegung.

4 Eine weitere Folge niedrigerer Raumtemperaturen seien ...
☐ positive Auswirkungen auf Umwelt und Geldbeutel.
☐ mehr erkältete Menschen im Winter.
☐ körperliche Probleme durch Muskelzittern.

### Text 3

5 Laut einer neuen Studie ...
☐ sollte man wichtige Entscheidungen erst einmal überschlafen.
☐ kann Wut im Bauch zur Problemlösung beitragen.
☐ muss man auf heftige Provokationen auch heftig reagieren.

6 Mathematische Aufgaben lösten die Testpersonen ...
☐ nach dem Schlafen deutlich besser als ohne Schlaf.
☐ am besten, wenn sie sie häufig wiederholten und dann nur kurz schliefen.
☐ gleich gut mit oder ohne Schlaf.

c Lesen Sie die Zeitungsüberschriften. Berichten Sie in Kleingruppen von weiteren interessanten Erkenntnissen, die Sie gehört oder gelesen haben.

*Koffein wirkt gegen Alzheimersymptome*    *Prothesen können nur über Gedanken bewegt werden*    *Bürolärm wird als Stressfaktor unterschätzt*

d Stellen Sie die interessantesten Ergebnisse im Plenum vor.

## 3 Irreale Folgesätze → AB 48/Ü14–16

GRAMMATIK
Übersicht → S. 48/2

a Lesen Sie folgende Aussagen aus den Hörtexten.
Welche Bedeutung haben sie? Markieren Sie.

1 *Du bist im Moment **zu** angespannt, **um** eine richtige Entscheidung **zu** treffen.*
   ☐ Du bist im Moment sehr angespannt, deshalb kannst du keine richtige Entscheidung treffen.
   ☐ Um eine richtige Entscheidung zu treffen, musst du sehr angespannt sein.

2 *Der Büroalltag ist häufig viel **zu** stressig, **als dass** man gute Vorsätze wie gesündere Ernährung und mehr Sport einfach umsetzen **könnte**.*
   ☐ Der Büroalltag ist häufig sehr stressig, aber trotzdem könnte man gute Vorsätze wie gesündere Ernährung und mehr Sport einfach umsetzen.
   ☐ Der Büroalltag ist häufig so stressig, dass man gute Vorsätze wie gesündere Ernährung und mehr Sport nicht so einfach umsetzen kann.

b Verbinden Sie die Sätze mit *zu … um zu*.

1 Ich bin gerade sehr müde. Ich kann nicht joggen.
   Ich bin gerade zu müde, um zu joggen.

2 Nach dem verlorenen Fußballspiel war der Trainer sehr wütend. Er wollte nicht mit den Journalisten sprechen.
   _____
   _____

3 Die Jugendlichen fanden die Filmdokumentation ziemlich langweilig. Sie wollten sich den zweiten Teil nicht mehr ansehen.
   _____
   _____

c Verbinden Sie die Sätze mit *zu …, als dass* + Konjunktiv II.

1 Die Anforderungen an die Menschen waren in den verschiedenen Zeitaltern sehr unterschiedlich. Man kann ihre Leistungen nicht vergleichen.
   Die Anforderungen an die Menschen waren in den verschiedenen Zeitaltern zu
   unterschiedlich, als dass man ihre Leistungen vergleichen könnte.

2 Kinder im Vorschulalter sind noch sehr verspielt. Man kann ihnen keine trockenen Lernaufgaben vorsetzen.
   _____
   _____

3 Die Ergebnisse der Testreihe waren sehr uneinheitlich. Man kann keine klaren Schlussfolgerungen daraus ziehen.
   _____
   _____

Ich kann jetzt …                                                                ☺  ☺  ☺
■ Radiokurzberichte über neueste wissenschaftliche Erkenntnisse verstehen.      ☐  ☐  ☐
■ über Ergebnisse wissenschaftlicher Studien berichten.                          ☐  ☐  ☐
■ irreale Folgen mit *zu …, um … zu* und *zu …, als dass* + Konjunktiv II ausdrücken.  ☐  ☐  ☐

# SPRECHEN

## 1 Wie intelligent sind Sie?

a Sehen Sie folgende Aufgaben aus einem Intelligenztest an und versuchen Sie sie innerhalb von drei Minuten zu lösen. Vergleichen Sie Ihre Lösungen im Kurs. Die Auflösung finden Sie auf Seite AB 110.

1 Führen Sie die Zahlenfolge fort:
   3, 6, 9, 15, 24, _____

2 Führen Sie die Buchstabenfolge fort:
   B, E, H, K, _____

3 Der Tag, der nach übermorgen kommt, liegt vier Tage nach Samstag. Welcher Tag ist heute? Markieren Sie.
   [a] Sonntag   [b] Montag   [c] Freitag
   [d] Donnerstag   [e] Samstag

4 Setzen Sie den fehlenden Buchstaben ein, sodass zwei Wörter entstehen:
   HAU _____ ASCHE

5 Wählen Sie eine Figur (a–e) aus, die die obere Reihe fortsetzt:

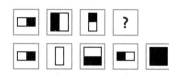

b In welchen Bereichen werden Intelligenztests wohl eingesetzt und was möchte man damit herausfinden?

## 2 Eignungstests im Visier

a Die SB-Bank hat beschlossen, die Suche nach neuen Mitarbeitern zu optimieren.
Lesen Sie die Veröffentlichung der Geschäftsführung im Intranet und die beiden Stellungnahmen dazu. Ergänzen Sie die Argumente von Andreas P. und Amelie R. in der Tabelle.

> Wir planen, ab Juni sämtliche neuen Bewerber als Erstes einen Online-Eignungstest absolvieren zu lassen. Dadurch können wir die grundsätzliche Eignung von Bewerbern für Positionen erkennen, die viele anspruchsvolle Aufgaben umfassen. Die neuen Testverfahren prüfen verschiedene intellektuelle Bereiche wie rechnerisches, sprachliches, räumliches und analytisches Denken. Auf diese Weise
> 5 ersparen wir uns zahlreiche aufwendige Bewerbungsgespräche mit Kandidaten, die sich dann eventuell in der Probezeit als ungeeignet erweisen. Nun möchten wir zusammen mit dem Betriebsrat alle interessierten Mitarbeiter zu einer Diskussion über folgende aktuelle Fragestellungen einladen:
> *Sind Online-Eignungstests ein adäquates Mittel für die Suche nach optimal qualifizierten Mitarbeitern?*

Andreas P., Betriebsratsmitglied:
Inzwischen müssen viele Jobsuchende online einen Eignungs- oder auch Intelligenztest machen. Einerseits lässt sich dadurch natürlich die grundsätzliche Eignung für einen Tätigkeitsbereich feststellen, andererseits denke ich, dass solche standardisierten Tests nicht sehr viel über einige wichtige Eigenschaften wie   5 Zuverlässigkeit, Empathie oder Motivationsfähigkeit eines Menschen aussagen.

Amelie R., Mitarbeiterin der Personalabteilung:
Umfragen haben gezeigt, dass mehrere renommierte Unternehmen seit der Einführung von standardisierten Eignungstests bei der Einstellung von neuem Personal keine größeren Enttäuschungen mehr erleben. Auch für Bewerber kann es   10 von Vorteil sein zu erfahren, ob ihre Fähigkeiten und Qualifikationen zu einer bestimmten Stelle passen.

| Argumente für Eignungstests | Argumente gegen Eignungstests |
| --- | --- |
| man kann die grundsätzliche Eignung für eine Tätigkeit feststellen | |

b Sammeln Sie weitere Argumente für oder gegen Eignungstests und ergänzen Sie sie in der Tabelle.

## 3 Diskussion → AB 49–50/Ü17–18

a Ordnen Sie die Redemittel den drei Kategorien zu.

| Diskussionsteilnehmer | | Diskussionsleitung |
|---|---|---|
| **Argumente anführen** | **auf ein Argument eingehen** | |
| | 4 | Einleitung: _____ <br> Diskussionsführung: _____ <br> Abschluss: _____ |

1 „ *Heute wollen wir uns mit dem Thema ... auseinandersetzen.*

2 *Ich finde, dass man mit solchen Methoden ...*

3 *Ein zentraler Punkt bei dieser Diskussion ist doch die Frage, ...*

4 *Natürlich haben solche Tests ihre Berechtigung, aber man sollte ...* ✔

5 *Du lässt also das Argument von ... gelten, meinst aber auch, dass ...*

6 *Ich würde mir wünschen, dass mehr Gewicht auf ... gelegt wird. Dadurch ...*

7 *Vielleicht sollten wir uns noch intensiver mit der Frage beschäftigen, ...*

8 *Einerseits lässt sich damit ... feststellen, andererseits ...*

9 *Da hast du recht, problematisch finde ich ...*

10 *Dem kann ich nicht zustimmen, weil ...*

11 *Alles in allem könnte man also sagen, ...*

12 *Ja, aber wäre es dann nicht sinnvoll, ...*

13 *Abschließend könnten wir also festhalten, ...*

14 *Das kann ich nicht nachvollziehen. Ist es nicht so, dass ...*

15 *Ich vertrete den Standpunkt ...*

16 *Wer möchte sich dazu noch äußern?*

17 *... können wir später noch einmal aufgreifen.* "

b Bilden Sie Gruppen und diskutieren Sie. Gruppe A argumentiert für den Einsatz von Eignungstests, Gruppe B dagegen. Gruppe C besteht aus bis zu drei Diskussionsleitern, die die Moderation der Einleitung, des Mittelteils und des Abschlusses untereinander aufteilen.

## 4 Adjektivdeklination nach Artikelwörtern und nach Adjektiven/ unbestimmten Zahlwörtern → AB 51–52/Ü19–21

**GRAMMATIK**
Übersicht → S. 48/3

a Suchen Sie die Wörter im Text auf Seite 44 und ergänzen Sie die Endungen.

| Artikelwort | Adjektive/unbe-stimmte Zahlwörter | | Nomen |
|---|---|---|---|
| keine | | größer_____ | Enttäuschungen |
| solche | | standardisiert_____ | Tests |
| alle/sämtliche | | interessiert_____/neu_____ | Mitarbeiter/Bewerber |
| | viele | anspruchsvoll_____ | Aufgaben |
| | zahlreiche | aufwendig_____ | Bewerbungsgespräche |
| | folgende | aktuell_____ | Fragestellungen |
| | einige | wichtig_____ | Eigenschaften |
| | mehrere | renommiert_____ | Unternehmen |
| | verschiedene | intellektuell_____ | Bereiche |

b Nach welchen Wörtern folgt die Adjektivdeklination wie nach dem bestimmten Artikel, nach welchen Wörtern wie nach dem unbestimmten bzw. Nullartikel?

---

Ich kann jetzt ...                                                                                            ☺  ☺  ☹
- eine Debatte zum Thema „Eignungstests" vorbereiten und führen.                                              ☐  ☐  ☐
- Adjektivendungen nach Artikelwörtern und unbestimmten Zahlwörtern/ Adjektiven erkennen.                      ☐  ☐  ☐

# WORTSCHATZ

## 1 Tierische Intelligenz → AB 53–54/Ü23–24

**a** Tieren werden häufig Eigenschaften zugeschrieben. Wie würden Sie einen Raben und einen Fuchs charakterisieren?

> **Wussten Sie schon?** → AB 53/Ü22
> *Fabeln sind kurze Erzählungen, in denen Tiere wie Menschen handeln und menschliche Eigenschaften haben. Dabei kommen einige Tiere häufiger vor, wie beispielsweise der Löwe, der Wolf, die Eule oder der Fuchs. Durch den Verfremdungseffekt wird indirekt Kritik an negativen Verhaltensweisen der Menschen geübt, dem Leser wird sozusagen ein Spiegel vorgehalten. Eine Fabel endet meist mit einer Schlusspointe, die eine Belehrung oder Moral enthält. Sie soll ihre Leser aber auch unterhalten. Fabeln gibt es bereits seit der Antike.*

**b** Lesen Sie nun die Fabel „Der Rabe und der Fuchs". Wie werden die beiden Tiere hier beschrieben? Ergänzen Sie alle Bezeichnungen, d. h. Nomen und Adjektive für ...

- den Raben: *zufrieden, ...*
- den Fuchs: *vorbeiziehend, hungrig, ...*

### Der Rabe und der Fuchs

An einem Morgen saß ein Rabe mit einem gestohlenen Stück Käse im Schnabel auf einem Ast, wo er in Ruhe seine Beute verzehren wollte. Zufrieden
5 krächzte der Rabe über seinen Käse. Dies hörte ein vorbeiziehender, hungriger Fuchs, der gleich darüber nachdachte, wie er an den Käse kommen könnte. Endlich hatte er eine Idee: Freundlich begann das schlaue Tier, den Raben zu loben: „Oh Rabe, was bist
10 du für ein wunderbarer Vogel! Wenn dein Gesang ebenso schön ist wie dein Gefieder, dann sollte man dich zum König aller Vögel krönen!" Das schmeichelte dem eitlen Raben und das Herz schlug ihm vor Freude höher. Stolz riss er seinen Schnabel auf und begann zu krächzen. Dabei entfiel ihm das kost- 15 liche Stück Käse. Darauf hatte der listige Vierbeiner nur gewartet. Schnell schnappte er sich die Beute und machte sich gleich ans Fressen. Da rief der naive schwarze Vogel empört: „He, das war gemein!" Doch der überlegene Fuchs lachte nur über den törichten 20 Raben.

**c** Was soll man aus dieser Fabel lernen, was ist die sogenannte „Moral"?

**d** Welche Adjektive bezeichnen ...?

| große geistige Fähigkeiten | geringe geistige Fähigkeiten |
|---|---|
| schlau | |

**e** So werden andere Fabeltiere häufig charakterisiert. Ordnen Sie die Adjektive, die zu geistigen Fähigkeiten passen, den beiden Kategorien in d zu und ergänzen Sie weitere.

- der gutmütige, ein wenig naive und einfältige Bär
- die weise Eule
- der vorsichtige, kluge Luchs
- die einfache und dumme Henne

**f** Kennen Sie selbst eine Fabel? Erzählen Sie sie in Kleingruppen. Finden Sie heraus, ob die anderen Gruppenmitglieder diese oder eine ähnliche Geschichte auch kennen.

---

Ich kann jetzt ...                                                          ☺  ☺  ☹
- die menschlichen Eigenschaften von Tieren in einer Fabel verstehen.        ☐  ☐  ☐
- die Unterschiede von Adjektiven zur Beschreibung geistiger Fähigkeiten verstehen.  ☐  ☐  ☐
- eine Fabel erzählen und dabei einen interkulturellen Vergleich anstellen.   ☐  ☐  ☐

# SEHEN UND HÖREN

## 1 Damals und heute

**Sehen Sie die beiden Bilder aus einem Animationsfilm an.**

1 Wann und wo spielen die Szenen wohl jeweils?
2 Welchen Zusammenhang könnte es zwischen den beiden geben?

## 2 Das Wissen der Welt

**Sehen Sie den Film in Abschnitten an und beantworten Sie die Fragen oder markieren Sie.**

### Abschnitt 1

1 War Ihre Vermutung über Ort und Zeit auf Bild A richtig? Was wissen Sie über diesen Ort?
2 Was kündigt der eingeblendete Text an? Markieren Sie.
Das Wissen der Menschheit ist nach diesem Tag *viel größer / viel geringer* als davor.

### Abschnitt 2

1 An was für einem Ort befinden sich die Personen? Welchen Aktivitäten gehen sie dort nach?
2 Ein Mann versucht, ein Gerät zum Laufen zu bringen und wird hineingezogen.
Um was für eine „Maschine" könnte es sich hierbei handeln?

### Abschnitt 3

1 Hatten Sie mit Ihrer Vermutung recht?
2 Wo landet der Mann?
3 Woran erinnern die Details in der Küche? Wer ist wohl der dicke Mann hinter der Theke?

### Abschnitt 4

1 Was ist mit den beiden passiert? Welche Hinweise gibt es dafür?
2 Was bzw. wen vergleicht der Forscher hier?
3 Welche Dummheit begeht der dicke Mann hinter der Theke?

### Abschnitt 5

1 Was ist geschehen?
2 Welche Folgen in der unmittelbaren und in der fernen Zukunft hatte das Ereignis?
3 Wie finden Sie dieses Ende?

## 3 Elemente der Filmanimation → AB 54/Ü25

a **Sehen Sie den Film noch einmal ganz. Notieren Sie Stichpunkte zu folgenden Aspekten:**

- das Material, aus dem die Figuren gemacht sind: *Knetmasse*
- die Requisiten oder auch Gegenstände, die auftauchen: _____
- wie sich die Figuren bewegen: _____
- der Szenenwechsel und das Tempo des Films: _____
- die Musik im Hintergrund: _____

b **Was meinen Sie? Diskutieren Sie in Kleingruppen.**

1 Warum ist der Film ganz ohne Sprache? Wie finden Sie das?
2 Was macht Ihrer Meinung nach den „Zauber" des Films aus?

---

Ich kann jetzt ...

- über Inhalt und Aussageabsicht eines Animationsfilms sprechen. ☐ ☐ ☐
- Überlegungen zu verschiedenen Elementen der Filmanimation anstellen. ☐ ☐ ☐
- meine Meinung zur Besonderheit eines Animationsfilms äußern und begründen. ☐ ☐ ☐

# GRAMMATIK

## 1 Modalverben und ihre Alternativen ← S. 39/3; 41/4

### können

| | | | |
|---|---|---|---|
| Der Mensch **kann** sich der Außenwelt anpassen. | Er ist<br>Er hat | in der Lage / imstande,<br>die Fähigkeit / das Vermögen | sich der Außenwelt anzupassen. |
| Heutzutage **können** wir viele technische Hilfsmittel nutzen | Wir haben | die Möglichkeit /<br>die Gelegenheit / die Chance, | viele technische Hilfsmittel zu nutzen. |

### müssen

| | | | |
|---|---|---|---|
| Die Menschen **mussten** immer schon ihr Gehirn anstrengen. | Es war immer schon | erforderlich/<br>unumgänglich, | dass sie ihr Gehirn anstrengten. |
| | Sie waren immer schon | gezwungen, | ihr Gehirn anzustrengen. |
| Er **muss** die Arbeit rechtzeitig erledigen. | Er hat / Es besteht die Notwendigkeit,<br>Er ist dazu verpflichtet, | | die Arbeit rechtzeitig zu erledigen. |

### wollen

| | | |
|---|---|---|
| Wir **wollen** uns mit Intelligenz beschäftigen. | Wir haben vor | uns mit Intelligenz zu beschäftigen. |
| | Wir beabsichtigen / sind bestrebt | |
| | Wir haben die Absicht / die Intention | |

### dürfen

| | | |
|---|---|---|
| Kinder **dürfen** in der Schule auch mitentscheiden. | Kinder haben das Recht / die Erlaubnis,<br>Es ist den Kindern erlaubt/gestattet, | in der Schule auch mitzuentscheiden. |
| Bei Tests **dürfen** sie nicht vom Nachbarn abschreiben. | Es ist bei Tests verboten/untersagt, | beim Nachbarn abzuschreiben. |

### sollen/sollten

| | | |
|---|---|---|
| Du **sollst** deinen Chef zurückrufen. | Dein Chef erwartet, | dass du ihn zurückrufst. |
| | Du hast den Auftrag / die Aufgabe, | deinen Chef zurückzurufen. |
| Man **sollte** flexibel sein. | Es wäre empfehlenswert/ratsam/besser, | flexibel zu sein. |

## 2 Irreale Folgesätze ← S. 43/3

Mit der Konstruktion *zu* + Adjektiv, *als dass* + Konjunktiv II und *zu* + Adjektiv, *um zu* formuliert man eine irreale Folge, das heißt eine Folge, die nicht eintritt / eingetreten ist.

Der Büroalltag ist **zu** stressig, **als dass** man gute Vorsätze für die Gesundheit **umsetzen könnte**.
(Der Büroalltag ist sehr stressig. Man kann die guten Vorsätze für die Gesundheit nicht umsetzen.)

Bei der Konstruktion *zu* + Adjektiv, *um ... zu* kann das Modalverb *können* wegfallen.

Die Vorgänge im Körper sind **zu** komplex, **als dass** man sie schnell erklären **könnte**.
Die Vorgänge im Körper sind **zu** komplex, **um** sie schnell **zu erklären. / erklären zu können**.

## 3 Adjektivendungen nach Artikelwörtern und nach Adjektiven/ unbestimmten Zahlwörtern ← S. 45/4

| Artikelwörter | Adjektive/unbestimmte Zahlwörter | | Nomen | Deklination |
|---|---|---|---|---|
| alle/sämtliche | | interessierten | Mitarbeiter | wie nach bestimmtem Artikel |
| keine | | größeren | Enttäuschungen | |
| solche/welche | | standardisierten | Tests | |
| | einige/mehrere/verschiedene | renommierte | Unternehmen | wie nach Nullartikel im Plural |
| | viele*/wenige* | anspruchsvolle | Aufgaben | |
| | folgende/zahlreiche | aktuelle | Fragestellungen | |

\* im Singular: viel neu*es* Wissen, wenig frei*er* Platz

Eine erweiterte Darstellung der Grammatikübersichtsseiten finden Sie im Lehrwerkservice unter www.hueber.de/sicher.

# 4 MEINE ARBEITSSTELLE

## 1 Arbeit und Privatleben

a Welchen Beruf übt die Person auf dem Foto wohl aus? Woran erkennen Sie das?

b Überlegen Sie sich für die Person eine mögliche Biografie.

## 2 Zwei Wörter, ein Satz, ein Text  → AB 57/Ü2

a Arbeiten Sie zu dritt. Jede/r in der Gruppe wählt ein Nomen und ein Verb aus und bildet damit einen Satz. Sie können auch weitere Wörter zum Thema „Arbeitsstelle" ergänzen.

> Nur wenige Men-
> schen empfinden
> ihre Tätigkeit auch
> als Berufung.

> der Beruf · die Balance · die Berufung · die Leidenschaft ·
> ausspannen · hineinschnuppern · schuften · empfinden · ...

b Die Sätze jeder Gruppe werden eingesammelt und an eine andere Gruppe weitergegeben. Die neue Gruppe verbindet die Sätze zu einem sinnvollen Text. Dabei darf sie auch etwas hinzufügen oder ändern.

c Präsentieren Sie die Ergebnisse im Plenum. Wählen Sie gemeinsam die zwei originellsten Texte aus.

## 1 Erfüllende Berufstätigkeit

a Unterhalten Sie sich in der Gruppe: Üben Sie zurzeit einen oder mehrere Berufe aus?
Wenn ja, welchen oder welche? Wie zufrieden sind Sie damit?

b Welche Faktoren sind wichtig, damit man seinen
Beruf als erfüllend betrachtet?

> der Verdienst · die Aufgaben · die Kollegen ·
> die Stimmung in der Firma · der Weg zur Arbeit · ...

c Arbeiten Sie zu zweit. Sehen Sie die Fotos an.
Welche beruflichen Beschäftigungen sind hier
dargestellt? Welche würden Sie eher hauptberuflich
und welche eher nebenberuflich ausüben?
Welche würde besser zu Ihnen passen? Warum?

## 2 Die richtige Mischung macht's! → AB 58/Ü3

a Lesen Sie den Text und unterstreichen Sie die Schlüsselwörter.

b Ergänzen Sie die wichtigsten Aussagen zu jedem Abschnitt in eigenen Worten.
Vergleichen Sie die Ergebnisse im Kurs.

Absatz 1  In Europa mögen viele Menschen ihre Arbeit nicht.
Absatz 2  
Absatz 3  
Absatz 4  
Absatz 5  

**4**

# Wissen Sie, was in Ihnen steckt?
### Wie wir eine erfüllende Tätigkeit finden können.

[1] In Meinungsumfragen geben über 60 Prozent der Europäer an, mit ihrer Arbeit unzufrieden zu
sein, doch der Hälfte davon fehlt der Mut, daran etwas zu ändern. Wenn Sie zu diesen Menschen
gehören oder Sie wenigstens manchmal das Gefühl haben, mit sich und Ihrem Beruf nicht im  5
Reinen zu sein, gebe ich Ihnen hier eine Anleitung, wie Sie das Labyrinth der Möglichkeiten ausloten und eine erfüllende Arbeit finden können. Was ist notwendig, um besonders in wirtschaft-
lich schwierigen Zeiten eine Tätigkeit zu finden, in der wir uns mit unseren Werten, unseren Lei-
denschaften und unseren Talenten wiederfinden?

[2] Seit über einem Jahrhundert erzählt man uns in der westlichen Kultur, der beste Weg, unsere  10
Begabungen zu nutzen und Erfolg zu haben, sei es, sich zu spezialisieren und eine Spitzenkraft zu
werden, ein Experte in einem eng umgrenzten Feld, zum Beispiel Wirtschaftsberater für Unternehmen oder Anästhesist. Doch es ist fraglich, ob das stimmt. Denn in steigendem Maße fühlen
Menschen sich damit unwohl, weil ihre anderen Seiten, die sie auch ausmachen, brach liegen bleiben. Für diese Menschen ist es sinnvoller, bei ihren Tätigkeiten in die Breite zu streben, statt sich  15
weiter zu spezialisieren. Man kann sich hier von Universalisten der Renaissance wie Leonardo da
Vinci inspirieren lassen, der an einem Tag malte, an einem anderen Maschinen entwarf und sich
am Wochenende dem Studium der Anatomie widmete.

[3] „Portfolioarbeiter" nennt man heute Menschen, die simultan und meist freiberuflich verschiedenen Tätigkeiten nachgehen. Der Managementdenker Charles Handy meint, das sei nicht nur  20
gut, um in unsicheren Arbeitsmärkten das Risiko zu streuen, sondern auch, weil das dank zunehmend flexibleren Arbeitsbedingungen große Gestaltungsspielräume biete: „Zum ersten Mal in
der Menschheitsgeschichte haben wir die Möglichkeit, unsere Arbeit unserem Leben anzupassen,
anstatt unser Leben nach der Arbeit auszurichten. Wir wären verrückt, wenn wir diese Chance

nicht nutzen würden." Stellen Sie sich also die Frage, in welchen verschiedenen Bereichen Sie   25
etwas leisten könnten. Stellen Sie sich vor, Sie existierten in drei parallelen Universen und in
jedem könnten Sie ein Jahr lang eine Tätigkeit ausprobieren, die Ihnen liegt und der Welt Nutzen
bringt. Welche drei Sachen wären das?

[4] Der häufigste Fehler, der bei der Berufswahl gemacht wird, ist, dem gängigen rationalen Modell
zu folgen, das da heißt: Erst planen, dann durchführen. Da werden Listen über persönliche Stär-   30
ken, Schwächen und Ambitionen angefertigt und mit den Beschreibungen verschiedenster Berufe
verglichen, um schließlich zielgerichtet Bewerbungen loszuschicken. Nur, so herum funktioniert
das meist nicht. Vielleicht finden Sie einen neuen Job, aber entgegen Ihrer Erwartung wird er Sie
eventuell gar nicht zufriedenstellen. Statt erst zu denken und dann zu handeln, ist es besser, dass
man zuerst handelt und später darüber nachdenkt. Wir sollten Tätigkeiten in der Realität aus-   35
probieren, indem wir anderen über die Schulter schauen oder auf freiwilliger Basis arbeiten. Wir
sollten Berufe an unseren Erfahrungen messen.

[5] Jetzt denken Sie bitte nicht, Sie müssten Montag früh kündigen. Sie können solche „Branchen-
ausflüge" auch neben Ihrer bestehenden Arbeit machen. Die Karriere-Expertin Herminia Iberra
nennt solche Nebenbeschäftigungen „zeitlich begrenzte Aufgaben". Sind Sie ein desillusionierter   40
Banker? Warum unterrichten Sie am Wochenende nicht ein paar Stunden Yoga oder gestalten freiberuflich Webseiten? Aus solchen kleinen Experimenten kann der Mut zu großen, wohlüberlegten
Veränderungen wachsen. Fordern Sie sich selbst heraus: In welche Branche möchten Sie als Erstes
hineinschnuppern und welchen ersten Schritt müssen Sie dafür tun?

## 3  Diskussion

**Was halten Sie von dem Vorschlag des Autors? Stimmen Sie ihm zu oder
lehnen Sie seine Ideen ab? Welche Erfahrungen haben Sie persönlich bei der Wahl
Ihrer Arbeitsplätze gemacht und welche Erwartungen an einen guten
Arbeitsplatz haben Sie? Diskutieren Sie.**

## 4  *Es* als nicht-obligatorisches Satzelement → AB 58–59/Ü4–6

**GRAMMATIK**
Übersicht → S. 60/1a

a  **Vergleichen Sie die Sätze in Spalte 1 mit den Entsprechungen
aus dem Text in Spalte 2 und unterstreichen Sie jeweils die Nebensätze.
Wie hat sich die Stellung von Haupt- und Nebensatz verändert?
Warum wird in Spalte 2 das Pronomen *es* benötigt?**

| Spalte 1 | Spalte 2 |
|---|---|
| 1 Sich zu spezialisieren …, sei der beste Weg … | … der beste Weg … sei **es**, sich zu spezialisieren … (Z. 10/11) |
| 2 Ob das stimmt, ist jedoch fraglich. | Doch **es** ist fraglich, ob das stimmt. (Z. 13) |
| 3 … in die Breite zu streben …, ist für diese Menschen sinnvoller. | Für diese Menschen ist **es** sinnvoller, … in die Breite zu streben … (Z. 15) |

b  **Schreiben Sie die folgenden Sätze ohne *es*.**

1  Es ist wunderbar, dass sich so viele Möglichkeiten bieten.

   Dass ‾‾‾‾‾‾‾‾‾‾‾‾‾‾‾‾‾‾‾‾‾‾‾‾‾‾‾‾‾‾‾‾‾‾‾‾‾‾

2  Es ist normal, im Leben mehrmals den Job zu wechseln.

   Im Leben ‾‾‾‾‾‾‾‾‾‾‾‾‾‾‾‾‾‾‾‾‾‾‾‾‾‾‾‾‾‾‾‾‾‾

Ich kann jetzt …   😊 🙂 🙁

■ Hauptaussagen eines anspruchsvollen kulturkritischen Artikels zusammenfassen
   und kommentieren.   ☐ ☐ ☐

■ das Pronomen *es* als nicht-obligatorisches Satzelement erkennen und anwenden.   ☐ ☐ ☐

# SPRECHEN

## 1 Was gute Firmen ausmacht → AB 60/Ü7

Arbeiten Sie zu zweit: Was versteht man unter folgenden Begriffen?
Erklären Sie mit eigenen Worten und geben Sie Beispiele.

> Betriebsklima • Umgangston • Mitspracherecht •
> Honorierung von Leistung • Arbeitszeit •
> Spaßfaktor • Vertragssituation

*Gutes Betriebsklima herrscht, wenn sich alle gut verstehen und z.B. etwas zusammen unternehmen.*

## 2 Attraktive Arbeitgeber für die Zukunft → AB 60/Ü8

a Arbeiten Sie in Kleingruppen. Entwerfen Sie ein Profil für die beiden abgebildeten Unternehmensformen. Beziehen Sie dabei die in 1 genannten Punkte ein und ergänzen Sie noch weitere Aspekte.

Start-up-Unternehmen

*flexible Arbeitszeiten*

Familienbetrieb

*feste Arbeitszeiten*

b Entscheiden Sie sich für eine Unternehmensform und überlegen Sie sich ein Profil für Ihre Firma. Sammeln Sie Maßnahmen, mit denen Sie das Unternehmen für neue Mitarbeiter attraktiv machen wollen. Nennen Sie auch Einwände, die möglicherweise gegen die Maßnahmen geäußert werden könnten.

### Maßnahmen darlegen

„ *Wir setzen auf ein gutes Betriebsklima/...*
*Wir tun sehr viel für ...*
*Wir werden in Zukunft mehr für ... tun.*
*Bei uns bekommt man einen festen*
  *Vertrag/... Das ist mehr wert als ...*
*Wir bieten regelmäßige Arbeitszeiten/...* "

### Einwände äußern

„ *Man muss allerdings auch sehen, dass ...*
*Es gibt jedoch große Probleme bei/in ...*
*Allerdings sieht die Zukunft in Bezug*
  *auf ... düster/kritisch/aus: Man muss*
  *damit rechnen, dass ...* "

c Tragen Sie Ihre Ergebnisse im Kurs zusammen und diskutieren Sie. Was ist Ihr Fazit? Was macht einen Arbeitgeber attraktiv für neue Mitarbeiter?

---

Ich kann jetzt ...
- Begriffe zum Thema „attraktiver Arbeitsplatz" in eigenen Worten erklären.
- ein Profil für ein Unternehmen erstellen.
- Maßnahmen darlegen, um einen Arbeitgeber attraktiv zu machen.

# HÖREN

## 1 Arbeitsverhältnisse

a Sehen Sie die Fotos in 2a an. Welche Berufe üben die Personen wohl aus?
Wo arbeiten sie? Sprechen Sie.

b Welche Erfahrungen machen ausländische Arbeitnehmerinnen und Arbeitnehmer,
wenn sie in Deutschland, Österreich oder der Schweiz eine Stelle suchen?
Welche Art von Job finden sie zunächst wohl am ehesten?

## 2 Arbeitnehmer mit Migrationshintergrund im Interview → AB 61/Ü9

 a Hören Sie das erste Gespräch. Notieren Sie die Informationen in der Tabelle.

| | Beata | Calvin |
|---|---|---|
| Geburts-/Herkunftsland | | |
| In Deutschland seit … | | |
| Schulbildung | | _____ |
| Ausbildung anerkannt? | | _____ |
| Stellensuche | _____ | |
| Stelle/Tätigkeit | | |
| Arbeitszeit | Teilzeit | |
| Soziale Leistungen im Arbeitsvertrag | | |
| Verdienst/Bezahlung | | |
| Zukunftspläne | | |

b Hören Sie nun das zweite Gespräch und ergänzen Sie.

c Welche Ihrer Vermutungen aus 1 trafen zu?

## 3 Ihre berufliche Laufbahn → AB 62–63/Ü11–12

a Schreiben Sie einen kurzen Text (circa 150 Wörter) über sich. Erläutern Sie:

- Was machen Sie beruflich oder was möchten Sie beruflich machen?
- Was für eine Ausbildung haben Sie?
- Welche Wünsche, Bedürfnisse und Erwartungen haben Sie an den Arbeitgeber?
- Was möchten Sie in den nächsten Jahren beruflich erreichen?

b Lesen Sie den Text Ihrer Lernpartnerin / Ihres Lernpartners, fragen Sie nach und
stellen Sie anschließend ihre/seine Berufspläne im Kurs vor.

> *Wussten Sie schon?* → AB 61/Ü10
> *In Deutschland gibt es Millionen von sogenannten „geringfügig Beschäftigten", auch*
> *„Minijobber" genannt. Diese Arbeitnehmer arbeiten häufig in Privathaushalten als Haus-*
> *haltshilfe oder als Kinderbetreuer. Viele sind aber auch in Betrieben beschäftigt, insbeson-*
> *dere im Reinigungsgewerbe und in der Gastronomie. Minijobber erhalten ein auf 450 Euro*
> *begrenztes monatliches Einkommen. Sie brauchen keine Sozialabgaben und Lohnsteuern*
> *zu bezahlen, erhalten dafür aber auch keine bzw. weniger Sozialleistungen.*

Ich kann jetzt …

- Informationen über die Arbeitssituation von Menschen mit Migrationshintergrund,
  die in deutschsprachigen Ländern leben, verstehen.
- detailliert Auskunft über das eigene gegenwärtige oder gewünschte
  Arbeitsverhältnis geben.

# WORTSCHATZ

## 1 Beruflicher Status und Verdienst

a Welchen beruflichen Status haben diese jungen Leute? Ordnen Sie zu.

Aushilfe • Angestellte/r • Freiberufler/in

 Lisa-Marie arbeitet seit der Lehre als Bankkauffrau.

 Joshua entwickelt neben dem Studium für einen Verlag eine App zum Vokabeltraining.

 Bastian jobbt als Nachtportier in einem Hotel, um sich Geld für eine längere Reise zu verdienen.

A _____ B _____ C _____

b Welches Arbeitsentgelt erhalten sie? Ordnen Sie zu.

☒ Honorar  ☐ Gehalt
☐ Stundenlohn

c Welche dieser Bezahlungen ist monatlich, fest und regelmäßig?

## 2 Lohn- und Gehaltsabrechnung

Sehen Sie diese Abrechnung an und beantworten Sie die Fragen.

1 Wie hoch sind die Abzüge insgesamt?
2 Aus welchen Posten setzen sich die Abzüge zusammen?
3 Wie viel Prozent des Bruttoeinkommens bleibt in diesem Fall nach allen Abzügen übrig? Markieren Sie:
circa ☐a 65 %  ☐b 50 %  ☐c 40 %

**Lohn- und Gehaltsabrechnung** Sorgfältig aufbewahren! Gilt als Verdienstbescheinigung.

FKN: 799968 Musterfirma Angebot

| | | | | |
|---|---|---|---|---|
| Abrechnung Monat Jahr | Url.Anspr.-VJ | | Url.Anspr.-LJ | Url.gen. | Url.Rest |
| 01.09 | | | 28,00 | | 28,00 |
| Eintrittsdatum | St. Kl. Tg. | Steuer- klasse | Kinder- Freibeträge | Rel. KZ-Lst. Besch. | jährlich Freibetrag monatlich |
| 01.01.09 | 30 | 1 | 0,0 | RK | |
| Geburtsdatum | Sv. Tg. | Sozialversicherung KV RV AV PV | K | Bundes- land | Um- lage Pers.Gr. Schl. |
| 27.04.71 | 30 | 1 1 1 1 | K | BAY | J 101 |

Musterfirma Angebot  799968
Musterstrasse 128  501431
88888 Musterstadt

Krankan Name kasse:

Pers.Nr. 000001 01/09

000 Barmer Ersatzkasse

Herrn/Frau
Muster Anna-Lena
Musterstrasse 25
80888 Musterstadt

Bankverbindung  IBAN  BIC
CITIBANK DDF.  DE50000012349876543210  ABC00DEF

| LA | Anzahl | Bezeichnung | Abrechnung 01.09 EUR | % | KOST | KOTR | SV.Btto. | ST.Btto. | Ges.Btto. |
|---|---|---|---|---|---|---|---|---|---|
| | | Gesamtbrutto | | | | | | | ***2530,00 |
| | | Abzüge | | | | | | | |
| | | --------- | | | | | | | |
| | | Lohnsteuer | | | | | | | 334,83 |
| | | Kirchensteuer | | | | | | | 26,78 |
| | | Solidaritätszuschlag | | | | | | | 18,41 |
| | | AN-Anteil Krankenversicherung | | | | | | | 207,46 |
| | | AN-Anteil Rentenversicherung | | | | | | | 239,00 |
| | | AN-Anteil Arbeitslosenversicherung | | | | | | | 37,95 |
| | | AN-Anteil Pflegeversicherung | | | | | | | 32,26 |
| | | --------- | | | | | | | --------- |
| | | Gesamtabzüge | | | | | | | ***896,78 |
| | | ========= | | | | | | | ========= |
| | | Nettolohn/Nettogehalt | | | | | | | ***1633,22 |

## 3 Abgaben → AB 63–64/Ü13–14

a Was wird mit den Steuern, Versicherungen und Zuschlägen finanziert? Ordnen Sie zu.

1 Arbeitslosenversicherung

2 Kirchensteuer

3 Krankenversicherung

4 Lohnsteuer

5 Pflegeversicherung

6 Rentenversicherung

7 Solidaritätszuschlag

A die Unterstützung, die ein Arbeitnehmer erhält, nachdem er ins Rentenalter eingetreten ist

B die monatliche Unterstützung, die ein Arbeitnehmer erhält, wenn er seinen Arbeitsplatz verloren hat

C der Unterhalt der Kirchengebäude, Gehälter für Pfarrer, Bischöfe, konfessionelle Kindergärten etc.

D die Hilfe für den Aufbau der neuen Bundesländer nach der Wiedervereinigung der beiden deutschen Staaten

E die Maßnahmen, um alte und kranke Menschen zu Hause oder in einem Heim zu versorgen

F die Leistungen, die man erhält, wenn man zum Arzt oder ins Krankenhaus muss und Medikamente braucht

G die Leistungen des Sozialstaates, z. B. kostenloser Schulbesuch, öffentliche Verkehrsmittel, Theater, …

b Welche dieser Abgaben gibt es auch in Ihrem Heimatland?

# WORTSCHATZ

## 4 Mehr Netto vom Brutto `→ AB 64/Ü15`

a Sehen Sie die Bilder an. Um welche Leistungen eines Arbeitgebers geht es hier wohl?

b Lesen Sie und ergänzen Sie die Verben in der richtigen Form.

Das Wort „Brutto" _____ (1) das Gehalt, bevor
Steuern und Sozialabgaben _____ (2) werden.
Der Teil, den Arbeitgeber an den Sozialabgaben bezahlen, wird auf
der Abrechnung nicht _____ (3). Der Begriff
„Netto" stammt (4) wie der Begriff „Brutto" aus dem Italienischen
und _____ (5) in diesem Zusammenhang „rein":
„Netto" ist ein Gehalt ohne den Anteil der Steuern und Sozialabgaben,
also das „reine" Entgelt, das dem Arbeitnehmer zur Verfügung
_____ (6). In der politischen Diskussion spielt die Frage,
wie viel einem Arbeitnehmer nach allen Abzügen von seinem Lohn
bzw. Gehalt übrig _____ (7), eine zentrale Rolle.

> abziehen
> angeben
> bleiben
> bedeuten
> ~~stammen~~
> stehen
> bezeichnen

**Das steht nicht auf der Gehaltsabrechnung:**

Um gut ausgebildete Fachkräfte zu _____ (1), lassen
sich Arbeitgeber etwas einfallen. Statt einer Gehaltserhöhung werden
zusätzliche Leistungen zum Lohn _____ (2).
So _____ (3) zum Beispiel der Chef eine Kinderbetreuung.
Große Unternehmen _____ (4) oft Betriebskindergärten.
Für die Beschäftigten sind die Plätze kostenlos. Oder der Arbeitnehmer
_____ (5) das neueste Smartphone inklusive Vertrag.
Für Arbeitnehmer mit schmalem Gehalt sind jegliche Arten von
Geschenk-, Bücher- oder Tankgutscheinen willkommen (6).
Gutscheine _____ (7) mittlerweile nicht nur bei Berufs-
anfängern zum Repertoire. Die Hauptsache bei all diesen Beispielen ist,
dass dem Arbeitnehmer dadurch am Ende mehr Geld, also mehr Netto
vom Brutto _____ (8).

> anbieten
> binden
> erhalten
> eröffnen
> gehören
> bezahlen
> übrig bleiben
> ~~willkommen~~
> ~~sein~~

> **Sich Wörter einprägen**
> *Es hilft, wenn man beim Vokabellernen ausgewählte Wörter laut vor sich hin sagt.
> Man sollte diese Technik nicht bei allen Wörtern anwenden, sondern überlegen,
> welche Teile des Stoffs besonders wichtig für einen persönlich sind. Bei schwierig zu
> sprechenden Komposita empfiehlt sich der schrittweise Aufbau von hinten her, zum
> Beispiel Sicherung – Versicherung – los – arbeitslos – Arbeitslosenversicherung.*

---

Ich kann jetzt ...
                                                 ☺  ☺  ☹

- detailliert über das Thema Lohn und Gehalt sprechen.   ☐ ☐ ☐
- Abgaben und Abrechnungen international vergleichen.   ☐ ☐ ☐
- Fachausdrücke der Lohn- und Gehaltsabrechnung verstehen und anwenden.   ☐ ☐ ☐

## 1 Die lieben Kollegen

**Sehen Sie die Bilder an. Welche Kollegen-Typen sind hier wohl dargestellt? Haben Sie schon einmal mit einem dieser Kollegen-Typen zusammengearbeitet? Beschreiben Sie diese Person.**

## 2 Wer spricht?

**Lesen Sie die Charakterisierungen und ordnen Sie die Zitate den Beschreibungen zu.**

> *Der blonde Mann mit der Sonnenbrille könnte ein Angeber sein. Einer, der sich wichtig macht.*

- ☐ „Die achte Stelle nach dem Komma ist falsch gerundet!"
- ☐ „Müller! Da haben Sie Mist gebaut!"
- ☐ „Mensch, sag' ich da zur Ann-Kathrin, ich muss dir was erzählen!"
- ☐ „Leute, ich hab' Nusskuchen dabei!"
- ☐ „Mein Ziel ist es, in fünf Jahren die Firma zu leiten."
- ☐ C „Ohne mich läuft hier gar nichts. Meine Kollegen sind so unfähig!"

**4**

### A  Der Choleriker

Rumbrüllen, bis die Wände wackeln und mindestens die Praktikantin zittert. Choleriker finden sich oft in der Chefetage und gleichen einer Anzug tragenden Zeitbombe: Man weiß nie, wann sie das nächste Mal explodieren – oder warum. Diese Unberechenbarkeit macht die Mitarbeiter zu Nervenwracks. Choleriker sind hart im Nehmen, ihre Mitarbeiter sind es aber oft nicht und leiden unter ihnen. Nach der Schreiattacke ist der Choleriker-Chef oft wieder ganz freundlich – oder gibt den „lieben Kollegen" nachmittags sogar frei.  5

### B  Die Büro-Mutti

Geburtstage per Excel-Tabelle verwalten. Und wenn Kollegen Abschied feiern, besorgt sie nicht nur das Geschenk, sie verpackt es auch und rennt auch noch allen hinterher, die ihren Zwei-Euro-fünfzig-Anteil nicht bezahlt haben. Sie mag Harmonie. Die Kolleginnen sind manchmal egoistisch, sie ist es nie. Sie lauscht dem Liebeskummer des Trainees, teilt kannenweise Ayurveda-Wohlfühl-Tee aus und besorgt Kopfschmerz-Geplagten ein Aspirin. Natürlich lässt sie sich auch die blödesten Arbeiten aufdrücken, wenn jemand nett fragt. Einer muss die ja machen, oder? Sie hat es wirklich nicht leicht.  10  15

### C  Der Karrierist

E-Mails verschickt er gern gegen 22.17 Uhr – und findet es verdammt unprofessionell, wenn er dann auf Antwort warten muss. Tagsüber hat er es immer eilig, hastet von Meeting zu Meeting, bevor er noch eben zum Kunden nach Shanghai jettet. Er hat es schon weit gebracht, aber er will richtig hoch hinaus. Es geht schließlich um etwas. Mittagspause oder Feierabend? Dafür hat er keine Zeit. Statt Urlaub macht der Karrierist Fortbildung. Kollegen unterteilt er in Konkurrenten, die er übertrumpfen muss – oder in Versager.  20

### D  Die Quasselstrippe

Labern. Faseln. Quatschen ohne Punkt und Komma und leider auch ohne Erkenntnisgewinn. Die Quasselstrippe beginnt, wenn sie morgens mit „Hallöchen!" in den Aufzug steigt – doch am nervigsten ist sie in Meetings. Die ziehen sich wie Kaugummi in die Länge, weil die Quasselstrippe gewichtig wiederholt, was andere schon längst gesagt haben. Männliche Quasselstrippen sind oft im IT-Bereich zu finden: Anstatt einfach nur das neue Programm auf den Computer zu spielen, erklären sie, warum sie überzeugte Anhänger von Linux sind.  25

E  **Der Blender**                                                                 30

Den Laden alleine schmeißen – zumindest hört sich das in seinen Erzählungen so an. Der Blender sehnt sich danach, bewundert und gelobt zu werden, und als Meister der Selbstvermarktung
gelingt ihm das leider auch recht gut. Bei Besprechungen lümmelt er sich betont lässig auf seinem
Stuhl, macht fremde Vorschläge runter mit Sätzen wie „Das ist so was von Old Economy!" und
lässt sich schamlos für die Idee einer Kollegin auf die Schulter klopfen.                35

F  **Der Pedant**

Alle Eventualitäten prüfen – und zwar ganz, ganz genau. Nichts bereitet dem Pedanten mehr
Vergnügen, als seine übertriebene Kontrollsucht zu zelebrieren, selbst wenn sie das Projekt vor-
übergehend lahmlegt. Tief in seiner Seele meint der Pedant es eigentlich gut und will der Sache
dienen – aber bitte, indem alles punktgenau so gemacht wird wie immer! Weicht jemand vom     40
System des Pedanten ab, terrorisiert er die Belegschaft mit warnenden Schreiben.

## 3  Ratschläge  → AB 64/Ü16

Formulieren Sie Ratschläge, wie man mit den
verschiedenen Kollegen-Typen gut auskommt.

> *Wenn ein Kollege schreit, sollte man Ruhe bewahren.*

## 4  *Es* als obligatorisches Satzelement  → AB 65–66/Ü17–20

**GRAMMATIK**
Übersicht → S. 60/1b

a  **Was ersetzt *es* in den folgenden Sätzen? Markieren Sie.**

|  | Nomen | Satzteil/ ganzen Satz | Adjektiv |
|---|---|---|---|
| 1 Choleriker sind hart im Nehmen, ihre Mitarbeiter sind *es* aber oft nicht … (Z. 5) |  | x |  |
| 2 … besorgt sie nicht nur das Geschenk, sie verpackt *es* auch … (Z. 9/10) |  |  |  |
| 3 Die Kolleginnen sind manchmal egoistisch, sie ist *es* nie. (Z. 11/12) |  |  |  |

b  **Mit welchen Verben oder Adjektiven geht *es* hier eine feste Verbindung ein?
Ergänzen Sie diese im Infinitiv.**

1 Tief in seiner Seele meint es der Pedant eigentlich gut … (Z. 39) =  *es gut meinen*
2 Tagsüber hat er es immer eilig … (Z. 18) _____
3 Er hat es schon weit gebracht … (Z. 19) _____
4 Sie hat es wirklich nicht leicht. (Z. 14/15) _____

c  **In welchen der folgenden Sätze fehlt *es*? Markieren Sie und erklären Sie warum.**

X  Schwierige Kollegen gibt leider in fast jeder Firma.
2  Frau Müller eine Woche nicht zu sehen, ist eine Erholung.
3  Kann schwierig sein, mit solchen Menschen zurechtzukommen.
4  Ob man sie in ein Team integrieren kann, ist keineswegs sicher.
5  Bei manchen Kollegen handelt sich um echte Problemfälle.

d  **Korrigieren Sie die falschen Sätze aus c.**

1 Schwierige Kollegen gibt es leider in fast jeder Firma.

Ich kann jetzt …                                                    ☺  ☺  ☹
■ einen stilistisch anspruchsvollen, unterhaltsamen Zeitschriftenartikel verstehen.   ☐  ☐  ☐
■ das Pronomen *es* als obligatorisches Satzelement erkennen und anwenden.   ☐  ☐  ☐

# SCHREIBEN

## 1 Sprachstile → AB 67/Ü21–22

**Ergänzen Sie die Lücken in der zweiten E-Mail und verwenden Sie dazu auch die Informationen aus der ersten Nachricht.**

Gloria arbeitet in der Personalabteilung einer Firma und sucht für einen neuen Mitarbeiter aus Italien, Bruno Alfredi, eine Wohnung. Ihre Freundin Anne arbeitet bei einer Immobilienfirma und kümmert sich um die Suche nach einer passenden Wohnung.

---

Hallo Gloria,
wegen der Wohnung für Herrn Alfredi hab' ich gestern meinem Chef, Herrn Schröck, eine Mail geschrieben. Er hat wie immer <u>super</u>schnell geantwortet.
In der Nymphenburger Straße ist vor zwei Tagen 'was frei geworden. Die Wohnung passt perfekt zu Herrn Alfredi. Zwei riesengroße Zimmer im zweiten Obergeschoss, die Küche ist zwar miniklein, aber hochmodern eingerichtet, dazu ein toprenoviertes Bad, eine Abstellkammer und schließlich ein ganz süßer Balkon. Die Lage ist sehr zentral, trotzdem ruhig. Die aktuelle Miete finden wir gerade raus.
Schreib am besten gleich Herrn Alfredi und frag ihn, ob er die Wohnung besichtigen will.
LG Anne

---

Sehr  _geehrter_  (1) Herr Alfredi,
wir _____ (2) uns, dass wir inzwischen eine mögliche Wohnung für Sie gefunden haben. Gestern _____ (3) uns die Firma Rebau, mit der wir in Wohnungsfragen regelmäßig zusammen _____ (4), ein sehr gutes Wohnungsangebot.
Der Makler _____ (5), im Laufe des morgigen Tages ein Exposé nachzuliefern.
_____ (6) schon einmal vorab eine kurze Beschreibung der Wohnung.
Es _____ (7) sich um eine 2-Zimmer-Wohnung. Beide Zimmer sind sehr geräumig.
Die Wohnung _____ (8) sich im zweiten Obergeschoss und verfügt über eine sehr kleine, schick eingerichtete Küche, ein komplett renoviertes Bad und eine praktische Abstellkammer. Besonders attraktiv ist ein Balkon mit Blick ins Grüne. Die Lage der Wohnung ist zentral, aber sehr ruhig. Die Miete wird noch _____ (9).
Bitte geben Sie mir bald _____ (10), ob Sie eine Besichtigung wünschen.

Mit freundlichen Grüßen
Gloria Gessner

---

## 2 Wortbildung: Graduierung von Adjektiven → AB 68/Ü23–24

**GRAMMATIK**<br>Übersicht → S. 60/2

**a** Unterstreichen Sie in Annes E-Mail alle Wortteile, die die Adjektive graduieren. Welche sind besonders positiv?

_superschnell, ..._

**b** Welche Kennzeichen eines umgangssprachlichen Sprachstils finden Sie noch?

- Verbverkürzungen, z. B. hab' → habe, ...
- ...

**c** Wie werden die graduierten Adjektive in der zweiten Mail von Gloria Gessner ausgedrückt?

_zwei riesengroße Zimmer – beide Zimmer sind sehr geräumig_

---

Ich kann jetzt ...

| | ☺ | ☺ | ☹ |
|---|---|---|---|
| ▪ die Unterschiede zwischen formellem und informellem Sprachstil erkennen. | ☐ | ☐ | ☐ |
| ▪ die Graduierung von Adjektiven verstehen. | ☐ | ☐ | ☐ |

# SEHEN UND HÖREN

## 1 Jimdo

a Beschreiben Sie die Menschen auf den Fotos. Wie stellen Sie sich das Unternehmen vor, in dem sie arbeiten?

b Lesen Sie das Konzept des Unternehmens. Um was für eine Firma handelt es sich?

Matthias, Fridtjof, Christian   Magda   Nadja

### Die Idee hinter *Jimdo*

2004 wurde die erste gemeinsame Firma von Matthias, Fridtjof und Christian auf einem alten Bauernhof gegründet. Ohne einen Euro zogen sie bei Fridtjof zu Hause ein und entwickelten die Online-Software, die nun die Grundlage von *Jimdo* bildet.

5 Im Laufe der Zeit nutzten immer mehr Freunde der Gründer die Software für private Zwecke. Aus der Begeisterung über die Vielfalt der gestalteten Seiten entstand die Idee zu *Jimdo – Pages to the People*. Die *Jimdo* GmbH wurde im Februar 2007 gegründet. Seitdem bauen Menschen rund um den Globus ihre Webseiten mit dem einfachen Baukasten von *Jimdo* …

## 2 Neue Unternehmenskultur → AB 69/Ü25–26

 a Sehen Sie den ersten Abschnitt eines Films über *Jimdo* an.

■ Welche Aufgaben hat die „Feelgood-Managerin"? Und wofür ist wohl die „Flow-Managerin" zuständig?
■ Was unterscheidet das Unternehmen von einem „konventionellen" Arbeitsplatz?

 b Sehen Sie nun den gesamten Film an. Wer sagt das? Notieren Sie.

Magda : „Unternehmenskultur wird großgeschrieben. … Das Gemeinschaftsgefühl ist wichtig."

_____ : „Wir sind ein ziemlich bunt zusammengemischter Haufen."

_____ : „Wir haben hier elf Sprachversionen, dadurch stellen wir Leute aus verschiedenen Nationen ein."

_____ : „Wir haben eigentlich keine Hierarchien."

_____ : „Der Erfolg hängt nicht nur am Produkt, sondern an den Menschen."

 c Sehen Sie nun das Ende des Films noch einmal an. Welche Aussagen hat Fridtjof nicht gemacht? Markieren Sie.

1 Unternehmenskultur entsteht automatisch. ☐
2 Sie bleibt unbewusst. ☒
3 Sie entscheidet darüber, wie viel Spaß Mitarbeiter an ihrer Arbeit haben. ☐
4 Wenn sie gut ist, motiviert sie. ☐
5 Sie ist in Gefahr, wenn sich die Firma zu schnell verändert. ☐

## 3 Reaktionen

Wählen Sie eine Person aus dem Film aus.
Was halten Sie von ihr und ihren Aufgaben?

> Magda muss viele Ideen haben …

4

---

Ich kann jetzt …

■ einem Firmenporträt die Hauptaussagen zur Unternehmenskultur entnehmen.   ☺ ☺ ☹ ☐ ☐ ☐
■ komplexe Alltagssprache verschiedener Sprecher verstehen.   ☐ ☐ ☐

# GRAMMATIK

## 1 Funktionen des Pronomens *es*

Das Pronomen *es* erfüllt im Deutschen verschiedene Funktionen. In machen Sätzen steht *es* als obligatorisches Satzelement, in anderen ist *es* nicht obligatorisch und kann wegfallen.

### a *Es* als nicht-obligatorisches Satzelement   ← S. 51/4

*Es* als Repräsentant für einen Nebensatz oder Infinitivsatz*

|  | *es* repräsentiert einen ... |
|---|---|
| Es ist wunderbar, dass sich so viele Möglichkeiten bieten. | dass-Satz |
| Für diese Menschen ist es sinnvoller, eine vielseitige Tätigkeit anzustreben. | Infinitivsatz |
| Es ist fraglich, ob das stimmt. | indirekten Fragesatz |

\* Wenn der Nebensatz oder Infinitivsatz vorangestellt ist, fällt *es* weg oder wird ersetzt durch *das*:
  Dass sich so viele Möglichkeiten bieten, *(das)* ist wunderbar.

### b *Es* als obligatorisches Satzelement   ← S. 57/4

*Es* als Pronomen

|  | *es* ersetzt ... |
|---|---|
| So funktioniert es meist nicht. | ein Nomen im Nominativ |
| Sie besorgt nicht nur das Geschenk, sie verpackt es auch. | ein Nomen im Akkusativ |
| Meine Kolleginnen sind topfit, ich bin es* leider nicht. | ein Adjektiv oder Partizip |
| Choleriker sind hart im Nehmen, ihre Mitarbeiter sind es* aber oft nicht. | einen Satzteil oder einen ganzen Satz |

\* Hier kann *es* nicht auf Position 1 stehen

*Es* als unpersönliches Subjekt oder Objekt

|  | *es* wird verwendet bei ... | *es* |
|---|---|---|
| Es regnet, schneit, donnert, blitzt, ist kalt, ... | Wetter | |
| Es ist 10 Uhr. Es ist noch früh. Es wird bald Mitternacht. ... | Zeit | |
| Es geht mir gut. Es tut mir weh. Es juckt mich am Bein. ... | Persönliches Befinden | = Subjekt |
| Es schmeckt mir gut. Es gefällt mir nicht. ... | Sinneseindrücke | |
| Es klopft, klingelt, läutet, pfeift, raschelt, ... | Geräusche | |
| Es gibt, handelt sich um, geht um, ... | Thema | |
| Er hat es eilig. Sie lässt es darauf ankommen. Er macht es sich leicht; sie nimmt es schwer; er hat es schwer Sie meint es ernst. | feste Ausdrücke | = Objekt |

## 2 Wortbildung: Graduierung von Adjektiven   ← S. 58/2

In der Werbe-, Jugend- und Umgangssprache werden Adjektive häufig graduiert.

| Graduierung | | Adjektiv |
|---|---|---|
| brand | | neu/aktuell/gefährlich |
| extra | | stark/breit |
| hyper | | aktiv/modern/nervös |
| riesen | + | groß |
| super | | aktuell/nett/schnell/schön |
| tief | | blau/traurig |
| tod | | schick/traurig |
| voll | | automatisch/funktionsfähig |

Graduierungen und Adjektive können nicht beliebig kombiniert werden: *affenstark* (Jugendsprache), aber nicht *affenbreit*; *bildschön*, aber nicht *bildnett*; *nagelneu*, aber nicht *nagelaktuell*.

Eine erweiterte Darstellung der Grammatikübersichtsseiten finden Sie im Lehrwerkservice unter www.hueber.de/sicher.

# KUNST

## 1 Bildinterpretation → AB 73–74/Ü2–3

a Sehen Sie das Bild an. Welcher Titel fällt Ihnen
spontan dazu ein? Warum?

> *Ich würde das Bild „Blumengruß" nennen, weil die schöne Sonnenblume ...*

b Arbeiten Sie zu zweit. Verfassen Sie einen kurzen Text,
in dem Sie das Bild und seine Wirkung beschreiben.

> *Auf dem Bild sieht man ...*
> *Die Farben sind ...*
> *Das Bild wirkt auf mich ...*

c Gefällt Ihnen das Bild? Warum (nicht)?

d Stellen Sie Vermutungen über
die Künstlerin / den Künstler an.

> *Ich könnte mir vorstellen, dass es sich um eine Künstlerin handelt, die ...*

## 1 Die Wirkung

a Sehen Sie das Foto der Malerin Olivia Hayashi und das von ihr gemalte Bild auf der Einstiegsseite an. Welche der beiden Aussagen könnte von der Malerin stammen? Warum?

1 „Das Leben ist nicht immer ein Wunschkonzert. Ich fange am liebsten die schweren, manchmal düsteren Momente in meinen Bildern ein."

2 „Was für mich wichtig ist und was mir aber nicht immer gelingt, ist so eine bestimmte Lebensvitalität, Leichtigkeit, Freude mit meinen Farben."

b Was würden Sie gern über Olivia Hayashi erfahren? Sammeln Sie Fragen.

– Seit wann malt sie?
– ...

## 2 Die Malerin Olivia Hayashi → AB 75/Ü4

Sehen Sie das Videoporträt in Abschnitten an.

### Abschnitt 1

Machen Sie Notizen zu den folgenden Stichworten.
- Heimatland: Mexiko
- Atelier:
- Familienhintergrund:
- Wunsch als Kind:
- Lebensunterhalt:

### Abschnitt 2

1 War Ihre Vermutung in 1a richtig?
2 Beantworten Sie folgende Fragen.
- Was macht Olivia, wenn es ihr nicht so gut geht?
- In welchem Stil malt sie?
- Wie reagiert sie auf innere Malblockaden?
- Welche Werkzeuge und Hilfsmittel benutzt sie?
- Was geschieht, wenn sie ein Bild gemalt hat?

## 3 Gedächtnisspiel

Arbeiten Sie zu viert. Tragen Sie aus dem Gedächtnis noch einmal zusammen, was Sie über Olivia, ihre persönliche Geschichte und ihre Malerei wissen. Jede/r äußert einen Satz dazu.

Olivia ist aus Mexiko, lebt aber schon seit 30 Jahren in Deutschland.

Sie malt oft auf dem Boden.

Ich kann jetzt ...
- Detailfragen zu einem Videoporträt über eine Künstlerin beantworten.
- Einzelheiten aus einem Videoporträt rekonstruieren.

# WORTSCHATZ

## 1 Wortbildung: Vorsilbe be- → AB 75–76/Ü5–6

GRAMMATIK
Übersicht → S. 72/1a

a Im Kunstbetrieb: Was passiert hier? Beschreiben Sie die Bilder.

b Ergänzen Sie die Verben *arbeiten*, *urteilen* oder *malen* und ordnen Sie die Sätze den Bildern aus a zu.

☐ Der Maler __bespannt__ den Rahmen mit der Leinwand.
☐ Dann __be_____ er die Leinwand.
☐ Die Bildhauerin __be_____ die Skulptur mit Hammer und Meißel.
☐ Der Kritiker __be_____ die Kunstwerke.

c Variieren Sie die Sätze aus b. Verwenden Sie dabei die Präpositionen *an*, *auf* oder *über*.

1 Der Maler __spannt die Leinwand auf den Rahmen.__
2 Dann malt er _____
3 Die Bildhauerin _____
4 Der Kritiker _____

## 2 Wortbildung: Vorsilbe ver- → AB 76–77/Ü7–8

GRAMMATIK
Übersicht → S. 72/1b

a Lesen Sie die Geschichte und markieren Sie alle Verbformen mit der Vorsilbe *ver-*.

### Auf dem Weg zur Vernissage

Im Sommer war ich in meiner Heimatstadt. Anlass war die Ausstellungseröffnung meines ehemaligen Mitschülers Jörg Haas. Ich war neugierig auf seine
5 Kunstwerke und darauf, ob und wie unser kleines Städtchen sich verwandelt hatte. Wie sehr würden sich Jörg und andere Klassenkameraden, die er eingeladen hatte, verändert haben? Würden wir überhaupt wiedererkennen?
10 Als ich gegen 18 Uhr am Bahnhof ankam, war ich erst etwas verwirrt. Der Bahnhof sah nicht mehr wie damals aus. Es gab eine unterirdische Einkaufspassage und die Eingangshalle war verschönert und vergrößert worden. Ich verlief mich gleich. Deshalb wollte ich Jörg telefonisch nach dem richtigen Weg fragen, verwählte mich aber. Schließlich kam ich dann, um einiges verspätet, in der Galerie an. Jörgs Rede hatte ich zwar versäumt, aber es wurde alles in allem ein gelungener Abend.

b Ergänzen Sie die Tabelle mit Wörtern, die zu den möglichen Bedeutungen von *ver-* passen.

| Was misslingt dem Erzähler? Was geht schief? | Was hat sich in seiner Heimatstadt verändert? |
|---|---|
|  | verwandelt |

c Schreiben Sie mit Ihrer Lernpartnerin / Ihrem Lernpartner Sätze.

verlernen • verbessern • sich verhören • verschlafen •
vergolden • vereinfachen • (sich) verwandeln • verkürzen …

*Gestern habe ich leider verschlafen …*

---

Ich kann jetzt …
- Verben mit der Vorsilbe be- bilden.
- gleichbedeutende Verben ohne be- mit Präpositionen bilden.
- verschiedene Bedeutungen der Vorsilbe ver- verstehen und anwenden.

☺ ☺ ☺
☐ ☐ ☐
☐ ☐ ☐
☐ ☐ ☐

**1  Ein Ortsschild – was steckt dahinter?**

Sehen Sie das Ortsschild von Kassel an.
Was bedeutet wohl „documenta-Stadt"?

**2  Fragen und Antworten aus dem
„documenta"-Kurzführer** → AB 77–78/Ü9–11

a  Ein Kunstexperte hat die häufigsten Fragen zur „documenta"
gesammelt und sie einem Team geschickt, das einen „documenta"-Kurzführer im
Internet vorbereitet. Formen Sie die indirekten Fragen in direkte Fragen um.

Viele Leute wollten wissen, was die „documenta" eigentlich sei und warum sie „documenta" heiße (1). Außerdem interessierte sie, was auf der „dOCUMENTA (13)" ausgestellt
werde und ob dort die besten Künstler der Welt vertreten seien (2). Sie fragten zum
Beispiel auch, ob die Ausstellung aus einem bestimmten Grund in Kassel sei (3). Andere
5  wollten erfahren, ob es eine besonders herausragende „documenta" gegeben habe (4).
Schließlich interessierten sich Besucher dafür, wie viele Menschen zu einer
„documenta" kämen und was mit den Kunstwerken anschließend passiere (5).

*1  Was ist die „documenta" eigentlich und warum heißt sie „documenta"?*
*2  Was wird auf der „dOCUMENTA (13)" ausgestellt und sind dort die besten*
*   Künstler der Welt vertreten?*
*3  ......*

b  Für den „documenta"-Kurzführer wurden ausführlichere Antworten auf diese Fragen
zusammengestellt. Ordnen Sie die fünf Fragen aus a den Antworten zu.

## *Wissenswertes über die „documenta"*

☐  Die Antwort ist eng verbunden mit dem Namen Arnold Bode.
Der Maler und Kunstpädagoge wollte seiner Heimatstadt, die
im Krieg zu großen Teilen zerstört worden war, damit einen
Gefallen tun. Als 1955 die Bundesgartenschau in Kassel statt-
fand, organisierte Bode eine künstlerische Begleitveranstal-
tung – die erste „documenta" war geboren. Die Ausstellung
war ein so großer Erfolg, dass Bode 1959 und 1964 zwei weitere
folgen ließ und sie damit institutionalisierte.

5

☐  Die „documenta" vereinte prominente und weniger prominente Vertreter der zeitgenössi-  10
schen Kunst, die in Kassel für 100 Tage eines oder mehrere ihrer Werke präsentierten. Ein großer Teil der Werke wurde eigens für die „documenta" konzipiert. Das Motto der Schau lautete
„Zerstörung und Wiederaufbau". Neben Skulptur, Malerei, Fotografie, Film, Performance und
Installation gab es auf der „dOCUMENTA 13" auch Experimente auf dem Gebiet der Kunst,
Politik, Literatur, Philosophie und Wissenschaft. Die „documenta" ist eine sogenannte kura-  15
torische Ausstellung. Ein einzelner Kurator wirft einen subjektiven Blick auf die zeitgenössische Kunst. Seit einigen Jahren geht die Entwicklung dahin, Künstler aus allen Winkeln der
Erde nach Kassel zu holen. So haben viele Künstler auf einer „documenta" den Grundstein zu
ihrem Erfolg gelegt, beispielsweise der Deutsche Joseph Beuys oder der Chinese Ai Weiwei.

☐ 1  Die „documenta" gilt als die weltweit bedeutendste Ausstellung für zeitgenössische Kunst.  20
Die Avantgarde der Kunst trifft sich alle fünf Jahre in Kassel und macht die nordhessische
Metropole für drei Monate zum Nabel der Kunstwelt. Die erste „documenta" fand 1955 statt,

im Jahr 2012 die 13. Ausgabe. „documenta" ist ein Kunstwort, das wahrscheinlich auf Arnold Bode zurückgeht. Die „documenta" sollte von Anfang an eine Dokumentation über moderne Kunst sein. Der Name trägt auch das lateinische Verb „docere" („lehren") in sich, was auch 25 den Anspruch der ersten „documenta" gut wiedergibt. Die Kleinschreibung und das angehängte „a" waren ein Tribut an den Zeitgeist.

☐ Was die Besucher angeht, gab es immer wieder neue Rekorde: Von 130 000 Zuschauern bei der ersten „documenta" gingen die Zahlen stets nach oben. 1982 kamen bereits 380 000 Menschen zur Kasseler Kunstausstellung. 2007 wollten 754 000 Besucher die „documenta 12" sehen. Die 30 „dOCUMENTA 13" stellte mit 860 000 Besuchern einen neuen Rekord auf. Die „documenta" ist ein „Museum für 100 Tage". Danach ist Schluss. So wie die Künstler verschwinden dann in der Regel auch die Kunstwerke wieder aus Kassel. Immer wieder sind jedoch einige Arbeiten in der Stadt verblieben – vor allem Werke im öffentlichen Raum.

☐ Das ist natürlich subjektiv, aber viele Kunstexperten glauben, dass die „documenta 5" 1972 35 die bisher beste „documenta" war. Ausstellungschef Harald Szeemann versuchte damals, die Kluft zwischen Hochkunst und trivialer Kunst aufzuheben. Wo früher ordentlich aufgehängte Gemälde hingen oder sauber platzierte Skulpturen standen, wirbelten Happenings oder Experimentalfilme durch die Ausstellungshallen. Joseph Beuys prägte auf der „documenta 5" jenen Satz, der mittlerweile zu den meist zitierten gehört: „Jeder Mensch ist ein 40 Künstler."

c   Würden Sie die Ausstellung gern einmal besuchen? Warum (nicht)?

## 3   Fragen in der indirekten Rede  → AB 79–80/Ü12–14

GRAMMATIK
Übersicht → S. 72/2a

a   Lesen Sie die Fragen aus 2a noch einmal. Wie werden die indirekten Fragen eingeleitet? Notieren Sie die einleitenden Verben und das Fragewort/die Konjunktion.

*... wollten wissen, was ...*

b   Lesen Sie zwei Varianten einer indirekten Frage und ordnen Sie zu.

- Welche Frage ist in mündlicher Umgangssprache formuliert? (U)
- Welche Frage ist in Schriftsprache verfasst? (S)

1 *Die Leute wollten wissen, was die „documenta" eigentlich **sei** und warum sie „documenta" **heiße**.*  ☐
2 *Die Leute wollten wissen, was die „documenta" eigentlich **ist** und warum sie „documenta" **heißt**.*  ☐

c   Weitere Fragen: Arbeiten Sie in Kleingruppen. Bilden Sie weitere direkte Fragen zum Text und tauschen Sie sie mit einer anderen Gruppe aus. Formulieren Sie die Fragen in indirekte Fragen um, beantworten Sie sie und geben Sie sie wieder zurück. Die andere Gruppe kontrolliert.

Welche Art von Kunst wird auf der „documenta" ausgestellt?

Jemand will wissen, welche Art von Kunst auf der „documenta" ausgestellt werde.

Neben Skulptur, Malerei, Fotografie, Film, Performance und Installation gibt es auch Experimente auf den Gebieten der Kunst, Politik, Literatur, Philosophie und Wissenschaft.

Ich kann jetzt ...                                                                                    ☺  ☺  ☹
- indirekte in direkte Fragesätze umformen.                                                           ☐  ☐  ☐
- Abschnitten aus einem Kunstführer passende Fragen zuordnen.                                          ☐  ☐  ☐
- selbst weitere Detailfragen direkt und indirekt formulieren und beantworten.                         ☐  ☐  ☐

# SPRECHEN

## 1 Partnerprojekt: Präsentation zum Thema „Kunst" → AB 80–82/Ü15–17

Bereiten Sie zu zweit eine Präsentation vor.
Gehen Sie dabei in folgenden Schritten vor:

### Schritt 1: Wahl des Themas

Worüber würden Sie am liebsten sprechen? Über einen
bestimmten Künstler, ein Kunstwerk, eine Ausstellung,
ein besonderes Museum oder eine Epoche? Einigen Sie sich
mit Ihrer Lernpartnerin / Ihrem Lernpartner auf ein Thema.

> *Ich war mal im DDR-Museum
> in Berlin – sehr spannend, was man da
> alles sehen und über die DDR erfahren
> kann. Einfach ein Erlebnis!*

> *Mich fasziniert die
> Malerei des Jugendstils. Besonders
> gut gefallen mir die Frauenbilder
> von Gustav Klimt.*

**Richtig recherchieren**
*Suchen Sie für Ihre Präsentation in verschiedenen Quellen wie z. B. Bildbänden, Zeitschriften, Büchern und Webseiten im Internet nach passendem Material. Achten Sie bei Recherchen im Internet auch darauf, ob die Quelle aktuell und seriös ist, wie z. B. eine offizielle Publikation einer Behörde oder Institution. Nennen Sie Ihre Quellen auch in Ihrer Präsentation und vor allem im Handout.*

### Schritt 2: Stoffsammlung

Recherchieren Sie zu Ihrem Thema und
sammeln Sie Material zu folgenden Aspekten.
Achten Sie auch darauf, ansprechendes
Bildmaterial zu finden.

| Künstler | *Werdegang, wichtige biografische Ereignisse, künstlerischer Durchbruch, wichtige Ausstellungen, ...* |
|---|---|
| Kunstwerk | *Entstehungsgeschichte, evtl. Teil eines Zyklus, Existenz von Skizzen/Variationen, Reaktion des Publikums, ...* |
| Ausstellung | *Ort(e), Zeit und Dauer, Thema und ausgestellte Werke, Publikumserfolg, ...* |
| Museum | *Konzept, Inhalt, Dauerausstellungen, temporäre Ausstellungen, Lage und Größe des Museums, Besucher, Geschichte, ...* |
| Epoche | *Dauer der Epoche, Verbreitungsgebiet, Künstler aus der Epoche, Museen, in denen Werke aus der Epoche ausgestellt werden, Vorläufer, ...* |

### Schritt 3: Planung und Gliederung des Inhalts

Erarbeiten Sie nun eine Gliederung für Ihre Präsentation. Überlegen Sie, was in die Einleitung,
den Hauptteil und den Schluss gehört. Lassen Sie sich für den Einstieg etwas Besonderes einfallen,
etwa ein originelles Zitat, ein kleines Quiz etc. Beginnen Sie den Hauptteil mit den weniger
wichtigen Punkten und berichten Sie eher gegen Ende über besonders interessante Aspekte oder
spektakuläre Ereignisse. Ziehen Sie am Ende Ihrer Präsentation ein Resümee.

# SPRECHEN

**Schritt 4: Gestaltung der Folien für die Präsentation**

**Das DDR-Museum in Berlin**

A  Einleitung: kurzes Quiz zur DDR
B  Hauptteil: Das Museum
   1  Errichtung des Museums
   2  Historische Hintergründe
   3  Einzelne Ausstellungsstücke
   Bedeutung des Museums für Berlin und Deutschland
C  Resümee

**Schritt 5: Formulieren des Begleittextes**

1 Ordnen Sie die Redemittel den Sprechabsichten zu.

| Sprechabsicht | Redemittel |
|---|---|
| A  an ein Thema heranführen | 1  „ *Abschließend könnte man sagen, dass ...* |
| B  die Auswahl begründen | 2  *Zuerst möchte ich ... / Als Nächstes betrachten wir dann ...* |
| C  einen Überblick geben | 3  *Vor Kurzem wurde ... gefeiert. / Derzeit kann man in ... sehen. Aus diesem Grund haben wir ... für unseren Vortrag gewählt.* |
| D  einzelne Aspekte erläutern | 4  *Wen oder was verbindet ihr mit folgendem Ausspruch: ...? Was fällt euch ein, wenn ihr ... hört?* |
| E  auf Wichtiges hinweisen | 5  *Besonders bedeutend ist in diesem Zusammenhang auch ...* |
| F  ein Resümee ziehen | 6  *Zu diesem Punkt möchte ich noch erwähnen, dass ...* " |

2 Verfassen Sie nun den Text, den Sie mündlich vortragen. Verwenden Sie dabei die Redemittel aus 1.

**5**

**Schritt 6: Material für die Zuhörer**

Stellen Sie auch ein Handout für Ihre Zuhörer zusammen. Darauf sollten auf einer Seite die wichtigsten Punkte Ihres Vortrags und die verwendeten Quellen aufgeführt sein.

**Schritt 7: Präsentieren und Feedback der Zuhörer**

Halten Sie mithilfe der Redemittel Ihre Präsentation im Kurs. Die Zuhörer geben Feedback.

**eine Präsentation kommentieren und Verbesserungsvorschläge machen**

„ *Ich finde, das war eine sehr ... und ... aufgebaute Präsentation.*
*Besonders gefallen hat mir ... / Nicht so klar war mir allerdings, ...*
*Anstatt ... zu zeigen, wäre es vielleicht interessanter gewesen ...*
*Eine Anmerkung hätte ich noch zu ...*
*Als Material hätte man auch ... verwenden können.*
*Beim Aufbau ist mir aufgefallen, dass ...* "

**auf Einwände reagieren**

„ *Das ist eine gute Frage / ein interessanter Einwand: Dazu kann ich noch sagen, ...*
*Richtig, auf ... konnten wir aus ... Gründen nicht weiter eingehen. Vielleicht nur kurz: ...* "

> **Wussten Sie schon?** → AB 82/Ü18
> *Das sogenannte Urheberrecht schützt individuelle und persönliche Texte einer Autorin / eines Autors. Man darf Teile eines solchen Textes zwar wiedergeben bzw. in einen eigenen Text einbauen, diese müssen aber als Zitat gekennzeichnet sein. Es sollte auch nur so viel wie nötig, aber so wenig wie möglich zitiert werden.*

Ich kann jetzt ...                                                                                  ☺  ☺  ☹
- eine Präsentation zum Thema „Kunst" vorbereiten.                                     ☐  ☐  ☐
- eine klar gegliederte Präsentation halten.                                                    ☐  ☐  ☐
- spontanes Feedback geben bzw. auf Fragen der Zuhörer eingehen.              ☐  ☐  ☐

# SCHREIBEN

## 1 In der Orientierungsphase → AB 83–84/Ü19–20

Jakob hat sich um einen Studienplatz an einer Kunstakademie beworben. Nun schreibt er eine E-Mail an seine Tante Emma.

**a** Welche Ratschläge erhält er bei der Beratungsstelle? Markieren Sie.

Liebe Tante Emma,

wie geht es Dir? Hoffentlich gut! In Deiner letzten Mail hast Du gefragt, wie es nun bei mir weitergehen würde. Für das Aufnahmeverfahren an der Kunstakademie hatte ich ja eine umfassende Mappe mit Werken eingereicht. In zwei Wochen folgt dann noch ein
5 Auswahlgespräch. Und wenn alles gut geht, kann ich bald schon sagen: Ich studiere an der Akademie der Bildenden Künste!
Aber ein paar Gedanken mache ich mir schon auch über meine mögliche Zukunft als Künstler. Also bin ich gestern erst einmal zu einer studentischen Beratungsstelle gegangen. Eine sehr kompetent wirkende Dame hat mir dann erläutert, warum ein
10 Leben als freier Künstler oft alles andere als romantisch sei. Deshalb meinte sie, ich solle mir jetzt schon konkrete Gedanken zu einigen Aspekten machen:
Zuallererst müsse ich in der Kunst immer versuchen, mich authentisch auszudrücken, denn durch Nachahmen sei noch niemand berühmt geworden. Wichtig für den Erfolg sei auch eine kluge und geschickte „Eigenvermarktung" als selbstständiger Unternehmer –
15 das klang für mich zunächst etwas übertrieben und noch in ferner Zukunft, aber wer weiß? Auch als junger Künstler solle ich meine Ideen immer wieder bei Sponsoren oder Galeristen präsentieren, denn ich dürfe nicht glauben, dass man von einem Tag auf den anderen in den Kunstmarkt aufgenommen werde.
Eine gute Option sei es auch, sich ein zweites Standbein zuzulegen: Damit meinte sie,
20 man solle zum Beispiel eventuell schon vor dem Studium einen Handwerksberuf wie Schreiner, Schneider, Mediengestalter, Fotograf oder Raumausstatter erlernen.
Und schließlich sagte sie noch, ich solle die Option, Kunsterzieher zu werden, also Kunst für das Lehramt an Schulen zu studieren, nicht außer Acht lassen und ich möge mich von dem Ganzen nicht entmutigen lassen.
25 Du siehst, ich bin jetzt erst einmal umfangreich beraten, aber auch leicht über- fordert, da ich mich für keine dieser Möglichkeiten jetzt schon entscheiden will. Deine Meinung als erfahrene Museumspädagogin würde mich wirklich sehr interessieren. Ich freue mich schon auf Deine Antwort!

Dein Jakob

**b** Antworten Sie – als Tante Emma – auf Jakobs E-Mail. Gehen Sie dabei auf folgende Punkte ein und verwenden Sie einige der folgenden Redemittel: Schreiben Sie, …

- wie Sie grundsätzlich zu Jakobs Kunststudium stehen.
- wie Sie es finden, dass er zu einer Beratungsstelle gegangen ist.
- welche(n) der Ratschläge Sie unterstützen.
- wovon Sie eher abraten würden.

### Stellung nehmen

„ *Es freut mich ganz besonders, dass Du …*
*Ich bin beeindruckt davon, wie … Du …*
*Gern schreibe ich Dir, wie ich … sehe.*
*Grundsätzlich halte ich (nicht) sehr viel von …*
*Andererseits darf man/sollte man … nicht außer Acht lassen.*
*Vielleicht … ein paar nützliche Hinweise.* "

# SCHREIBEN

## 2 Imperativ in der indirekten Rede → AB 84–85/Ü21–22

GRAMMATIK
Übersicht → S. 72/2b

a Lesen Sie die Ratschläge der Studienberaterin noch einmal.
Was hat sie wohl zu Jakob direkt gesagt?

1 *Machen Sie sich jetzt schon konkrete Gedanken zu einigen Aspekten!*
2 ...

b Ordnen Sie den Sätzen folgende Bedeutungen zu.

> ☐1 Dringende Aufforderung ☐2 ~~Höfliche Bitte~~ ☐3 Neutrale Aufforderung
> ☐4 dringende Aufforderung mit Negation ☐5 neutrale Aufforderung mit Negation

☐ „Schicken Sie uns ein paar Zeichnungen!"
→ *Sie sagte, ich* **solle** *ihnen ein paar Zeichnungen schicken.*

☐ „Machen Sie sich nicht zu viele Gedanken über die Konkurrenz!"
→ *Sie sagte, ich* **solle** *mir* **nicht** *zu viele Gedanken über die Konkurrenz machen.*

☐ „Schicken Sie uns unbedingt ein paar Zeichnungen!"
→ *Sie sagte, ich* **müsse** *ein paar Zeichnungen schicken.*

☐ „Schicken Sie auf keinen Fall Kopien von Ihren Werken!"
→ *Sie sagte, ich* **dürfe** *auf* **keinen** *Fall Kopien von meinen Werken schicken.*

☐2 „Schicken Sie uns doch bitte ein paar Zeichnungen!"
→ *Sie sagte, ich* **möge** *ein paar Zeichnungen schicken.*

c Lesen Sie, welche Ratschläge Tante Emma Jakob erteilt. Schreiben Sie indirekt formulierte Ratschläge mit den Verben *(nicht) sollen, müssen, möge/n* und *nicht dürfen*. Manchmal sind mehrere Lösungen möglich.

1 Tante Emma meint: „Jakob, studier das, was dir am meisten zusagt!"
*Tante Emma meint, er solle das studieren, was ihm am meisten zusage.*

2 Sie rät ihm auch: „Such dir unbedingt einen Nebenjob, mit dem Du etwas Geld verdienst!"

3 Dann schreibt sie: „Lass dich auf keinen Fall von Leuten beeinflussen, denen nur Geld wichtig ist!"

4 Sie bittet ihn: „Schick mir doch bitte ein paar Fotos von den Werken, die du eingereicht hast!"

5 Schließlich schreibt sie noch: „Vergiss nicht, deine Freundin Marta von mir zu grüßen! Und komm doch beide mal wieder bei mir vorbei, das würde mich sehr freuen!"

---

Ich kann jetzt ...
- einer E-Mail zum Thema „Zukunftsplanung als Künstler" Ratschläge entnehmen.
- in einer Antwort-Mail zu einzelnen Punkten Stellung nehmen.
- Imperative in der indirekten Rede erkennen und anwenden.

☺ ☺ ☹
☐ ☐ ☐
☐ ☐ ☐
☐ ☐ ☐

# SEHEN UND HÖREN 2

## 1 Eine Umfrage

a   Machen Sie eine Kursumfrage zum Thema „Kunst" und sammeln Sie Antworten
auf folgende Fragen.

1 Wofür gibt es eigentlich Kunst?
*Die Menschen möchten etwas hinterlassen.*

2 Wann ist etwas für Sie persönlich Kunst? Nennen Sie Beispiele für Kunstwerke, die Ihnen
besonders gefallen.

3 Was kann Kunst bei Menschen bewirken? (als Künstler / als Betrachter)

b   Tauschen Sie sich im Kurs über die Ergebnisse aus.

## 2 „Was ist eigentlich Kunst?"

Sehen Sie das Video in Abschnitten an.

**Abschnitt 1**

1 Sehen Sie den Anfang eines Videos <u>ohne Ton</u> an.
Um was für eine Aktion könnte es hier gehen?
2 Sehen Sie den Abschnitt nun noch einmal <u>mit Ton</u> an.
Waren Ihre Vermutungen richtig?

**Abschnitt 2**

1 Arbeiten Sie in zwei Gruppen und sehen Sie den
nächsten Abschnitt an.

**Gruppe 1:** Notieren Sie einige Antworten von Passanten
auf die Frage: „Was ist eigentlich Kunst?"

*Kunst ist unnütz,
aber schön und wichtig.*

*Kunst ist,
was verblüfft!*

**Gruppe 2:** Wie reagieren die Passanten auf die Aufforderung, etwas zu malen?
Was malen sie auf die Leinwand?

2 Tauschen Sie sich anschließend im Kurs über Ihre Ergebnisse aus.

**Abschnitt 3**

1 Ergänzen Sie die Aussage des Mannes:
„Wenn entweder der, der Kunst macht, der, der Kunst verbreitet oder der, der Kunst anguckt,
sagen kann –                                                                                    ."

2 Was antwortet die Frau mit Brille? Ergänzen Sie:
„Kunst ist                                    ... Ja, da kriegt man                                    ."

3 Haben die beiden unter der Frage „Was ist eigentlich Kunst?" das Gleiche verstanden?
Was meinen Sie?

## 3 Wie hat Ihnen diese Aktion gefallen? Was hat der Veranstalter damit bewirkt?

## 4 Weitere Zitate zur Kunst

a Lesen Sie die Zitate berühmter Personen über Kunst. Wählen Sie zu zweit
einen Ausspruch aus und erläutern Sie, was er Ihrer Ansicht nach bedeutet.

*Die Kunst ist eine Vermittlerin des Unaussprechlichen.* (Johann Wolfgang von Goethe)

*Kunst kommt von Können.* (Max Liebermann)

*Die Kunst ist zwar nicht das Brot, wohl aber der Wein des Lebens.* (Jean Paul)

*Die Kunst gibt nicht das Sichtbare wieder, sondern macht sichtbar.* (Paul Klee)

*Kunst ist schön, macht aber viel Arbeit!* (Karl Valentin)

*Kunst wäscht den Staub des Alltags von der Seele.* (Pablo Picasso)

*Die Kunst muss nichts. Die Kunst darf alles.* (Ernst Fischer)

*Wer sich mit der Kunst verheiratet, bekommt die Kritik zur Schwiegermutter.* (Hildegard Knef)

> *„Die Kunst ist eine Vermittlerin
> des Unaussprechlichen" verstehen wir so, dass
> man durch Kunst die Möglichkeit hat, etwas zu zeigen oder
> zu sagen, das anders nicht auszudrücken ist. Die Kunst
> ist also eine andere Ausdrucksform
> als die Sprache.*

b Gibt es Zitate, die etwas Ähnliches aussagen? Vergleichen Sie die Aussprüche miteinander.

## 5 Redewiedergabe mit *nach, laut, zufolge* und *wie* → AB 85–86/Ü 23–25

GRAMMATIK
Übersicht → S. 72/3

a Vergleichen Sie die Formulierungen und markieren Sie, was jeweils zutrifft.

- *Nach (der) Meinung von* Max Liebermann hat Kunst mit Können zu tun. /
  Max Liebermanns *Meinung nach* hat Kunst mit Können zu tun.
- *Laut (der) Meinung von* Max Liebermann hat Kunst mit Können zu tun.
- *Dem Künstler Max Liebermann zufolge* hat Kunst mit Können zu tun.
- *Wie Max Liebermann meinte,* hat Kunst mit Können zu tun.

| | nach | laut | zufolge | wie |
|---|---|---|---|---|
| ist eine Präposition mit Dativ | x | | | |
| leitet einen Nebensatz ein | | | | |
| kann auch nachgestellt werden | | | | |
| man kann den Artikel danach weglassen | | | | |
| am Ende des Ausdrucks steht ein Verb des „Sagens" | | | | |

b Bilden Sie weitere Varianten der Zitate aus 4a mit den Präpositionen
*nach, laut, zufolge* sowie Nebensätzen mit *wie.*

---

Ich kann jetzt ...
- Aussagen zu einer „Kunstaktion" verstehen und kommentieren.
- über Sinn und Funktion von Kunst diskutieren.
- die Bedeutung von Zitaten zum Thema „Kunst" erschließen.
- Redewiedergabe mit *nach, laut, zufolge* und *wie* erkennen und anwenden.

# GRAMMATIK

## 1 Wortbildung: Vorsilben *be-* und *ver-*

### a Verben mit der untrennbaren Vorsilbe *be-*  ← S. 63/1

| Verben mit der Vorsilbe *be-* + Akkusativ | Verb mit Präposition |
|---|---|
| Der Bildhauer **bearbeitet** die Skulptur. | Der Bildhauer **arbeitet an** der Skulptur. |
| Der Kritiker **beurteilt** die Kunstwerke. | Der Kritiker **urteilt über** die Kunstwerke. |

### b Verben mit der untrennbaren Vorsilbe *ver-*  ← S. 63/2

| Beispiel | Bedeutung |
|---|---|
| Dann habe ich mich auch noch am Telefon **verwählt**. Ebenso: sich verfahren, sich verhören, sich verirren, sich verzählen, … | das Resultat der Handlung ist unerwünscht |
| Mit ein paar Bildern kann man ein Zimmer **verschönern**. Ebenso: vergrößern, verbessern, verlängern, (sich) verändern, … | das Resultat der Handlung ist ein veränderter Zustand |
| Der Bildhauer **verbringt** viel Zeit in seinem Atelier. Ebenso: verstehen, verschicken, sich vergnügen, sich verhalten, … | neutrale Bedeutung |

## 2 Indirekte Rede: Fragen und Imperativ

### a Fragen in der indirekten Rede  ← S. 65/3

Indirekte Fragen werden mit einem Verb, z. B. *fragt, will wissen*, … und einem Fragewort, z. B. *wer, wie*, … oder dem Konnektor *ob* eingeleitet. Das konjugierte Verb steht am Satzende und vor allem in der geschriebenen Sprache im Konjunktiv I oder II.

| Direkte Frage | Frage in der indirekten Rede |
|---|---|
| Die Leute fragen: | Die Leute fragten, |
| – „Warum **heißt** die „documenta" eigentlich so?" | – warum die documenta eigentlich so **heiße**.* |
| – „**Sind** dort die weltbesten Künstler **vertreten**?" | – ob dort die weltbesten Künstler **vertreten seien**.* |
| – „Was **wurde** auf der „dOCUMENTA 13" ausgestellt? | – was auf der „dOCUMENTA 13" **ausgestellt worden sei**.* |

* auch Indikativ möglich

### b Imperativ in der indirekten Rede  ← S. 69/2

Bei Imperativen in der indirekten Rede verwendet man in der geschriebenen Sprache die Modalverben *sollen* (neutrale Bitte), *möge/n* (höfliche Bitte), *müssen* (dringende Bitte) oder *nicht dürfen / nicht sollen* (negative Bitte) im Konjunktiv I oder II.

| Direkter Imperativ | Imperativ in der indirekten Rede |
|---|---|
| Die Studienberaterin sagte, meinte, riet mir: | Die Studienberaterin sagte, meinte, riet mir, |
| – „Schicken Sie eine Bewerbungsmappe!" | – ich **solle** eine Bewerbungsmappe schicken. |
| – „Lesen Sie bitte die Studienordnung." | – ich **möge** die Studienordnung lesen. |
| – „Melden Sie sich unbedingt bis März an!" | – ich **müsse** mich bis März anmelden. |
| – „Lassen Sie sich nicht verunsichern!" | – ich **solle/dürfe** mich **nicht** verunsichern lassen. |

## 3 Redewiedergabe mit *nach, laut, zufolge* und *wie*  ← S. 71/5

| Präposition | Max Liebermanns Meinung/Aussage nach … Laut (der) Meinung/Aussage von Max Liebermann … Laut Max Liebermann … Max Liebermann zufolge … | hat Kunst mit Können zu tun. |
|---|---|---|
| Nebensatz mit *wie* | Wie Max Liebermann meinte/sagte, | |

Eine erweiterte Darstellung der Grammatikübersichtsseiten finden Sie im Lehrwerkservice unter www.hueber.de/sicher.

5

# 6 STUDIUM

## 1 Man lernt nie aus

Arbeiten Sie zu dritt.
Sehen Sie das Foto an.
Finden Sie eine Bildunterschrift
und erläutern Sie diese.

*Unsere Bildunterschrift heißt:*
*Lebenslanges Lernen. Das ist für uns alle*
*sehr wichtig. Denn schon allein durch die*
*technischen Entwicklungen ...*

## 2 Studienziele → AB 89/Ü2

a Welche Beweggründe zu studieren hat
die abgebildete Person im Vergleich zu
„normalen" Studierenden wohl?

b Vergleichen Sie mit Ihrem Heimatland:
Gibt es bei Ihnen auch Studierende
in jedem Alter?

*Ich könnte mir vorstellen,*
*dass sie Lust hat, noch einmal etwas*
*Neues zu lernen und sich weiterzuentwickeln.*
*Nach Abschluss ihres Berufslebens hat*
*sie auch die Zeit dazu.*

## 1 Welche Studienrichtung passt zu Ihnen? → AB 90–91/Ü3–5

a  Lesen Sie die Beschreibungen einer Auswahl von Studiengängen.
Ordnen Sie dann folgende Tätigkeiten den jeweiligen Studienrichtungen *S, N, R, G* oder *K* zu.

- [R] Verkaufsstrategien entwickeln
- [ ] als Schauspieler in einem Theaterstück mitspielen
- [ ] eine Buchkritik verfassen
- [ ] einen Rechtsstreit schlichten
- [ ] mit Geschäftspartnern verhandeln
- [ ] einen Konstruktionsplan entwerfen
- [ ] anspruchsvolle literarische Texte lesen
- [ ] Texte in eine andere Sprache übersetzen
- [ ] Opern- und Theateraufführungen inszenieren
- [ ] die Beachtung von Vorschriften kontrollieren
- [ ] eigene Songs oder Musikstücke komponieren
- [ ] sich mit dem menschlichen Körper beschäftigen
- [ ] andere beraten, wie ein Unternehmen zu führen ist
- [ ] andere bei persönlichen Problemen unterstützen
- [ ] sich theoretisch mit Musik befassen
- [ ] psychisch kranke Menschen behandeln
- [ ] sich sprachlich gut und treffend ausdrücken
- [ ] junge Menschen betreuen und unterstützen
- [ ] erfahren, wie Daten im Internet übertragen werden
- [ ] Prozesse oder Abläufe mit dem Computer simulieren
- [ ] sich mit den körperlichen Abläufen beim Sport beschäftigen
- [ ] Funktionsprinzipien aus der Natur für technische Lösungen nutzen
- [ ] umweltfreundliche, energiearme Häuser und Einrichtungen entwerfen
- [ ] Ergebnisse einer repräsentativen Wählerumfrage auswerten
- [ ] im Labor arbeiten und die Ergebnisse eines Experiments dokumentieren

**6**

## STUDIENRICHTUNGEN

### S  Sprach und Kulturwissenschaften

Dazu zählen über 1000 einzelne Fächer wie Bibliotheks-, Geschichts- und Kulturwissenschaft, ebenso eine große Anzahl von Philologien, von Anglistik über Germanistik bis hin zu Zentralasienstudien. Dabei
5 geht es um die Sprach- und Literaturwissenschaft einer Sprache oder eines Sprachzweigs. Hier empfiehlt sich zum Erlernen der Sprache ein Auslandsaufenthalt fern der Heimat, denn die Beherrschung der studierten Sprache wird als Grundlage für das Studium vorausgesetzt.

### 10 N  Natur- und Lebenswissenschaften

Die Naturwissenschaften setzen sich mit der belebten und unbelebten Natur auseinander. Zu den klassischen Naturwissenschaften gehören Biologie, Physik, Chemie und Geologie. Wichtigste Hilfsdisziplin ist die Mathematik. Informatik, Ernährungslehre und Ingenieur-
15 wesen gehören genauso dazu wie die Human- und Tiermedizin. Fächer wie Biologie oder Biochemie werden auch als Lebenswissenschaften bezeichnet.

### R  Rechts- und Wirtschaftswissenschaften

Die Wirtschaft in all ihren Facetten (Betriebs- und Volkswirtschaft)
20 samt ihren rechtlichen Grundlagen steht hier im Mittelpunkt. Möglich sind auch Doppel-Studiengänge aus Betriebswirtschaft und Ingenieurwesen, Betriebswirtschaft und Informatik oder Betriebswirtschaft und Wirtschaftsrecht. Das Studium der Rechtswissenschaft, genannt Jura, also die wissenschaftliche Beschäftigung mit
25 gültigem Recht, gehört auch zu dieser Studienrichtung.

G **Gesellschafts- und Sozialwissenschaften**

In dieser Studienrichtung geht es im weitesten Sinne um das menschliche Verhalten innerhalb der Gesellschaft. Den Anforderun-
30  gen entsprechend zählen Politikwissenschaft, Psychologie, Sozio-
logie, Sozialpädagogik und Sozialarbeit, aber auch das Fach Sport-
wissenschaft dazu. Studierende sollten Interesse an Menschen und
deren sozialen, wirtschaftlichen und individuellen Lebensbedingungen mitbringen.

K **Kunst, Gestaltung, Musik**

35  Im Rahmen eines Studiums in dieser Studienrichtung beschäftigt
man sich hauptsächlich mit den theoretischen Grundlagen der künstlerischen Disziplinen Gestaltung und Design, (Innen)Architektur und
bildende Kunst. Auch Kunstgeschichte sowie Musik- und Theaterwis-
senschaften gehören zu diesem Bereich. Der klaren Arbeitsteilung
40  zuliebe verzichtet die universitäre Musikwissenschaft in Deutschland
auf die praktische Ausbildung am Instrument. Diese übernehmen die
spezialisierten Musikhochschulen und Akademien.

b **Markieren Sie, welche Tätigkeiten aus a zu Ihren eigenen Interessen passen. Welchen Buchstaben haben Sie am häufigsten ausgewählt _S, N, R, G_ oder _K_?**

c **Was sagen Sie zu Ihrem Ergebnis?**
**Passt es zu Ihnen? Suchen Sie im Kurs:**
**Wer hat die gleiche Studienrichtung wie Sie gewählt? Tauschen Sie sich über Ihre konkreten Wünsche und Vorstellungen aus.**

> _Ich habe am häufigsten R markiert. Am liebsten würde ich Jura studieren und für eine gemeinnützige internationale Organisation arbeiten._

**2 Präpositionen mit Dativ** → AB 92/Ü6–8

GRAMMATIK
Übersicht → S. 84/1

a **Was bedeuten die Präpositionen _fern, samt, entsprechend_ und _zuliebe_?**
**Ordnen Sie zu.**

| für/wegen · in Übereinstimmung mit · ~~passend zu~~ · weit weg von · zusammen mit |
| --- |

1 _ein Auslandsaufenthalt fern der Heimat_ (Z. 8) = _____
2 _Die Wirtschaft (...) samt ihren rechtlichen Grundlagen_ (Z. 19/20) = _____
3 _Den Anforderungen entsprechend_ (Z. 28/29) = _passend zu den Anforderungen,_ _____
4 _Der klaren Arbeitsteilung zuliebe_ (Z. 39) = _____

b **Ergänzen Sie die Präpositionen _fern, samt, entsprechend_ und _zuliebe_.**

1 Meinen Eltern _____ habe ich ein Studium der Wirtschaftswissenschaften begonnen.
2 Doppel-Studiengänge sind _____ den neuen Studienordnungen möglich.
3 Im Vorlesungsverzeichnis findest du die Veranstaltungen aller Fachrichtungen _____
den Namen der Professoren.
4 Für Sprachwissenschaftler ist ein Studienaufenthalt _____ (von) ihrer Heimat besonders
empfehlenswert.

---

Ich kann jetzt ...                                                                  😊  🙂  🙁
■ Internet-Texten Erläuterungen über Studienrichtungen entnehmen.                   ☐  ☐  ☐
■ über meine Studienpräferenzen sprechen.                                           ☐  ☐  ☐
■ die Dativ-Präpositionen _fern, samt, entsprechend_ und _zuliebe_ verwenden.       ☐  ☐  ☐

# WORTSCHATZ

## 1 Interessante Forschungsergebnisse

**a** Finden Sie Überschriften für die Schlagzeilen und vergleichen Sie sie anschließend im Kurs.

1 *Frauen haben eine längere Leitung bei Witzen*

Frauen brauchen angeblich länger als Männer, um einen Witz zu verstehen. Zu dieser Erkenntnis kamen amerikanische Wissenschaftler.

2 _____

Forscher der Universität Nashville ermittelten, wie viele Kalorien beim Lachen verbraucht werden. Sie wollten eine Humor-Diät einführen.

3 _____

Forscher der Universität Bonn haben herausgefunden, dass die Zahl von Regenperioden in Europa in den vergangenen 60 Jahren um 15 bis 20 Prozent abgenommen hat. Ihre Recherchen haben ergeben, dass die Regenperioden länger, aber seltener werden.

4 _____

Ein Erwachsener fängt sich durchschnittlich zwei bis vier Erkältungen pro Jahr ein. Das haben Wissenschaftler der Universität Michigan festgestellt.

5 _____

Schüler erzielen in gleichgeschlechtlichen Klassen bessere Ergebnisse als in gemischten. Das entdeckten Wissenschaftler der University of Otago in Dunedin, Neuseeland.

6 _____

Eine Studie der Universität Utah mit 150 Ehepaaren brachte ans Tageslicht, dass regelmäßiger Streit sich negativ auf die Gesundheit auswirkt. Ein weiteres Ergebnis: Das Risiko für Herzkrankheiten erhöht sich bei Frauen stärker als bei Männern.

**b** Markieren Sie in jedem Absatz einen Ausdruck, der die Tätigkeit eines Forschers beschreibt.

1 _____    4 _____
2 _____    5 _____
3 *etwas herausfinden,*        6 _____

**c** Wählen Sie aus Lektion 1–6 einen wissenschaftlichen Text aus und fassen Sie die Ergebnisse mithilfe der Formulierungen aus b zusammen.

## 2 Wortbildung: Nachsilben bei Nomen → AB 93/Ü9

GRAMMATIK
Übersicht → S. 84/2

**a** Ergänzen Sie die Artikel.

*das* Argument •  _____ Bibliothekar •  _____ Bilanz •  _____ Distanz •  _____ Dokument •
_____ Eleganz •  _____ Experiment •  _____ Instrument •  _____ Volontär •  _____ Sekretär •
_____ Intelligenz •  _____ Enthusiasmus •  _____ Journalismus •  _____ Kommentar •
_____ Kompetenz •  _____ Konferenz •  _____ Konkurrenz •  _____ Sarkasmus •
_____ Medikament •  _____ Organismus •  _____ Resonanz •  _____ Feminismus

**b** Ergänzen Sie nun die Tabelle.

| Nachsilbe … → Artikel | Nachsilbe … → Artikel | Nachsilbe … → Artikel |
|---|---|---|
| -ismus/-asmus | -ment | -anz |
| -ar/-är | | -enz |

---

Ich kann jetzt …

- variantenreich über Forschungsergebnisse berichten.
- bei Nomen mit -ar/-är, -ismus/-asmus, -ment, -anz und -enz den richtigen Artikel verwenden.

## 1 Sprache und Geschlecht

a Sehen Sie die Zeichnung an. Was wird hier thematisiert?

b Weiblich oder männlich? Um welche Form handelt es sich? Weiblich (w), männlich (m), geschlechtsneutral (gn) oder sind beide Geschlechter sichtbar (gs)? Markieren Sie.

| | w | m | gn | gs |
|---|---|---|---|---|
| 1 StudentInnen | ☐ | ☐ | ☐ | ☐ |
| 2 Dozenten | ☐ | ☐ | ☐ | ☐ |
| 3 Dozierende | ☐ | ☐ | ☐ | ☐ |
| 4 Lehrer | ☐ | ☐ | ☐ | ☐ |
| 5 Lehrkraft | ☐ | ☐ | ☐ | ☐ |
| 6 Professorin | ☐ | ☐ | ☐ | ☐ |
| 7 Student/-in | ☐ | ☐ | ☐ | ☐ |
| 8 Studentinnen und Studenten | ☐ | ☐ | ☐ | ☐ |

*HORST, KANNST DU MIR BITTE DIE HAMMERIN GEBEN?*

*Wussten Sie schon?* → AB 94/Ü11
*Zahlreiche deutschsprachige Universitäten, öffentliche Einrichtungen sowie Firmen haben „Frauenbeauftragte", die sich um die Gleichstellung von Mann und Frau am Arbeitsplatz kümmern. Zu ihrem Arbeitsbereich gehören unter anderem Vorschriften zur „geschlechtergerechten Sprache". Besonders im Schriftverkehr und in Publikationen soll die einseitige männliche Perspektive vermieden werden. Die Regeln umfassen vor allem Anredeformen, Vokabular und Orthografie.*

6

## 2 Veränderung der Sprache → AB 93/Ü10

21
CD1

a Hören Sie den Radiobeitrag einmal ganz. Ordnen Sie die Reihenfolge der Aussagen.

1 Anrede von weiblichen und männlichen Mitarbeiterinnen und Mitarbeitern

☐ Funktion der männlichen Formen im Spanischen

☐ Untergang der Anrede „Fräulein"

☐ Sprachregelung in der englischen Sprache

☐ Wirklichkeit führt zu Veränderungen: Duzen

b Hören Sie noch einmal in Abschnitten und bearbeiten Sie die Aufgaben.

22
CD1

**Abschnitt 1**

Wie beurteilt der Experte die Möglichkeit, Sprache zu verändern? Markieren Sie.

a negativ: Die Veränderungen werden seiner Meinung nach schlimme Folgen haben.

b neutral: Ihm zufolge bleibt offen, ob die Aktion zu gesellschaftlichen Veränderungen führen wird.

c positiv: Er ist fest davon überzeugt, dass sich die Sprache in dieser Weise verändern lässt.

23
CD1

**Abschnitt 2**

Wie werden die weiblichen und die männlichen Formen im Englischen und Spanischen gegenüber dem Deutschen differenziert? Berichten Sie.

## 3 Meine Sprache

Arbeiten Sie zu zweit. Wie werden „weiblich" und „männlich" in Ihrer Muttersprache differenziert? Gibt es diesbezüglich Kritik an Ihrer Sprache? Wenn ja, welche?

---

Ich kann jetzt ...                                                                      ☺ ☺ ☹

- einem Radiobeitrag Hauptinformationen zur geschlechtsspezifischen Anrede entnehmen. ☐ ☐ ☐
- die fachlich fundierten Ausführungen eines Experten verstehen.                        ☐ ☐ ☐
- Beispiele aus der Muttersprache anführen und mögliche Kritik referieren.              ☐ ☐ ☐

# LESEN 2

## 1 Interkulturelle Missverständnisse an der Uni → AB 95/Ü12

Lesen Sie den Erfahrungsbericht eines amerikanischen Austauschstudenten.
Worin besteht wohl das Missverständnis? Diskutieren Sie.

### Mein Aufenthalt in Deutschland

Am Anfang meines Aufenthalts in Deutschland hatte ich ein verstörendes Erlebnis mit
einem Professor. Ich sollte in seinem Seminar ein Referat halten. Da ich dazu einige Fragen
hatte, wollte ich ihn kurz sprechen. Ich klopfte an seine Tür. Als er „herein" sagte, ging ich
in sein Büro und stellte meine Fragen. Der Professor reagierte ziemlich unfreundlich und
schickte mich wieder weg. Ich war völlig vor den Kopf gestoßen, weil ich mich mit dem Professor eigentlich gut verstanden hatte. Im Gespräch mit Kommilitonen bekam ich heraus,
dass das Problem darin bestand, ...

## 2 Ausländische Studentinnen im Gespräch → AB 95/Ü13

a Sehen Sie die Fotos an. Warum sind diese Studentinnen wohl zum Studieren
nach Deutschland gekommen?

Ivana hat in Belgrad Informatik
studiert, bevor sie für einen Master
nach Braunschweig wechselte.

Chung hat in ihrem Heimatland Vietnam
Außenhandel studiert. In Deutschland schließt
sie nun ein Masterstudium Informatik an.

b Lesen Sie die Antworten der beiden Studentinnen. Welche Fragen hat der Reporter wohl gestellt?
Ergänzen Sie frei.

1 *Warum hast du dich für ein Studium in Deutschland entschieden?*

IVANA: Ich wollte das Masterstudium unbedingt im Ausland machen, um neue Eindrücke
zu bekommen. Durch zwei Praktika in Süddeutschland kannte ich Deutschland und es gefiel
mir. Für Braunschweig habe ich mich entschieden, weil mich das Programm überzeugt hat.
CHUNG: Ich habe persönliche Gründe. Mein Vater lebt in Deutschland und fragte, ob ich
nicht in Deutschland studieren wollte, um eine andere Kultur kennenzulernen.

2

IVANA: Die Prüfungen sind hier viel einfacher! Wenn man während des Semesters mitarbei-
tet und die Hausaufgaben macht, sind die Prüfungen kein Problem. Ich habe den Eindruck,
dass es in Deutschland darauf ankommt zu zeigen, dass man einen Überblick über ein Thema
hat. In Belgrad mussten wir alles sehr detailliert und vertieft wissen. Alle Randbedingun-
gen, alle Besonderheiten!
CHUNG: Dem stimme ich zu. Bei uns ist alles viel theoretischer und nicht so anschaulich.
In Braunschweig sind die Lehrinhalte moderner, aber auch oberflächlicher. Auch hier ist es
manchmal schwer, aber es macht fast immer Spaß zu studieren.
IVANA: Ich glaube außerdem, dass deutsche Studierende durchschnittlich fleißiger sind.
Sie arbeiten viel mehr im Semester mit. In Belgrad studieren wir fast nie im Semester. Stattdessen lernen wir in den Ferien umso mehr. Hier werden auch mehr Fragen in den Vorlesungen gestellt. Das kannte ich so nicht.

3

20

CHUNG: In der Informatik sind ja viele Begriffe, aber auch Bücher sowieso auf Englisch. Es ist okay, wenn in Deutschland die Vorlesungen auf Deutsch gehalten werden.
IVANA: Ich finde, die Sprache gehört zum Auslandsaufenthalt dazu. Und außerhalb der Uni muss man sowieso Deutsch sprechen!

4

25

IVANA: Meistens gehe ich mit Fragen zu den Mitarbeitern des Fachbereichs. Da habe ich immer Ansprechpartner gefunden. Aber auch, wenn ich mit einer Frage einen Professor angesprochen habe, wurde mir weitergeholfen. Und natürlich konnte ich mich stets an meinen Mentor wenden, den jeder ausländische Studierende hier bekommt. Zu ihm kann man auch unangemeldet kommen. Ihm ist nicht nur wichtig, wie mein Studium läuft, sondern auch, dass ich mich wohlfühle.
CHUNG: In Vietnam hätte ich nie einen Professor etwas gefragt! Hier ist das Verhältnis untereinander viel freundlicher.

30

5

CHUNG: Ich finde das Studium ziemlich anstrengend und dadurch bleibt leider zu wenig Zeit, um Fachzeitschriften zu lesen. Dementsprechend lernt man wenig über aktuelle Entwicklungen beispielsweise bei Computern. Das ist schade. Trotzdem macht mir das Studium viel Spaß.

35

c   Notieren Sie die genannten Unterschiede im Vergleich zu Deutschland.

| Themen | in Serbien | in Vietnam |
|---|---|---|
| Prüfungen | schwieriger | |
| | | |
| | | |
| | | |

## 3   Verweiswörter  → AB 96–97/Ü14–17

GRAMMATIK
Übersicht → S. 84/3

a   Worauf beziehen sich diese Wörter im Text? Notieren Sie.

1 *Dem* stimme ich zu (Z. 13)   →   *bezieht sich auf den letzten Abschnitt*
2 *hier* (Z. 8)   →   _____
3 *Stattdessen* (Z. 17/18)   →   _____
4 *das* (Z. 19)   →   _____
5 *da* (Z. 26)   →   _____
6 *dadurch* (Z. 35)   →   _____
7 *dementsprechend* (Z. 36)   →   _____

b   Schreiben Sie die Sätze aus dem Text ohne die Verweiswörter um.

1 *Ivanas Aussagen stimme ich zu.*

Ich kann jetzt …
- persönliche Erfahrungsberichte von Studierenden verstehen.
- Berichten Informationen und Bewertungen entnehmen.
- Bezüge in Texten mithilfe von Verweiswörtern verstehen.

☺  ☺  ☺
☐  ☐  ☐
☐  ☐  ☐
☐  ☐  ☐

# SPRECHEN

## 1 Anforderungen im Studium

a Was macht man im Studium?
Ordnen Sie die Bildunterschriften zu.

eine Seminararbeit verfassen •
eine Mitschrift zu einer Vorlesung anfertigen •
ein Referat halten

 A _____

 B _____

 C _____

b Zu welchem der drei Bereiche aus a gehören diese Anforderungen? Manche passen mehrfach.

_B_ eine Gliederung entwerfen
____ Gehörtes mitnotieren
____ Gelesenes zusammenfassen und
kommentieren
____ eigene Gedanken zum Gelesenen/
Gehörten formulieren

____ Fachliteratur bibliografieren
____ wissenschaftliche Aufsätze exzerpieren
____ ein Thema selbstständig recherchieren

c Ergänzen Sie noch weitere Anforderungen in b.

d Welche Anforderungen finden Sie besonders schwierig?

## 2 Problemlösung → AB 98/Ü18

Das Studentenwerk will ausländische Studierende unterstützen. Es soll ein Seminar zu einem der Bereiche A, B oder C angeboten werden. Es kann aber nur eines finanziert werden. Einigen Sie sich auf einen Bereich. Diskutieren Sie zu dritt und verwenden Sie die folgenden Redemittel.

- Identifizieren Sie den Bereich, der finanziert werden sollte.
- Begründen Sie Ihre Entscheidung.
- Gehen Sie auf die Äußerungen Ihres Gesprächspartners ein.
- Am Ende sollten Sie zu einer Entscheidung kommen.

### auf Äußerungen des Gesprächspartners eingehen

„Dein Vorschlag ist sehr interessant. Das kann man
durchaus so sehen.
Da hast du völlig recht.
Ich würde deinen Vorschlag gerne aufgreifen.
Das könnte man auch anders sehen, zum Beispiel ...
Könnte man nicht auch sagen, dass ... ?

Dein Argument leuchtet mir ein ...
Das klingt zwar überzeugend, aber ...
Das kann ich nicht nachvollziehen ...
Ich sehe das anders ...
Meines Erachtens sollte man noch
berücksichtigen ... "

### eine Entscheidung einleiten

„Wenn wir alle Argumente noch einmal zusammenfassen, was stellen wir dann fest?
Für welchen der drei Bereiche gab es denn die stärksten Argumente?
Unser Fazit wäre also ... "

---

Ich kann jetzt ...
- Anforderungen im Studium benennen und einstufen.
- Angebote zur Verbesserung der Studierfähigkeit vergleichen und bewerten.
- auf Äußerungen anderer eingehen.
- mit Gesprächspartnern zu einer Einigung kommen.

☺ ☺ ☺
☐ ☐ ☐
☐ ☐ ☐
☐ ☐ ☐
☐ ☐ ☐

## 1 Die Vorlesung → AB 98/Ü19

Was ist typisch für diese Art von Lehrveranstaltung in Bezug auf folgende Aspekte? Diskutieren Sie.

> Inhalt · Dauer/Länge · Aktivitäten der Zuhörenden · Aktivität des Vortragenden

## 2 Vorlesung mal anders? → AB 99–100/Ü20–22

 **a** Sehen Sie den ersten Teil eines Ausschnitts aus einer Vorlesung an. Beantworten Sie folgende Fragen.

1 Wie verhält sich der Dozent Alexander Groth?
Was ist an seinem Verhalten eher untypisch?
2 Wie verhalten sich die Studierenden?
3 Welches Fach studieren sie?

> *Herr Groth liest seinen Vortrag nicht ab, sondern spricht frei.*

**b** Welches Statement passt zu der Vorlesung? Diskutieren Sie.

> *Lange Ansprachen zu halten geht völlig an den Studierenden vorbei. Es ist schade um die Zeit.*

> *Manche Lehrende sind in der Lage, die Studierenden von Anfang bis Ende für ihre Vorlesung zu begeistern.*

**c** Um welche Unterschiede geht es in dieser Vorlesung? Markieren Sie.

Es geht um …
☐ Ausdrücke der Höflichkeit in verschiedenen Sprachen.
☐ Körpersprache in verschiedenen Kulturkreisen.
☐ lokale Angaben in verschiedenen Sprachen.

 **d** Sehen Sie nun den ganzen Ausschnitt an.
Welche Aussage ist richtig? Markieren Sie.

Der Dozent …
☐ beginnt mit einer Anekdote aus seinem Leben.
☐ führt die Ergebnisse einer Studie an.
☐ zitiert typische Ausdrucksweisen.
☐ interpretiert, was Bewegungen bedeuten.
☐ präsentiert eine Liste mit peinlichen Bewegungen.

☐ lässt eigene Erfahrungen einfließen.
☐ setzt sich mit der Fachliteratur auseinander.
☐ demonstriert typische Bewegungen.
☐ bittet, eine Situation zu simulieren.
☐ bittet die Zuhörenden, sich eine Situation vorzustellen.

 **e** Arbeiten Sie zu dritt. Sehen Sie den ganzen Ausschnitt noch einmal an.
Jede/r in der Gruppe konzentriert sich auf eines der folgenden Beispiele und die Interpretation des Dozenten, die sie/er anschließend in der Gruppe so detailliert wie möglich in eigenen Worten wiedergibt.

Beispiel 1: Distanz zwischen Gesprächspartnern

Beispiel 2: Hände halten
Beispiel 3: Händedruck

**f** Welches Beispiel gefällt Ihnen? Warum?

**g** Kennen Sie ein weiteres Beispiel für kulturelle Unterschiede zwischen Ihrem Heimatland und den deutschsprachigen Ländern? Berichten Sie.

---

Ich kann jetzt …
- die Hauptaussagen einer Vorlesung verstehen. ☐ ☐ ☐
- Einzelheiten aus einer Vorlesung mündlich wiedergeben. ☐ ☐ ☐

# SCHREIBEN

## 1 Mitschriften → AB 100/Ü23

a Arbeiten Sie in Kleingruppen. Lesen Sie die Mitschriften von zwei Studierenden zu dem Vortrag „Interkulturelle Kommunikation" von Alexander Groth auf Seite 81. Was fällt Ihnen positiv, was negativ auf? Ergänzen Sie in der Tabelle.

Mitschrift 1

> Brasilien: über 100 x berühren
>
> Männer kommen einem unheimlich nah mit dem Gesicht. = Atem im Gesicht
>
> Schweizer fassen nie an.
>
> Deutsche legen Hand deutlich auf das Knie.
>
> Argentinier tippen einen an.
>
> Deutsche: natürlicher Abstand weiter als Argentinier
> „Will er mich küssen?"
> → Brüstung erhöht
>
> In Indien als Mann: Man will ins Restaurant schlendern über den Platz, der Inder nimmt zärtlich Ihre Hand.
> → „unsere Beziehung ist gut", „wir haben eine gute tragfähige Ebene gefunden"

Mitschrift 2

> BWL                                          27.10.
> Alexander Groth: **Interkulturelle Kommunikation**
>
> Umgang mit der Körpersprache
> expressive Kriterien ⟷ reservierte Kriterien
>
> Studie: Wie oft berühren sich Menschen in einem Straßencafé?
> z.B. Anfassen während des Gesprächs
>
> Der Grund der Expressivität wird im Körperkontakt deutlich.

| großer Körperkontakt | mäßiger Körperkontakt | geringer Körperkontakt |
|---|---|---|
| Mittelmeerraum, Lateinamerika, Arab. Länder | USA, Kanada, Australien/ Neuseeland, Osteuropa | fast ganz Asien, Skandinavien, Großbritannien |

> Beispiel: Argentinien
> Gespräche zwischen Männern, ständiges Berühren
> Poloclub: Abstand zwischen Gesprächspartnern aus D und Argentinien
> Beispiel: Indien, Händehalten für Deutsche peinlich

| Mitschrift 1 | | Mitschrift 2 | |
|---|---|---|---|
| positiv | negativ | positiv | negativ |
| konkrete Beispiele | | Folien des Dozenten integriert | |

b Wie sieht Ihrer Meinung nach eine gute Mitschrift aus?

*Für mich ist eine gute Mitschrift übersichtlich und nachvollziehbar.*

c Sehen Sie den Ausschnitt aus der Vorlesung noch einmal an. Verfassen Sie dazu selbst eine Mitschrift.

> *Vorträge mitschreiben*
> *Versuchen Sie nicht, einen Vortrag Wort für Wort zu notieren. Schreiben Sie nur die Hauptaussagen mit. Ordnen Sie diese als Stichwörter möglichst übersichtlich an und heben Sie sie durch Farben, Unterstreichungen oder Kästen hervor.*

Ich kann jetzt ...                                            ☺  ☺  ☹
- gelungene Mitschriften erkennen.                            ☐  ☐  ☐
- Argumentation und Beispiele aus einem Vortrag mitnotieren.  ☐  ☐  ☐

# SEHEN UND HÖREN 2

## 1 Studienberatung und Studienfachberatung

a   Was meinen Sie? Wer nutzt wohl welche Art von Beratung?

> *Eine Studien-beratung nutzen wohl eher Studienanfänger.*

b   Bei welchen Fragen wenden Sie sich an die fachübergreifende Beratung (FüB) und bei welchen an die Fachberatung (FB)? Ordnen Sie zu und ergänzen Sie. Manche passen bei beiden.

|  | FüB | FB |  | FüB | FB |
|---|---|---|---|---|---|
| Studieninhalte | ☐ | ☒ | Einschreibung | ☐ | ☐ |
| Zulassungsvoraussetzungen | ☐ | ☐ | Prüfungstermine | ☐ | ☐ |
| Auslandssemester | ☐ | ☐ | Wohnungssuche | ☐ | ☐ |
| Krankenversicherung | ☐ | ☐ | Fachwechsel | ☐ | ☐ |
| Stipendium/BAföG | ☐ | ☐ | Kinderbetreuung | ☐ | ☐ |

## 2 Wo Studierende fachlichen Rat bekommen → AB 101/Ü 24–25

Sehen Sie den Film in Abschnitten an und beantworten Sie die Fragen.

**26** DVD 1

### Abschnitt 1

1 Um welche Art von Beratungsstelle geht es?
2 Welche Informationen konnte Ramona zu folgenden Themen erhalten? Notieren Sie Stichpunkte.
- ECTS-Punkte: _____
- Fächerkombinationen: _____
- Studienschwerpunkt: _____

**27** DVD 1

### Abschnitt 2

1 Zu welchen Themen konnte sich Ramona weiter informieren? Markieren Sie und ergänzen Sie in der Tabelle.

☐ psychologische Betreuung ☒ Stundenplan ☐ Auslandssemester
☐ Jobs an der Uni ☐ Prüfungstermine

2 Sehen Sie den Abschnitt noch einmal an. Was konnte Ramona über die Themen aus 1 erfahren? Ergänzen Sie in der Tabelle.

| Thema | Informationen |
|---|---|
| Stundenplan |  |
|  |  |
|  |  |

3 Was passiert, wenn die Beratung nicht weiterhelfen kann?

## 3 Bewertung, Kommentar

a   Wie findet Ramona die Beratung und warum?

b   Schreiben Sie einen Kommentar auf der Webseite der Beratungsstelle. Geben Sie darin Anregungen, zu welchen weiteren Aspekten Sie auf der Webseite gerne Informationen finden würden.

> *Ich würde gerne noch erfahren, welche Voraussetzung man überhaupt mitbringen muss, um an einer Schweizer Uni zu studieren.*

---

Ich kann jetzt ...

|  | ☺ | ☺ | ☹ |
|---|---|---|---|
| ■ den Informations- und Beratungsbedarf von ausländischen Studierenden benennen. | ☐ | ☐ | ☐ |
| ■ einen Informationsfilm über das Serviceangebot einer Studienfachberatung verstehen. | ☐ | ☐ | ☐ |
| ■ einen Kommentar schreiben und darin Anregungen formulieren. | ☐ | ☐ | ☐ |

6

# GRAMMATIK

## 1 Präpositionen mit Dativ  ← S. 75/2

Die folgenden Präpositionen gehören zum gehobenen Sprachgebrauch bzw. zur Schriftsprache.

| entsprechend | Doppelstudiengänge sind **entsprechend** der neuen Studienordnung möglich. |
|---|---|
| samt | Im Vorlesungsverzeichnis findet man den Namen **samt** der E-Mail-Adresse. |
| fern* | Sie studiert **fern (von)** ihrer Heimatstadt. |
| zuliebe | Seinen Eltern **zuliebe** hat er Jura studiert. |

* auch mit Genitiv möglich: *fern des Alltags*

## 2 Wortbildung: Nachsilben bei Nomen  ← S. 76/2

Nomen mit den gleichen Nachsilben haben meistens den gleichen Artikel.

| der | | das | die | |
|---|---|---|---|---|
| -asmus/-ismus | -ar/-är* | -ment | -anz | -enz |
| Enthusiasmus | Bibliothekar | Dokument | Bilanz | Existenz |
| Optimismus | Kommissar | Experiment | Distanz | Intelligenz |
| Aktivismus | Sekretär | Instrument | Eleganz | Kompetenz |

* gilt für männliche Berufsbezeichnungen; Wörter aus dem Lateinischen sind neutral,
  z. B. das Semin*ar*, das Vokabul*ar*, das Exempl*ar*

## 3 Verweiswörter  ← S. 79/3

Um Sätze zu kohärenten, logisch aufgebauten und stilistisch guten Texten zu verbinden,
gibt es Verweiswörter.

| | Verweiswörter |
|---|---|
| Hier werden auch mehr Fragen in den Vorlesungen gestellt. | Das kannte ich so nicht. |
| In Deutschland kommt es darauf an, dass man einen Überblick über ein Thema bekommt. | Dem stimme ich zu. |
| Meistens gehe ich mit Fragen zu den Mitarbeitern des Fachbereichs. | Da habe ich immer Ansprechpartner gefunden. |
| In Belgrad studieren wir fast nie im Semester. | Stattdessen/Dafür lernen wir in den Ferien umso mehr. |
| Ich finde das Studium ziemlich anstrengend. | Dadurch bleibt leider wenig Energie für anderes. |
| Leider bleibt keine Zeit, Fachzeitschriften zu lesen. | Dementsprechend/Infolgedessen/Demzufolge ist man fachlich nicht auf dem neuesten Stand. |

6

Eine erweiterte Darstellung der Grammatikübersichtsseiten
finden Sie im Lehrwerkservice unter www.hueber.de/sicher.

ARBEITSBUCH

## 1 Modernes und Unmodernes

### a Ergänzen Sie die Nomen.

1 Florian ist seit drei Monaten wieder _Single_ (INGSLE).

2 In der _____ (NERAGEONIT) meiner Großeltern war es undenkbar, dass unverheiratete Paare zusammenleben.

3 In den heute sehr verbreiteten „Patchwork"-Familien ist es wichtig, dass die neuen Partner vor den Gefühlen der Kinder des Partners _____ (SPREEKT) haben.

4 Eins bleibt immer gleich: In jeder guten Beziehung spielen Vertrauen, Wärme und _____ (BORGEGHIEENT) eine entscheidende Rolle.

5 Oft hält die Liebe nicht ewig: Es gibt in Europa Länder mit einer _____ (DUNGSCHEISTERA) von über 60 %.

6 Marion und Kevin haben eine Fernbeziehung, deshalb sehen sie sich nur alle zwei bis drei Wochen. Oft haben sie große _____ (HNSECHTSU) nach einander.

7 In einer globalen Welt wachsen die _____ (DERANUNGFOREN) an die Mobilität der Menschen.

8 Arbeitende Mütter haben oft ein schlechtes _____ (WIGESSEN), weil sie befürchten, dass ihre Kinder zu kurz kommen.

9 Durch die modernen Medien gibt es einen enormen _____ (ERÜBUSSFL) an Information. Wir müssen lernen, trotzdem den Blick aufs Wesentliche zu behalten.

### b Was passt? Ordnen Sie zu.

| | | |
|---|---|---|
| 1 interpretieren | A | eine Krankheit feststellen |
| 2 tolerieren | B | einer Sache eine bestimmte Bedeutung geben |
| 3 integrieren | C | mit einer – oft unangenehmen – Sache einverstanden sein |
| 4 diagnostizieren | D | Personen oder Sachen respektieren, auch wenn man anderer Meinung ist |
| 5 akzeptieren | E | etwas verbrauchen (Essen, Trinken, Tabak) |
| 6 konsumieren | F | jemanden oder etwas zum Mitglied/Inhalt einer Gruppe machen |

zu Sprechen, S. 14, Ü2

## 2 Meine Art zu leben

WORTSCHATZ

**Welche Frage 1–7 passt zu welchem Thema (A–G)? Ordnen Sie zu.
Geben Sie danach eine persönliche Antwort.**

1 ~~Wie oft benutze ich mein Radio?~~
2 Wie pflege ich Kontakt zu Freunden und Bekannten?
3 Welche Partner begleiten mich durch die Lebensabschnitte?
4 Wie viel Kleidung werfe ich regelmäßig weg?
5 Wie viel gebe ich für Kino- und Theaterkarten aus?
6 Wo kaufe ich meine Lebensmittel?
7 Wie viel Wohnraum habe ich für mich persönlich?

| Thema | Frage | Beispiel |
|---|---|---|
| A Kommunikationsverhalten | | |
| B Konsumverhalten | | |
| C kulturelles Leben | | |
| D Mediennutzung | 1 | Ich höre Radio, sobald ich nach Hause komme. |
| E Partnerschaft | | |
| F Essen | | |
| G Wohnen | | |

# LEKTION 1

zu Sprechen, S. 14, Ü2

**3 Veränderungen in der Familie** 💻 ÜBUNG 1                              LESEN

Lesen Sie das Interview mit der Soziologin Gerda Berghaus, die gerade ein Buch zum Thema
„Wie hat sich unsere Esskultur verändert?" veröffentlicht hat. Markieren Sie bei den Aufgaben 1–7
das Wort (a, b, c oder d), das in den Satz passt. Es gibt jeweils nur eine richtige Antwort.

*Was ist eigentlich aus dem gemeinsamen Essen am Sonntagmittag geworden?*
Den typischen „Sonntagsbraten" gibt es bei Familien heutzutage nicht
mehr. Stattdessen ist der „Brunch" populär geworden, also ein ausgiebiges
großes Frühstück, das sich in den Mittag hineinzieht. Das passt besser zum
5   Lebensrhythmus berufstätiger Eltern, die am Wochenende ausschlafen
und **(0)** zusammen mit der Familie essen möchten.

*Welche Familien schaffen es denn noch, gemeinsam zu essen?*
Den Wunsch haben eigentlich fast alle Familien. Denn ein gemeinsames
Essen verbindet. Oft lässt sich das aber nicht umsetzen, meist, weil alle zu
10  beschäftigt sind. Am ehesten schaffen es Frauen mit Halbtagsjob. Vollzeit arbeitende Mütter **(1)** daher oft großen Wert auf ein gemeinsames Abendessen.

*„Es wird gegessen, was auf den Tisch kommt" – hört man so etwas heute noch?*
Nein, dieser Spruch autoritärer Eltern ist passé. Was die Kinder in der Familie
gerne mögen, wird berücksichtigt. Heute gibt es ein anderes Problem:
15  Töchter helfen ganz selbstverständlich beim Tischdecken, während Söhne
nicht einsehen, warum sie das Mineralwasser aus dem Keller holen **(2)**.

*Und gehört Fleisch noch zu einem Familienessen dazu?*
In vielen Familien gilt es als gesund und wertvoll. Vor allem viele Männer
verlangen ein „ordentliches" Stück Fleisch. Frauen richten sich oft stark
20  nach den Wünschen **(3)** Männer – und das ist häufig das Steak auf dem
Teller.

*Warum haben Sie für Ihre Untersuchung eigentlich nur Frauen befragt?*
Frauen sind eben die Expertinnen des Essalltags – also muss man sie
befragen. Das Statistische Bundesamt hat in einer groß angelegten Studie
25  erhoben, wer in einem Haushalt wie viel Zeit **(4)** verbringt. Das Ergebnis:
Männer sind im Bereich „Ernährung der Familie" nicht sehr aktiv.

*Und was ist mit den Männern, die begeistert Kochbücher, Messer und
Induktionsherde kaufen?*
**(5)** kochen manchmal, mit viel Genuss und großem Aufwand. Keiner darf
30  ihnen in die Quere kommen. Danach erwarten sie, dass ihnen alle Beifall
spenden. Die unangenehmen Arbeiten bleiben dann den Partnerinnen.

*Gilt das denn wirklich für alle?*
Beruflich erfolgreiche Frauen haben oft Partner, **(6)** es nichts ausmacht,
in der Küche zu stehen. Diese Frauen sind mit den männlichen Familien-
35  mitgliedern gleichberechtigt. Sie nehmen sich das Recht heraus, etwas
von ihnen verlangen zu können.

*Wie wird diese Entwicklung wohl weitergehen?*
Alles hängt von den Arbeitszeiten von Männern und Frauen ab. **(7)** diese
bleiben, wie sie sind, wird sich wenig ändern. Vielleicht werden auch die
40  Männer irgendwann verstehen, wie wertvoll diese gemeinsamen Zeiten
für die Familie sind.

Beispiel:
**(0)**
a  wenn
b  obwohl
c  trotz
☒  trotzdem

**(1)**
a  haben
b  legen
c  setzen
d  stellen

**(2)**
a  dürfen
b  können
c  sollen
d  wollen

**(3)**
a  ihr
b  ihre
c  ihren
d  ihrer

**(4)**
a  woran
b  wohin
c  womit
d  wozu

**(5)**
a  Das
b  Die
c  Der
d  Den

**(6)**
a  denen
b  der
c  welchen
d  welcher

**(7)**
a  Bevor
b  Sobald
c  Solange
d  Während

zu Sprechen, S.14, Ü2

## 4 Konsumverhalten

KOMMUNIKATION

a Was ist richtig? Markieren Sie das passende Wort in der linken Spalte.

| | |
|---|---|
| In unserer Gruppe haben wir uns mit dem Thema „Konsumverhalten" (1) ☐ entschieden. ☐ vorbereitet. ☒ befasst. | ☒ Aufbau vorstellen <br> b Vortrag beenden |
| Als (2) lässt sich festhalten: Wir sollten mehr darüber nachdenken, was wir kaufen. ☐ Antwort ☐ Ergebnis ☐ Folge | a Aufbau vorstellen <br> b Vortrag beenden |
| Wenn man die Entwicklungen der letzten Jahre (3) , stellt man fest, dass wir immer öfter nach günstigen Angeboten im Internet suchen. ☐ ansieht ☐ zusammenzählt ☐ vergisst | a Aufbau vorstellen <br> b Ergebnisse zusammen-fassen |
| Danke, lieber Jakob. Zunächst möchte ich mich mit dem ersten Aspekt (4) Was kaufen wir eigentlich und wie ist unser Kaufverhalten? ☐ aufgreifen. ☐ beschäftigen. ☐ hervorheben. | a das Wort übernehmen <br> b Vortrag beenden |
| Es wird (5) , dass die meisten von uns viel zu viel kaufen. ☐ deutlich ☐ möglich ☐ besser | a Aufbau vorstellen <br> b beschreiben, vergleichen |
| In meinem Beitrag geht es um einen anderen Aspekt des Konsum-verhaltens. Anna wird (6) darüber sprechen, wofür Menschen unseres Alters heutzutage Geld ausgeben. ☐ anschließend ☐ dafür ☐ gern | a Aufbau vorstellen <br> b das Wort übernehmen |
| Man (7) beobachten, dass die Lebensdauer von Konsumartikeln heutzutage nicht mehr so lang ist wie früher. ☐ ist zu ☐ lässt sich ☐ kann | a Aufbau vorstellen <br> b beschreiben, vergleichen |
| Alex wird jetzt am (8) ein Beispiel dafür vorstellen, das uns zum Nachdenken bringen soll. ☐ Ende ☐ Vergleich ☐ Schluss | a das Wort übergeben <br> b Aufbau vorstellen |

b Markieren Sie anschließend in der rechten Spalte die passende Funktion des Satzes.

WIEDERHOLUNG GRAMMATIK

zu Hören 1, S.15, Ü1

## 5 Vergangene Zeiten

Ergänzen Sie *wollen, sollen, dürfen, können* oder *müssen* in der richtigen Form. Achten Sie dabei auf den Kontext.

Können (1) Sie sich noch erinnern? Es geht um eine Zeit, als sich in der Hand- oder Jackentasche noch kein vibrierendes und ständig klingelndes Smartphone befand und man nicht ständig aus einem inneren Zwang heraus seine SMS und Mails checken _____ (2). Heute erinnert man sich kaum noch an diese Tage, an denen man einen Film im Kino ansehen _____ (3), ohne dass das Handy des Sitznachbarn klingelte. Tage, an denen Familienväter während des Spaziergangs nicht zwanghaft die Fußballergebnisse nachschauen _____ (4), sondern sich wirklich mit ihrer Familie beschäftigen _____ (5). Damals _____ (6) man auch noch Zug fahren – ja, das war möglich! –, ohne die Probleme der Mitreisenden mithören zu _____ (7). Dass diese privaten oder beruflichen Angelegenheiten wirklich niemanden interessieren, _____ (8) sich die lieben Mitreisenden mal klarmachen! Das wäre mal eine Empfehlung. Wer _____ (9) schon ständig gestört werden? Früher hatte man zumindest in der Luft noch seine Ruhe: in Flugzeugen _____ (10) man diese Dinger bis vor Kurzem nicht anstellen, das war verboten. Aber leider ist auch diese letzte Oase der Ruhe dahin.

zu Hören 1, S. 15, Ü1

## 6 Subjektive Bedeutung der Modalverben
*müssen*, *dürfen* und *können*

GRAMMATIK ENTDECKEN

a Wie sicher ist sich der Sprecher? Ergänzen Sie *50 %*, *75 %*, *90 %* oder *100 %* in der mittleren Spalte.

| | | |
|---|---|---|
| 1 ■ Tom will versuchen, eine Woche ohne Handy zu leben. Ich bin mir ganz sicher, dass er verrückt ist. | *100 %* | *muss* |
| 2 ◆ Ich halte es für möglich, dass ihm eine Woche ohne Handy guttut. | | |
| 3 ■ Ich bin mir fast sicher, dass er den Artikel über Handymanie gelesen hat. | | |
| 4 ◆ Vielleicht fühlt sich das für Tom ja auch wie Urlaub an. | | |
| 5 ■ Wahrscheinlich hält er das eine Woche lang gar nicht durch. | | |
| 6 ◆ Mit absoluter Sicherheit sind Freunde von Tom auf diese Idee gekommen. | | |

b Ordnen Sie den Ausdrücken in a in der rechten Spalte die Modalverben *müssen*, *dürfen* und *können* in der richtigen Form zu.

c Schreiben Sie die Sätze aus a mit dem passenden Modalverb neu.

*1 Tom will versuchen, eine Woche ohne Handy zu leben. Er muss verrückt sein.*
*2 Eine Woche ohne Handy ...*

zu Hören 1, S. 15, Ü1

## 7 Subjektive Bedeutung der Modalverben: Ausdruck von großer Sicherheit

GRAMMATIK ENTDECKEN

a Lesen Sie das Gespräch. Wie wird ausgedrückt, dass man sich (positiv wie negativ) sehr sicher ist? Unterstreichen Sie.

Celina: Schau mal, der Typ da drüben. Das <u>muss</u> Rainer sein, den Anne vor Kurzem beim Joggen kennengelernt hat. Der sieht aber wirklich nett aus!

Mara: Nein, das <u>kann</u> er <u>nicht</u> sein. Anne hat doch gesagt, dass Rainer blonde Haare hat. Der da drüben hat schwarze.

Celina: Stimmt. Dann muss das Mika aus dem Tanzkurs sein, oder? Der hat ihr doch auch so gut gefallen.

Mara: Ja, das kann eigentlich nur Mika sein, denn der Typ da drüben, der auch schwarze Haare hat, ist ja in Begleitung. Und so vertraut, wie er mit der Frau redet, kann das nur seine Freundin sein, oder? Den kann Anne also nicht gemeint haben ...

b Welche Modalverben / Ausdrücke mit Modalverben aus a entsprechen den Bedeutungen? Ordnen Sie zu.

1 Ich bin mir ganz sicher!  →  *das muss, ...*
2 Das ist nicht möglich!  →

# LEKTION 1

zu Hören 1, S. 15, Ü1

## 8 Einschätzungen, Notwendigkeiten und Bitten 🖳 ÜBUNG 2, 3     GRAMMATIK

a   Ist die Bedeutung der Sätze mit Modalverb subjektiv (s) oder objektiv (o)? Markieren Sie.

| | s | o | G | V |
|---|---|---|---|---|
| 1 ▪ Mit wem telefoniert Max da eigentlich?<br>◆ Das <u>muss</u> seine neue Freundin <u>sein</u>, da bin ich mir sicher, sonst ist Max nämlich nicht so charmant. | x | | x | |
| 2 ● Wieso schaut Tina denn ständig auf ihre Uhr?<br>✖ Sie muss genau um 13.30 Uhr einen Kunden anrufen. | | x | | |
| 3 ▲ Warum ist Leo denn so unruhig?<br>▼ Ich bin mir fast sicher, dass er auf den Briefträger wartet, denn Leo müsste heute sein neues Handy bekommen. | | | | |
| 4   Entschuldigung, dürfte ich Sie um einen Gefallen bitten? Reichen Sie mir doch bitte mal das Telefon. | | | | |
| 5 ▪ Wie alt ist Sophie denn auf dem Foto?<br>◆ Sie dürfte zu der Zeit ungefähr 20 Jahre alt gewesen sein. | | | | |
| 6   Paul, könntest du mir kurz dein Handy leihen? Ich finde meins nicht. | | | | |
| 7 ● Frida und Linus sehen so glücklich aus, haben sie keinen Streit mehr?<br>✖ Ich weiß, dass sie sich letzte Woche lange miteinander unterhalten haben, da könnten sie sich versöhnt haben. | | | | |
| 8 ▲ Wer ruft denn um diese Zeit noch an?<br>▼ Das kann nur Paul sein, es gibt keine andere Möglichkeit. | | | | |

b   Unterstreichen Sie in a in den Sätzen mit subjektiver Bedeutung das Modalverb und den Infinitiv und markieren Sie, ob die Sätze in der Gegenwart (G) oder in der Vergangenheit (V) stehen.

zu Hören 1, S. 15, Ü1

## 9 Toms handylose Zeit     GRAMMATIK

a   Tom hat sich vorgenommen, eine Woche lang kein Handy zu benutzen.
Lesen Sie die Einschätzung, die Toms Freund in einer E-Mail schreibt.
Wie sicher ist er sich, dass Tom das schafft? Unterstreichen Sie die Ausdrücke.

> Tom ohne Handy? Das <u>halte ich für unmöglich</u>! Das war meine erste Reaktion.
> Aber dann ist mir meine eigene handylose Zeit eingefallen … Ich bin mir sicher,
> dass Tom einerseits die Ruhe genossen hat, andererseits hat er sich bestimmt
> gedacht, dass er etwas ganz Wichtiges verpasst. Das ist nämlich typisch für
> 5   die erste Zeit ohne Handy. Ich bin fast sicher, dass Tom in den folgenden Tagen
> immer nervöser geworden ist. Wahrscheinlich hat sich nach einer Woche eine große Ruhe ein-
> gestellt, denn man weiß dann: Wer mich erreichen will, der schafft das schon irgendwie. Ich
> halte es für möglich, dass Tom in der handylosen Zeit ruhiger, freundlicher und kontaktfreu-
> diger geworden ist, denn man schreibt in dieser Zeit ja keine SMS mehr, sondern schenkt sei-
> 10   nen Freunden mehr persönliche Aufmerksamkeit. Und als er das Handy nach einer Woche wieder
> angestellt hat, hat er wahrscheinlich erlebt, dass ihm nichts wirklich Wichtiges entgangen
> ist. So war's bei mir damals auch.

b   Schreiben Sie den Text mit Modalverben neu.

*Tom ohne Handy? Das kann nicht sein! Das war meine erste Reaktion.*
*Aber dann ist mir meine eigene handylose Zeit eingefallen …*

AB 13

zu Hören 1, S. 15, Ü2

## 10 Jugendliche sind immer online.

Lesen Sie den Zeitschriftenartikel und ordnen Sie zu.

☐ dass Smartphones weitverbreitet und fast immer dabei sind • ☐ nutzen aber auch viele Sicherheitsmaßnahmen • ☐ sondern auch Bühne", erklärt Borgstedt • ☐ teilweise auch sorglos nutzen • ☑ zeigt eine neue Studie

### Jugendliche trennen nicht mehr zwischen online und offline

**Viele junge Menschen machen keinen Unterschied mehr zwischen online und offline.**
5 **Für sie spielt das Leben ebenso in der realen wie in der virtuellen Welt,** (1) .
Praktisch alle Jugendlichen und jungen Erwachsenen in Deutschland nutzen das Internet, doch sie haben durchaus unterschiedliche Einstellungen
10 zur digitalen Welt. Die größte Gruppe unter den 14- bis 24-Jährigen (28 Prozent) bewegt sich als „zielstrebige Profis" durchs Netz, so Silke Borgstedt vom Sinus-Institut bei der Vorstellung einer entsprechenden Studie am Donnerstag in Berlin. „Sie probieren gerne neue Anwendungen aus, (2) ." Fast ebenso groß ist die Gruppe der „Souveränen" (26 Prozent): „Für sie ist das Internet nicht nur Marktplatz, (3) . Sie nehmen fast alle Freundschaftsan-
15 fragen bei Online-Netzwerken wie Facebook an, kennen viele Webseiten und laden häufiger Musik herunter als ihre Altersgenossen. Im Gegensatz zu Erwachsenen gibt es bei Jugendlichen praktisch keine Trennung zwischen online und offline. „Da verschmilzt online und analoges Leben total", bestätigt auch Matthias Kammer vom Deutschen Institut für Vertrauen und Sicherheit im Internet (DIVSI), das die Studie in Auftrag gegeben hat. „Das liegt
20 vor allem daran, (4) ", sind sich die Experten sicher. Insgesamt ordnet die Studie 72 Prozent der 14- bis 24-Jährigen in Gruppen ein, die das Internet viel und aufgeschlossen, (5) . Jeder zehnte Jugendliche ist dagegen eher kritisch und betrachtet etwa die großen Internetkonzerne mit Argwohn.

zu Lesen 1, S. 16, Ü2

## 11 Fremdwörter 🖳 ÜBUNG 4

a **Was passt? Ergänzen Sie, wo nötig, den Artikel und ordnen Sie zu.**

analog • Glosse • hektisch • ironisch • ~~Reduktion~~ • reflektieren

1 eine Verringerung: *die Reduktion*
2 über etwas nachdenken, etwas noch einmal überlegen: _____
3 ähnlich/entsprechend: _____
4 unruhig und nervös: _____
5 wenn man das Gegenteil von dem sagt, was man meint, ist man: _____
6 kurzer, spöttischer Kommentar, oft zu Tagesereignissen: _____

b **Was passt? Ergänzen Sie die Wörter aus a.**

1 Tatjana liest morgens immer zuerst die witzige _____ in der Zeitung.
2 Stefan hat seinen Job als Manager gekündigt, er war ihm zu _____.
Auch am Wochenende hatte er keine Ruhe.

3 „Das war ja mal eine gelungene Präsentation!" Diese Bemerkung von Katharina war nicht ernst,
sondern _____ gemeint.

4 Manche Leute sollten mehr _____, bevor sie ihre Meinung äußern,
dann würden sie weniger Unsinn reden.

5 Den Zeitplan für das nächste Projekt haben wir jetzt erst einmal _____
zum letzten erstellt. Wenn es neue Entwicklungen gibt, werden wir sie einarbeiten.

6 Für viele junge Mütter und Väter ist die _____ der Arbeitszeit sehr
wichtig, denn sonst hätten sie noch weniger Zeit für ihre Familie.

zu Lesen 1, S. 16, Ü2

## 12 Paraphrasen ⌨ ÜBUNG 5                                       WORTSCHATZ

**Welche Bedeutung haben die unterstrichenen Wörter? Markieren Sie.**

1 Die Segel streichen bedeutet ...
☒ aufhören.   b etwas anderes tun.   c Segeln gehen.   d weggehen.

2 Unter Nahrungsaufnahme versteht man ...
a einkaufen.   b essen.   c fotografieren.   d kochen.

3 Roberts schlechte Laune beeinträchtigt seine Arbeit. Das bedeutet, sie ... die Arbeit.
a behindert   b verstört   c versucht   d verbessert

4 Kraulen ist ein Stil bei der Sportart ...
a Laufen.   b Rudern.   c Schwimmen.   d Segeln.

5 Er benötigte weniger Zeit als alle vor ihm; das bedeutet, er war ... als alle anderen.
a fitter   b langsamer   c schneller   d trainierter

6 Bei den Festspielen wird dieses Jahr ein gutes Programm geboten; das bedeutet,
es wird ein gutes Programm ...
a aufgestellt.   b geführt.   c geliefert.   d präsentiert.

───────────────────────────── WIEDERHOLUNG GRAMMATIK

zu Lesen 1, S. 17, Ü4

## 13 Unglaubliche Rekorde

**Schreiben Sie Sätze mit *sollen*.**

1 Ich habe gelesen, dass die größte Currywurst der Welt
175 kg wiegt und 320 m lang ist.
*Die größte Currywurst der Welt soll 175 kg
wiegen und 320 m lang sein.*

2 Angeblich hat ein Japaner in zwölf Minuten
54 Hotdogs gegessen.

3 Es wird behauptet, dass eine Frau aus Las Vegas die längsten Fingernägel der Welt hat.

4 Es heißt, dass sie ihre Nägel seit 1990 nicht mehr geschnitten hat.

5 Laut AT-Zeitung wiegt die größte Lederhose der Welt 46 kg und ist 5 Meter hoch.

zu Lesen 1, S.17, Ü4

## 14 Subjektive Bedeutung des Modalverbs *wollen*

a Unterstreichen Sie in der linken Spalte das Modalverb *wollen*
und den Infinitiv.

| | |
|---|---|
| 1 Erich sagt: „Ich spreche zwölf Sprachen fließend!" <br> Markus erzählt seiner Frau: „Erich <u>will</u> zwölf Sprachen fließend <u>sprechen</u>. So ein Angeber!" | s |
| 2 Erich sagt: „Ich habe mein Studium in Harvard in Rekordzeit beendet." <br> Markus erzählt seiner Frau: „Erich will sein Studium in Harvard in Rekordzeit beendet haben." | |
| 3 Erich sagt: „In Harvard bin ich der beste Sportler seit 100 Jahren gewesen." <br> Markus erzählt seiner Frau: „In Harvard will er der beste Sportler seit 100 Jahren gewesen sein." | |
| 4 Markus meint: „Ich will Erich mal sagen, dass er sich nicht immer so wichtigmachen soll. <br> Das ist mein Plan für unser nächstes Treffen." | |
| 5 Die Frau von Markus sagt: „Erich hat angerufen. Er wollte dich sprechen. Er will es morgen <br> wieder versuchen." | |

b In welchen Sätzen aus a hat *wollen* eine subjektive Bedeutung (s), in welchen eine
objektive Bedeutung (o)? Ergänzen Sie in der rechten Spalte.

c Was ist richtig? Markieren Sie.

1 Mit dem Modalverb *wollen* in der subjektiven Bedeutung gibt der zweite Sprecher wieder,
was der erste Sprecher (hier: Erich) ... sagt.
   ☐ über sich selbst
   ☐ über andere

2 Der zweite Sprecher (hier: Markus) ... dass diese Behauptung stimmt.
   ☐ bezweifelt,
   ☐ bezweifelt nicht,

3 In der Gegenwart hängt es ... ab, ob die subjektive oder die objektive Bedeutung gemeint ist.
   ☐ vom Kontext / von der Situation
   ☐ vom Modalverb

4 Die Vergangenheit bildet man mit
   ☐ dem Modalverb und dem Infinitiv Vergangenheit (zum Beispiel: *will gesehen haben*).
   ☐ *haben* und Infinitiv + Infinitiv Modalverb (zum Beispiel: *hat sehen wollen*).

zu Lesen 1, S. 17, Ü4

## 15 Eine Weltreise 🖥 ÜBUNG 6, 7 GRAMMATIK

Formulieren Sie die nummerierten Ausdrücke mithilfe
der Modalverben *müssen, dürfen, können, wollen* oder *sollen* um.
Versuchen Sie, die subjektive Bedeutung zu erfassen.

### Im Oldtimer um die Welt

Theresa Geder ist heute wahrscheinlich (1) schon über
70 Jahre alt und sie hat vor, die Welt in einem Oldtimer
zu umrunden. Sie hat mit Sicherheit (2) großes Selbstvertrauen. Man sagt, dass sie 15 Oldtimer hat (3). Sie
behauptet von sich, dass sie als Kind nur mit Schrau-
benschlüsseln und nie mit Puppen gespielt hat (4). Sie
erzählt, dass sie auch schon bei der Rallye Monte Carlo
mitgefahren ist (5). Ob das stimmt? Möglicherweise hat
sie in ihrer Jugend aber an kleineren Autorennen teilgenommen (6). Es ist fast sicher (7), dass sie im
nächsten Monat losfahren kann. Es heißt, dass (8) ihre Weltreise über Australien, Neuseeland und
Südafrika führt. Ihre Reise stößt sicher (9) auf weltweites Interesse und so wird vermutlich (10)
täglich in allen Medien über sie berichtet.

*1 Theresa Geder dürfte schon über 70 Jahre alt sein und sie hat vor,
die Welt in einem Oldtimer zu umrunden.*

zu Schreiben, S. 18, Ü2

## 16 Blogbeitrag 🖥 ÜBUNG 8 KOMMUNIKATION

Was passt stilistisch besser? Markieren Sie.

Im Internet las ich kürzlich einen *Aufsatz / Beitrag* (1) zum Thema „Glück".
Der Autor *ging darauf ein / ließ sich darüber aus* (2), dass Glück eine Aufgabe für
die Gesellschaft ist. Darüber habe ich auch schon oft nachgedacht. Ich finde,
das ist *eine gute Idee / ein beachtlicher Gedanke, die / der* (3) viel zu selten
geäußert wird. Zuverlässigkeit zum Beispiel hat für mich eine *große Bedeutung /
extreme Wichtigkeit* (4), weil in einer Gesellschaft nicht jeder tun und lassen
kann, was er will. Es macht Menschen glücklich, wenn sie sich auf andere verlassen
können. Das konnte ich persönlich *beobachten / entdecken* (5), als es bei uns
Hochwasser gab. Plötzlich gab es eine Welle der Solidarität. Nachbarn, die
sich früher kaum grüßten, halfen sich gegenseitig mit den notwendigen Dingen.
*Wenn ich die Macht hätte / Wenn ich es zu entscheiden hätte* (6), würde ich Steuern
dazu verwenden, Menschen in Not schnell und effektiv zu helfen. Das bürgerliche
Engagement, von dem *dieser Herr / der Autor* (7) schreibt, sollte in den Medien und
durch die Politiker mehr Aufmerksamkeit erhalten. Außerdem sollte mehr Geld für
Bildung *verschwendet / ausgegeben* werden (8), denn auch Bildung macht Menschen
nachhaltig glücklich.

zu Wortschatz 1, S. 19, Ü1

## 17  Im Alltag

GRAMMATIK

**Was passt? Markieren Sie.**

1 Lassen Sie die Tablette langsam im Mund
   (zergehen)/ zerreden.
2 Achtung, da ist eine Biene. Bitte nicht *zertreten / zerkauen*.
3 Diese Bluse ist aus einem ganz tollen Material.
   Der Look soll so *zerflossen / zerknittert* aussehen.
4 Ich suche dringend ein Mittel gegen Motten!
   Meine Teppiche sind schon ganz *zerfressen / zersetzt*.
5 Gestern habe ich mir wirklich lange den Kopf
   *zerplatzt / zerbrochen*. Aber ich kann einfach
   keine Lösung finden.
6 Das neue Produkt wird sich gut verkaufen,
   da bin ich sicher. Ich möchte Ihren Zweifel gern
   *zerstreuen / zerspringen*.

zu Wortschatz 1, S. 19, Ü1

## 18  Verben mit *miss*- und *zer*-  🖥 ÜBUNG 9

GRAMMATIK

a  Ergänzen Sie die passende Vorsilbe und ordnen Sie die Sätze zu,
   die die Bedeutung des Verbs umschreiben.

1 _____ pflücken          A  Die Bürgermeister durchtrennen zur Eröffnung des Gebäudes ein Band.
2 _____ gönnen            B  Die Hoffnung auf Frieden hat sich nicht erfüllt.
3 _____ brechen           C  Der Redner nahm die Argumentation seines Vorredners auseinander.
4 _____ lingen            D  Die Farbauswahl für sein Gemälde ist ihm nicht so gut geglückt.
5 zer platzen             E  Die Polizei hat einen Ring von Drogenhändlern aufgelöst.
6 _____ schneiden         F  Nach dem Grillfest hat einer die Glut mit dem Fuß ausgemacht.
7 _____ schlagen          G  Der Unternehmer war neidisch auf den Erfolg seines Konkurrenten.
8 _____ trauen            H  Als es auf den Boden fiel, ging das Glas kaputt.
9 _____ treten            I  Er wollte sich auf seinen Geschäftspartner nicht verlassen.

b  Schreiben Sie Sätze in der Vergangenheit.

1 Marion / sehr enttäuscht, weil / Freundin / Vertrauen / missbrauchen
   *Marion war sehr enttäuscht, weil ihre Freundin ihr Vertrauen missbraucht hat.*

2 Michael / voller Vorfreude / Urlaub mit Gabi / , aber / Hoffnungen / zerbrechen
   _____

3 Dennis / sein Kollege / früher / jeden Erfolg / missgönnen
   _____

4 Oskar / Argumentation / Vorredner / in alle Einzelheiten / zerpflücken
   _____

5 Da / du / ganz schön / mich / missverstehen!
   _____

6 Vorfahrt / Autofahrer / missachten
   _____

7 Lottospieler / Traum / das große Geld / zerplatzen
   _____

zu Wortschatz 1, S. 19, Ü2

## 19 Alles auf den Müll?  ÜBUNG 10                                    HÖREN

**a** **Lesen Sie die Fragen. Hören Sie dann das Gespräch im Radio und notieren Sie Stichpunkte.**

1 Thema der Sendung:
  *Alternativen zum Wegwerfwahn*

2 Beruf des Studiogastes:

3 So viele Millionen Tonnen Sperrmüll gibt es pro Jahr in Deutschland:

4 Sperrmüll ist Müll, der ...

5 Zwei Möglichkeiten, um alte Sachen wiederzuverwerten:

6 Was hat Frau Petersen mit nach Hause gebracht?

7 Beruf von Herrn Petersen:

8 Warum hat Herr Petersen die alten Sachen repariert?

9 Unter nd3@radio.de kann man ...

**b** **Schreiben Sie Ihre Stellungnahme / Ihren Erfahrungsbericht an den Sender.**

> Liebes nd3-Radio-Team,
> ich habe Ihre Sendung vom 23. 05. mit großem Interesse verfolgt und ...

zu Wortschatz 1, S. 19, Ü3

## 20 Anleitung für Eintopf                                    GRAMMATIK

**Ergänzen Sie *miss-* oder *zer-*. Manchmal gibt es mehrere Lösungen.**

drücken • gehen • ~~klein machen~~ • kochen • laufen •
(ge)lingen • pflücken • schneiden • fallen

Für dieses Rezept muss man alle Zutaten gut  *zerkleinern*  (1).
Die Knoblauchzehe sollte man mit der Messerspitze
_____ (2) statt sie zu schneiden. Die Butter
langsam _____ (3) lassen. Die Petersilie sollte
man nicht mit einem Messer _____ (4), sondern
besser mit der Hand _____ (5).
Das Gemüse auf keinen Fall zu lange auf dem Herd lassen, sonst
_____ (6) es. Nicht auf zu hoher Temperatur
kochen, sonst _____ (7) der Eintopf. Besonders
die Bohnen _____ (8) sehr leicht. Lassen Sie
sich dieses Gericht auf der Zunge _____ (9).

AB 19

# LEKTION 1

zu Hören 2, S. 20, Ü3

## 21 Richtig memorieren ⊟ ÜBUNG 11   WORTSCHATZ

a  Merken Sie sich die sechs Wörter aus dem Songtext. Schließen Sie dann das Buch und notieren Sie diese auf ein separates Blatt. Wie viele Wörter haben Sie aufgeschrieben?

*der Fleck    satt*
*der Knast    der Trainer*
*das Bild    der Schwamm*

b  Wiederholen Sie den Vorgang mit dieser Gruppe von Wörtern. Wie viele Wörter haben Sie sich gemerkt?

*die Polizistin    der Schiedsrichter*
*der Richter    der Platz*
*lebenslang    der Ersatz*

c  Was ist Ihre Erfahrung? Markieren Sie.

1 Man merkt sich neue Wörter, indem man sie

☐ im Kontext eines Wortfeldes lernt, zum Beispiel das Wortfeld *Fußball*.
☐ einzeln mit allen Formen (Artikel, Plural) aufschreibt.

2 Man schreibt Wörter, die man sich merken möchte, am besten so auf,

☐ dass sie thematische Gruppen bilden.
☐ dass alle alphabetisch geordnet untereinander stehen.

3 Es ist für das Memorieren effektiv, wenn man die zu lernenden Wörter

☐ fortlaufend in ein Heft schreibt.
☐ auf Kärtchen schreibt, digital oder in Papierform.

4 Vor dem Umdrehen einer Karte oder Abdecken einer Spalte mit Vokabeln muss man

☐ im Gedächtnis Gespeichertes abrufen.
☐ im Wörterbuch nachschauen.

zu Wortschatz 2, S. 21, Ü1

## 22 Verben mit *ent-* ⊟ ÜBUNG 12   GRAMMATIK

a  Was passt? Ordnen Sie zu.

entbürokratisieren · entfernen · entfristen · ~~enteisen~~ · enthaaren · entkalken · entlassen · entsalzen · entsorgen · entwässern · entwurzeln

| im Haushalt | 1 das Eisfach im Kühlschrank *enteisen*<br>2 den Plastik-Müll getrennt in Containern<br>3 die Kaffeemaschine |
|---|---|
| Schönheitspflege | 4 den Körper / die Achselhöhlen / die Beine<br>5 den Nagellack |
| Umwelt & Klima | 6 das Meerwasser<br>7 sumpfige Gebiete<br>8 Bäume |
| Soziales und Wirtschaft | 9 einen Arbeitsvertrag<br>10 wegen wirtschaftlicher Schwierigkeiten Mitarbeiter<br>11 die Bearbeitung von Anträgen |

b  Markieren Sie fünf Verben mit der Bedeutung „frei machen".

☒ ein altes Fahrrad entrosten
☐ einen Fisch vor den Augen des Gastes entgräten
☐ eine Fahrkarte entwerten
☐ einen Plan entwerfen
☐ Ideen in der Gruppe entwickeln

☐ Probleme entstehen
☐ sich für ein Missgeschick entschuldigen
☐ sich zu einer Reise entschließen
☐ viele Vitamine enthalten
☐ die Weinflasche entkorken

zu Wortschatz 2, S. 21, Ü3

## 23 Aus dem Lateinischen?  ÜBUNG 13                    GRAMMATIK

**Ergänzen Sie ent- oder de-.**

1 Der Sportler ist vom Schwitzen total _de_ hydriert. Er sollte dringend etwas trinken.
2 Für diesen Smoothie musst du die Äpfel _____ kernen und diese und die Orange
   dann _____ saften.
3 Lehrende sollten vermeiden, Lernende durch schlechte Noten zu _____ motivieren.
4 Könntest du bitte alle Programme _____ installieren, bevor du meinen alten
   Computer _____ sorgst?
5 Der Zug verunglückte gestern Nachmittag. Er ist in voller Fahrt _____ gleist.
   Dadurch wurde das regionale Bahnsystem für den Rest des Tages _____ stabilisiert.

zu Lesen 2, S. 22, Ü2

## 24 Neues aus der Welt der Medien  ÜBUNG 14                    HÖREN

**Hören Sie das Gespräch. Was ist richtig? Markieren Sie.**

1 Welche Texte mag der Mann?
   a gesellschaftsbezogene    b ironische

2 Wie findet die Frau die Idee, täglich eine Strecke zu gehen?
   a absurd                b ansprechend

3 Der Mann lässt sich besonders von Filmen
   ins Kino locken, die …
   a gute Pointen haben.    b die Imagination anregen.

4 Welches Urteil fällt die Schwägerin der Frau
   über den Film? Er ist zu …
   a episch.               b langatmig.

5 Wie fand der Mann die Computeranimation?
   a hektisch              b gelungen

6 Die Begeisterung für 3D-Filme …
   a versteht die Frau nicht.    b deutet sich seit Jahren an.

zu Sehen und Hören, S. 23, Ü3

## 25 Inhaltsangabe: *Frau Ella*                    WORTSCHATZ

**Ergänzen Sie.**

Ein schlimmer Tag für Sascha. Seine Freundin Lina tei l t (1)
ihm mit, dass sie ein Baby von ihm erwa _____ (2).
Aber der angehende Vater kann sich ein Leben mit Kind
noch nicht vorstel _____ (3). Im Schock über die Nachricht verur _____ (4) er einen Unfall und kommt
ins Kranke _____ (5). Dort teilt er sich sein
Zimmer mit Ella. Die 87-Jähr _____ (6) geht ihm auf
die Ner _____ (7) mit all ihren Erzählungen. Saschas
Liebesleben wie _____ (8) in Ordnung zu bringen,
ist ihr Zi _____ (9). Sie erzählt, dass sie oft an ihre eig _____ (10) Jugendliebe, Jason, denken
muss. Als Sascha mitbekommt, da _____ (11) die Ärzte Ella zu einer unnöt _____ (12) Opera-
tion drängen, flie _____ (13) er mit der alten Dame aus der Klinik. Sascha, Ella und Saschas Freund
untern _____ (14) eine Tour nach Paris, um Ella einen Traum zu erfü _____ (15).

zu *Wussten Sie schon?*, S. 23

## 26 Neue deutsche Komödien 🖥️ ÜBUNG 15                     LANDESKUNDE / LESEN

**Lesen Sie den Text. Was ist richtig? Markieren Sie.**

### *Deutsche Komödien auf internationalem Erfolgskurs*

Wenn Deutsche ins Kino gehen, sehen sie sich mit Vorliebe ausländische Filme an. Seit 2007 erfreuen sich deutsche Filme jedoch zunehmender Beliebtheit. 2014 erreichten sie einen Anteil von mehr als 40 Prozent am Inlandsmarkt. Warum sind deutsche Filme im eigenen Land plötzlich so erfolgreich?

5 Angefangen hat der Hype mit der Komödie „Keinohrhasen" von Til Schweiger: Im Jahr 2007 wollten 6,3 Millionen diesen Spaß über eine schwierige Beziehung sehen. Noch erfolgreicher war „Fack ju Göhte": Die Schulkomödie von dem Regisseur Bora Dagtekin brach mit 7,1 Millionen Zuschauern alle Rekorde. Welche Erfolgsfaktoren machen diese und andere Komödien zu Kassenknüllern? Komödien-Superstar Matthias Schweighöfer dazu: „Für mich sind deutsche Komödien oft wie Popsongs.

10 Jeder kriegt gute Laune und kann mitsingen. Ich glaube, wir dürfen immer frecher und radikaler sein. Das gefällt den Leuten."

Der 35-jährige Regisseur Bora Dagtekin hat mit „Fack ju Göhte" eine neue deutsche „Frechheit" begründet. Seine Formel: Bloß nicht zu politisch korrekt sein. Er lässt seine Figur Zeki Müller alias Elyas M'Barek als Aushilfs-Lehrer mit Paintballs auf seine undisziplinierten Schüler schießen. Die

15 Zuschauer sollen sich mit den Geschichten und den Figuren identifizieren. „Dazu braucht man gute Dialoge und Schauspieler", meint Til Schweiger. Vor allem sei es wichtig, mit Komödien die Zuschauer auch emotional zu berühren. Schweighöfer und Schweiger sind sich einig: Sie mögen Komödien, die zu Tränen rühren und über die man sich gleichzeitig totlachen kann. Dass so etwas funktioniert, hat Schweighöfer mit dem Film „Frau Ella" bewiesen.

20 Die Kunst der neuen Komödienmacher liegt darin, ein breites Publikum zu erreichen. Das gelingt Schweiger, Schweighöfer und Dagtekin mit großer Treffsicherheit. Schweiger: „Es gab natürlich auch schon in den 1980er- oder 1990er-Jahren immer wieder gute Kinokomödien, wie etwa ‚Männer' von Doris Dörrie. Aber solche Filme waren damals wirklich eine Seltenheit." Heute gibt es wieder Publikumslieblinge im deutschen Kino. Dazu gehört seit Jahren schon Matthias Schweighöfer.

25 Mit Filmen, bei denen er auch Regie führte, schuf er seine eigene Marke. Was allerdings auffällt: Die meisten Publikumsmagneten sind Männer. Das kritisiert auch Bora Dagtekin: „Stars, egal ob sie weiblich oder männlich sind, können sich nicht selbst erschaffen, sondern eine Industrie muss sie aufbauen und mit guten Projekten pflegen." Für Schauspielerinnen der jüngsten Kinoerfolge wie Ruth Maria Kubitschek (Ella) und Karoline Herfurth (Fack ju Göhte) wurde das getan. Es besteht also

30 durchaus Hoffnung, dass in Zukunft mehr Frauen die Lacher auf ihrer Seite haben werden.

1 Wie entwickelten sich die Zuschauerzahlen im deutschen Kino?
- a Deutsche Filme haben vergleichsweise mehr Zuschauer gewonnen.
- b Die Zahl der Zuschauer hat sich stabilisiert.
- c Über 40 Prozent mehr Zuschauer haben 2014 deutsche Filme gesehen.

2 Ein wichtiger Erfolgsfaktor ist:
- a Die Komödien sind lustiger geworden.
- b Die Regisseure achten auf politisch korrekte Filmstoffe.
- c Das Publikum ist emotionaler geworden.

3 Erfolgreiche deutsche Filmkomödien gibt es …
- a erst seit ein paar Jahren.
- b gehäuft seit 2007.
- c regelmäßig seit den 80er- und 90er-Jahren.

4 Was ist auffällig bei den Darstellern? Es gibt …
- a drei große Stars: Schweighöfer, Schweiger und Dagtekin.
- b wenige gute Schauspielerinnen.
- c wenige Komödien, in denen Frauen die Stars sind.

# LEKTION 1 LERNWORTSCHATZ

SPRECHEN, S. 14

vergleichen mit, verglich,
  hat verglichen

HÖREN 1, S. 15

die Manie, -n
das Navigationssystem, -e
die Sucht, ¨e

etwas (Dat.) /jemandem
  Aufmerksamkeit schenken

LESEN 1, S. 16–17

die Albernheit, -en
die Beschleunigung, -en
die Glosse, -n
der Held, -en
die Heldin, -nen
die Hyperaktivität, -en
die Kolumne, -n
die Nahrungsaufnahme (Sg.)
die Rastlosigkeit, -en
die Reduktion, -en
die Suchmaschine, -n

beeinträchtigen
benötigen
kraulen
reflektieren
sich widersetzen

zur Kenntnis nehmen, nahm,
  hat genommen
die Segel streichen, strich,
  hat gestrichen
sich einer Sache verschreiben

analog
hektisch
ironisch
unaufhaltsam
würdevoll

je (= jemals)

SCHREIBEN, S. 18

der Neid (Sg.)
die Priorität, -en
das Schicksal, -e
die Solidarität (Sg.)

gönnen
missglücken
missgönnen
zerreden

sich (Dat.) eine Sache bewusst
  machen

bürgerschaftlich

inwiefern

WORTSCHATZ 1, S. 19

das Bewusstsein (Sg.)
die Einsicht, -en
der Misserfolg, -e

entsorgen
hacken
missachten
missfallen, missfiel,
  hat missfallen
misslingen, misslang,
  ist misslungen
missraten, missriet, ist missraten
missverstehen, missverstand,
  hat missverstanden
platzen
schiefgehen, ging schief,
  ist schiefgegangen
verzweifeln
zerdrücken
zerfallen, zerfiel, ist zerfallen
zerfließen, zerfloss, ist zerflossen
zergehen, zerging, ist zergangen
zerhacken
zerkochen
zerlaufen, zerlief, ist zerlaufen
zerlegen
zerplatzen
zerreißen, zerriss, hat zerrissen
zerschneiden, zerschnitt,
  hat zerschnitten
zerspringen, zersprang,
  ist zersprungen
zerstreuen

HÖREN 2, S. 20

die Anspielung, -en
der Aufbruch (Sg.)

die Ballade, -n
der Knast (Sg.)
der Schiedsrichter, -
der Schwamm, ¨e
der Touch, -s

etwas legt sich

melancholisch

der Zahn der Zeit

WORTSCHATZ 2, S. 21

deaktivieren
dehydrieren
deinstallieren
demotivieren
destabilisieren
entgiften
entkernen
entkleiden
entmutigen
entsaften
entzaubern
entziehen, entzog, hat entzogen

verspannt sein

LESEN 2, S. 22

die Andeutung, -en
das Drama, die Dramen
die Imagination, -en
die Miene, -n
die Pointe, -n

sich andeuten
komponieren
locken
mithalten, hielt mit,
  hat mitgehalten

Aufmerksamkeit erfordern
jemandem auf die Schliche
  kommen, kam, ist gekommen

absurd
episch
kulturkritisch
langatmig
umwerfend

eine Sache an sich

SEHEN UND HÖREN, S. 23

etwas (Dat.) / jemandem
  Beachtung schenken

Nomen mit der Angabe (Sg.) verwendet man (meist) nur im Singular.
Nomen mit der Angabe (Pl.) verwendet man (meist) nur im Plural.

# LEKTIONSTEST 1

## 1 Wortschatz

**Was passt? Markieren Sie.**

1 Man nimmt etwas ☐ zur Kenntnis. ☐ zur Verantwortung. ☐ zur Entscheidung.
2 Man schenkt jemandem oder etwas ☐ Bezug. ☐ Beachtung. ☐ Bedeutung.
3 Man verschreibt sich ☐ einer Information. ☐ einer Sache. ☐ einer Kenntnis.
4 Man schenkt jemandem ☐ Eindrücke. ☐ Fragen. ☐ Aufmerksamkeit.
5 Man macht sich ... bewusst. ☐ eine Beachtung ☐ einen Touch ☐ eine Sache

Je 1 Punkt **Ich habe** _____ **von 5 möglichen Punkten erreicht.**

## 2 Grammatik

a **Was passt? Ergänzen Sie** *muss, müsste, dürfte, konnte, kann nicht, will, soll* **(2 x).**

- Ein Stück der Hochzeitstorte von Prinz Alexander und Prinzessin Miranda _____ (1) bei einer Auktion für mindestens 1500 Euro versteigert werden. Das habe ich irgendwo gelesen.
- Wer zahlt denn so viel für ein altes Kuchenstück? So jemand _____ (2) verrückt sein!
- Bei dem Käufer _____ (3) es sich (vermutlich) um einen Fan der Königsfamilie handeln.
- Es _____ (4) auch sein, dass jemand damit ein gutes Werk tun will, das wäre möglich. Denn der Erlös _____ (5) an ein Kinderkrankenhaus gehen, das habe ich gehört.
- Wenn das stimmt, dann _____ (6) das auch Dr. Brinkmann interessieren. Da bin ich mir fast sicher. Er hat viel Geld und unterstützt damit oft gute Zwecke.
- Gestern habe ich die Gräfin von Mettow getroffen. Sie _____ (7) bei der Hochzeit von Alexander und Miranda eingeladen gewesen sein. Glaubst du, das stimmt?
- Das _____ (8) sein, das ist unmöglich! Denn sie hat Streit mit Alexanders Mutter.

Je 1 Punkt **Ich habe** _____ **von 8 möglichen Punkten erreicht.**

b **Bilden Sie mit** *miss-, zer-, ent-, de-* **Verben in der richtigen Form aus den Wörtern** *achten, deuten, brechen, laden, maskieren, motivieren, rätseln, schneiden.*

1 Aus Versehen _____ Max sein Abiturzeugnis mit der Schere _____ .
2 Thomas _____ die Vorfahrt _____ und so beinahe einen Unfall verursacht.
3 Katharinas Smartphone _____ sich _____ , es ging nichts mehr.
4 Marina hat schlechte Noten und keine Lust zu lernen. Sie ist richtig _____ .
5 Eine Vase ist heruntergefallen und _____ .
6 Alexandra _____ schließlich das Familiengeheimnis um ihren Urgroßvater _____ .
7 Tanja hat Andreij eine Ohrfeige gegeben, weil sie seine Absichten _____ .
8 Der falsche Bart ist verrutscht und so _____ sich der Betrüger _____ .

Je 1,5 Punkte **Ich habe** _____ **von 12 möglichen Punkten erreicht.**

## 3 Kommunikation

**Bringen Sie die Sätze in die richtige Reihenfolge.**

A Zunächst möchten wir die Begriffe „Großfamilie" und „Kleinfamilie" definieren. ☐
B In unserem Vortrag befassen wir uns mit dem Thema „Veränderungen in der Familie". ☐
C Danach werden wir auf die Veränderungen in der Familienstruktur eingehen. ☐
D Als Fazit lässt sich festhalten, dass es heute immer mehr Single-Haushalte gibt. ☐
E Das war Dimitry mit der Einführung. In meinem Beitrag geht es nun um das Thema „Großfamilie und Kleinfamilie". ☐

Je 1 Punkt **Ich habe** _____ **von 5 möglichen Punkten erreicht.**

---

**Auswertung:** Vergleichen Sie Ihre Lösungen mit S. AB 111.
Ihre Erfolgspunkte tragen Sie unter jeder Aufgabe ein.

**Ich habe** _____ **von 30 möglichen Punkten erreicht.**

| ☺ | ☺ | ☹ |
|---|---|---|
| 30–26 | 25–15 | 14–0 |

# LEKTION 2  IM TOURISMUS

## 1 Reisende soll man nicht aufhalten.

a Ergänzen Sie in der richtigen Form.

> Ausrüstung · Beliebtheitsskala · ~~Stammgast~~ ·
> Ausgefallenes · Begleitung · Leihwagen ·
> Dienstleistungen · abenteuerlustig ·
> ursprünglich · mühelos · erholungsbedürftig ·
> inbegriffen · wasserscheu

Es gibt verschiedene Arten, Urlaub zu machen: Viele fühlen sich am wohlsten, wenn sie
als _Stammgast_ (1) jedes Jahr ins gleiche Hotel reisen, andere wollen in den schönsten
Wochen im Jahr etwas _____ (2) machen.

Ganz weit oben auf der _____ (3) stehen weiterhin Reisen, bei denen
alles _____ (4) ist, also ein All-inclusive-Urlaub in einem gepflegten
Hotel. Die Urlauber sind _____ (5) und schätzen die umfassenden
_____ (6) des Hotelpersonals. Falls man doch allein oder nur in
_____ (7) von Familienangehörigen oder Freunden etwas unternehmen
möchte, besorgt man sich einen _____ (8).

Wer besonders _____ (9) ist, kann bei spezialisierten Reiseveranstaltern
beispielsweise aufregende Wildwassererlebnisse, sogenannte Rafting-Ausflüge, buchen.
Ist man eher _____ (10), könnte man stattdessen auf wackeligen
Hängebrücken in schwindelerregenden Höhen Flüsse und Schluchten überqueren oder ganz
_____ (11) an einer Seilrutsche hängend von Baum zu Baum gleiten.
Diese aufregende Fortbewegungsart stammt aus den _____ (12)
Urwäldern Südamerikas und Asiens. Natürlich stellen die Veranstalter eine sichere
_____ (13) zur Verfügung.

b Welches Verb passt nicht? Streichen Sie durch.

1 Das Außenministerium *warnt davor* / ~~*macht darauf aufmerksam*~~ / *rät davon ab*, in politische
   Krisengebiete zu reisen.
2 Hella möchte ihre Familie zu einer abenteuerlichen Safari *überreden/fragen/animieren*.
3 Vor dem Aufbruch in ein unbekanntes Land sollte man sich mit den Eigenheiten der Menschen
   vor Ort *verständigen / vertraut machen / befassen*.
4 An besonders schönen Orten sollte man *verweilen / stagnieren / sich länger aufhalten*.
5 Man erlebt eine Reise oft intensiver, wenn man sich auf eine Region *beschränkt/konzentriert/reduziert*.

---

zur Einstiegsseite, S. 25, Ü2

## 2 Satzpuzzle

Lesen Sie die Durchsagen im Zug und verbinden Sie jeweils die passenden Satzteile.

1 Junger Mann, wenn Sie der Frau
   keinen Heiratsantrag machen –

2 Eine etwas peinliche Durchsage –

3 Sehr geehrte Fahrgäste, ich
   persönlich bitte,

4 Eine kurze Information, bevor
   genörgelt wird –

die Klimaanlage in diesem Zug
ist nicht defekt.

die Verspätung zu entschuldigen.

alle wussten, dass wir in Fulda
halten.

gehen Sie bitte von der
Tür weg!

Nur unser
Lokführer nicht.

Es gibt keine!

Wir würden gerne
weiterfahren.

Ich bin gerade
Vater geworden!

# LEKTION 2

zu Lesen, S. 26, Ü2

## 3  Arbeiten, wo andere Urlaub machen 📖 ÜBUNG 1                    HÖREN

a   Lesen Sie die Aussagen und hören Sie das Interview in Abschnitten.
    Was ist richtig? Markieren Sie.

### Abschnitt 1

1 Emma Karlinger wusste nach der Schule,
   a  dass sie ein Studium machen wollte.
   b  dass sie viel Geld verdienen wollte.
   c  dass sie viele Möglichkeiten hatte; sie konnte sich
      aber zunächst für keine entscheiden.

2 Als Animateurin hat man
   a  permanent mit Menschen zu tun.
   b  manchmal das Gefühl, auch im Urlaub zu sein.
   c  häufig scheue Hotelkollegen.

### Abschnitt 2

1 Wer diesen Beruf ausüben möchte,
   a  sollte Spiele improvisieren können.
   b  sollte unterhaltsam sein.
   c  muss ein guter Sportler sein.

2 Emma mag ihren Job, weil
   a  es in ihrer Arbeit weniger stressig als in einem Krankenhaus oder in einer Bank ist.
   b  sie mit den Touristen Fremdsprachen üben kann.
   c  sie Menschen in Urlaubslaune eine gute Zeit bereiten kann.

3 Schwierig ist es für sie manchmal,
   a  wenn einige im Team länger schlafen als andere.
   b  wenn sie zu lange arbeiten muss und zusätzlich noch in einem schwierigen Team ist.
   c  wenn die Kollegen sich gegenseitig mit ihren Problemen belasten.

### Abschnitt 3

1 In ihrem künftigen Studium im Tourismusmanagement
   a  hat sie schon einige Qualifikationen vorzuweisen.
   b  hört sie ganz auf, als Animateurin zu arbeiten.
   c  muss sie weniger Verantwortung übernehmen als in ihrem Job als Animateurin.

2 Wer als Animateur arbeitet,
   a  macht das meist für viele Jahre.
   b  kann sich ein gutes Bild von der Tourismusbranche machen.
   c  verdient relativ gut.

b   Könnten Sie sich vorstellen, als Animateur/in zu arbeiten? Warum (nicht)?
    Schreiben Sie eine E-Mail an Emma.

Liebe Emma,

Deinen Bericht über die Tätigkeit eines Animateurs fand ich
sehr interessant …

*zu Wussten Sie schon?, S. 28*

**4  Heiteres Beruferaten** 🖥 ÜBUNG 2                                         LESEN

**Lesen Sie den folgenden Zeitungsartikel. Welche Aussagen sind richtig? Markieren Sie.**

☐ 1  Jede/r Bewerber/in sollte Berufsbezeichnungen wie „Director of Human Resources" verstehen.

☐ 2  Mit englischsprachigen Stellenausschreibungen wollen sich Firmen ein internationales Flair geben.

☐ 3  Werden Stellenanzeigen von Agenturen verfasst, steht im Vordergrund, wie reizvoll sie klingen.

☐ 4  Bezeichnungen wie „First Level Supporter" sind von Arbeitssuchenden gewünscht.

☐ 5  Besonders weniger gebildete Jugendliche werden von englischen Berufsbezeichnungen abgeschreckt.

☐ 6  Die Suche nach neuen Mitarbeitern gelingt oft besser, wenn die Ausschreibungen in der Muttersprache formuliert sind.

☐ 7  Nicht immer geht aus einer teilweise auf Englisch formulierten Anzeige die Kernaufgabe der ausgeschriebenen Stelle hervor.

---

## Berufsbezeichnungen in englischer Sprache verwirren Bewerber

Ein „Director of Human Resources" ist verantwortlich für das Personal im Unternehmen. Auf gut Deutsch: Er ist Personalleiter. Diese Berufsbezeichnung klingt
5  solide und ist für jedermann verständlich. Immer mehr Unternehmen wollen sich aber international aufstellen und verstehen sich als Global Player. Daher ist es mittlerweile üblich, Stellen lieber in englischer Sprache auszuschreiben – auch in hierzulande ansäs-
10  sigen Unternehmen.

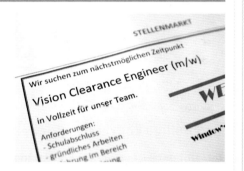

Das kann im Berufsleben zu Problemen führen: „Die Namensbildung geht zu sehr danach, was sich gut anhört", meint der Betriebslinguist Reiner Pogarell. „Das kommt daher, dass häufig Agenturen damit beauftragt werden, die Stellenanzeigen zu formulieren." Im Vordergrund steht dabei, was sich am besten vermarkten lässt.

15  Was macht ein „Key Accounter"? Wofür ist ein „Billing Manager" zuständig? Und welcher Beruf verbirgt sich hinter einem „First Level Supporter"? Letzterer nimmt zum Beispiel Reklamationen entgegen. Früher wäre die Tätigkeit vermutlich „Telefonischer Kundendienst" genannt worden. Das klingt in der Tat ziemlich trocken. Dennoch ziehen Jobsuchende die deutsche Berufsbezeichnung oft vor.

„Sie möchten verstehen, um welche Tätigkeit es sich handelt", sagt Joachim Gerd Ulrich vom
20  Bundesinstitut für Berufsbildung (BIBB) in Bonn. Er hat diese Erfahrung vor allem mit Jugendlichen gemacht. „Sie werden von englischen Berufsbezeichnungen abgeschreckt, das verstärkt sich noch, je geringer der Bildungsgrad ist", hat Ulrich beobachtet. „Aber auch Gymnasiasten lehnen in punkto Berufsbeschreibung das Englische überwiegend ab."

Erwachsene Bewerber möchten ebenfalls Klarheit, was ihren Beruf betrifft. Eine Personalagentur
25  ist zum Beispiel erfolgreicher bei der Akquise von Mitarbeitern, seit sie Stellenanzeigen komplett in deutscher Sprache formuliert.

Bewerber sollten sich von englischen Berufsbezeichnungen nicht einschüchtern lassen. „Man muss die Stellenanzeigen sehr aufmerksam durchlesen", sagt der Karriereberater Uwe Schnierda. „Oft geht aus den Anzeigen aber nicht eindeutig hervor, was die Kernaufgaben eines Jobs sind." Ein
30  „Billing Manager" etwa führt in der Regel die Tätigkeiten eines Buchhalters aus. Ein „Key Accounter" kann ein Großkundenbetreuer sein, manchmal ist er aber einfach nur ein Verkäufer.

zu Lesen, S. 28, Ü3

## 5 Jobs auf Kreuzfahrtschiffen

a **Was passt? Markieren Sie.**

1 Ein Steward hat auf einem Kreuzfahrtschiff wenige
Pausen, er ist *dennoch/trotz/obwohl* mit seinem
anstrengenden Fulltime-Job zufrieden. (obwohl)

2 *Dennoch/Selbst wenn/Trotz* einer Arbeitszeit
von 16–20 Stunden am Tag hat der Barkeeper
Vergnügen an der Arbeit. (trotzdem)

3 *Trotzdem/Obwohl/Trotz* die Wünsche der Gäste
ungewöhnlich sind, findet die Managerin eine
kreative Lösung. (selbst bei)

4 Die Beschwerden der Gäste sind teilweise unangemessen, *trotzdem/obwohl/selbst bei* bleibt
das Personal ruhig und höflich. (trotz)

5 *Trotzdem/Selbst bei/Obwohl* weinenden Kleinkindern behält ein professioneller Animateur
seine gute Laune und seinen Humor. (dennoch)

b **Formulieren Sie die Sätze aus a mit den Konnektoren in den Klammern um.**

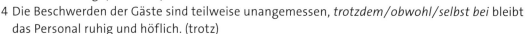
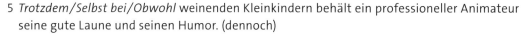

1 Obwohl ein Steward auf einem Kreuzfahrtschiff wenige Pausen hat,
ist er mit seinem anstrengenden Fulltime-Job zufrieden.

zu Lesen, S. 28, Ü3

## 6 Zweiteilige konzessive Konnektoren

GRAMMATIK ENTDECKEN

a **Unterstreichen Sie die Konnektoren im Nebensatz und die Position des Subjekts
und des Verbs im Hauptsatz.**

1 a <u>Wie</u> ansprechend Alexanders Bewerbungsunterlagen <u>auch</u> sind, <u>er hat</u> bisher nur Absagen
bekommen.
 b Wenn Alexanders Bewerbungsunterlagen auch ansprechend sind, so hat er bisher doch nur
Absagen bekommen.
 c Obwohl Alexanders Bewerbungsunterlagen ansprechend sind, hat er bisher nur Absagen
bekommen.

2 a Wenn manche Gäste auch schwierig sind, ein professioneller Hotelmanager bleibt geduldig.
 b Wie schwierig manche Gäste auch sind, so bleibt ein professioneller Hotelmanager doch geduldig.
 c Obwohl manche Gäste schwierig sind, bleibt ein professioneller Hotelmanager geduldig.

3 a Wenn man auch weit weg von der Heimat ist, so fühlt man sich als Crewmitglied auf dem
Schiff doch zu Hause.
 b Wie weit weg von der Heimat man auch ist, auf dem Schiff fühlt man sich als Crewmitglied zu
Hause.
 c Obwohl man weit weg von der Heimat ist, fühlt man sich als Crewmitglied auf dem Schiff zu Hause.

b **Was ist richtig? Ergänzen Sie und markieren Sie.**

1 Nach Nebensätzen mit den Konnektoren *wenn … auch, wie … auch* beginnt der folgende Hauptsatz …
 [a] mit dem Verb.     [b] mit dem Subjekt, mit einem anderen Satzteil oder mit *so*.

2 Nach Nebensätzen mit dem Konnektor *obwohl* beginnt der folgende Hauptsatz mit _____

3 Nach *wie* folgt …
 [a] ein Nomen.     [b] ein Adjektiv oder ein Adverb.

zu Lesen, S. 28, Ü3

## 7 Trends im Tourismus 📖 ÜBUNG 3, 4, 5 GRAMMATIK

**a** Ergänzen Sie die Sätze.

1 Obwohl Urlaube in der Hauptsaison teurer sind, müssen Familien mit schulpflichtigen Kindern gerade dann verreisen.

Wenn _Urlaube in der Hauptsaison_ auch _teurer sind_ ,
_Familien mit schulpflichtigen Kindern müssen gerade dann verreisen._

2 Städtereisen sind anstrengend, trotzdem boomt diese Reise- und Urlaubsform.

Wenn _____ auch _____ , so _____ doch.

3 Obwohl ein Campingplatz wenig Komfort bietet, steigt die Nachfrage nach Campingurlauben.

Wenn _____ auch _____ ,

4 Zwar liegen Aktivurlaube im Trend, aber viele Urlauber wollen sich nur am Strand erholen.

Wenn _____ auch _____ , so _____ doch

**b** Formulieren Sie die Sätze mit *wie ... auch* um.

1 Ihre Qualitätsansprüche sind zwar stark gewachsen, dennoch sind die Kunden sehr preisbewusst.
2 Das Risiko ist zwar groß, aber die Tourismusbranche muss auf wechselnde Trends reagieren.
3 Eine Kreuzfahrt ist teuer, trotzdem buchen immer mehr Urlauber solche Unternehmungen.
4 Obwohl Flugzeuge die Luft stark verschmutzen, wählen viele Reisende dieses Verkehrsmittel.

_1 Wie stark ihre Qualitätsansprüche auch gewachsen sind, die Kunden sind sehr
preisbewusst / so sind die Kunden doch sehr preisbewusst._

zu Lesen, S. 28, Ü3

## 8 Das Adlon: Eine Familiensaga FILMTIPP / WORTSCHATZ

Lesen Sie die Inhaltsangabe zum Film und ergänzen Sie die fehlenden Buchstaben.

Dieser dreiteilige Fernseh f i l m (1) erzählt die
Gesch _____ (2) des Hotels und seiner Menschen
üb _____ (3) vier Generationen hinweg, von seiner
Grün _____ (4) Anfang des 20. Jahrhunderts bi ___ (5)
zur Wiedereröffnung kurz vor En _____ (6) des gleichen
Jahrhunderts. Den rot _____ (7) Faden, der sich dur _____ (8)
alle Filmteile zieht, bil _____ (9) dabei das Leben der
fikt _____ (10) Hauptfigur Sonja Schadt. Ihr Vater,
Gustaf, unters _____ (11) seinen Freund Lorenz Adlon, al ___ (12) dieser seinen Traum
vom eige _____ (13) großen Hotel verwirklichen wi _____ (14). Für Sonja bricht eine Welt
zusa _____ (15), als sie am Sterbebett ihres Vaters erfä _____ (16), dass sie in Wirk-
li _____ (17) nicht die Tochter, sond _____ (18) die Enkelin von Gustaf und
sei _____ (19) Frau ist und ihre unverhei _____ (20) Schwester eigentlich ihre
Mut _____ (21) ist. Mit 17 Jahren verlä _____ (22) Sonja ihre Familie und zie _____ (23)
ins Hotel Adlon zu ihr _____ (24) Patenonkel Lorenz. Dort erl _____ (25) sie die Blütezeit
des Hot _____ (26) und taucht hautnah ins Großstadtleben der sogena _____ (27)
„goldenen", aber auch wilden Zwanzigerjah _____ (28) ein. Es folgen turbulente Zei _____ (29)
für Sonja und auch das Hotel Adlon, mit Inflation, Diktatur, Krieg und Zerst _____ (30),
soda _____ (31) sie Deutschland den Rücken kehrt und nach Amer _____ (32) auswandert.
Erst nach der Vereinigung der beiden deuts _____ (33) Staaten im Jahr 1989/90
erfü _____ (34) sich für die inzwischen über 90-jähr _____ (35) Sonja ein Lebenstraum:
Das Adlon wird von ihrer Enke _____ (36) wieder eröffnet.

zu Hören 1, S. 29, Ü1

## 9 Skurrile Urlauber-Beschwerden 🖳 ÜBUNG 6 SCHREIBEN

a Lesen Sie die folgenden kuriosen Urlauber-Beschwerden, die bei verschiedenen Reiseveranstaltern eingegangen sind. Finden Sie für jede Beschwerde eine passende Überschrift.

1 *Scharfes Besteck unerwünscht!*

Wir kamen mit dem Besteck gar nicht zurecht und haben uns an den extrem scharfen Messern und den spitzen Gabeln sogar mehrmals verletzt. Anbei senden wir Ihnen die Rechnung für das von uns neu gekaufte Besteck. Wir bitten Sie um Kostenerstattung.

5  2 _____

Ein unzufriedener Kunde schrieb an den Reiseveranstalter:
„Leider konnte ich auf der bei Ihnen gebuchten Tauchreise mehrere Tauchgänge nicht mitmachen. Ich hatte mir in meiner Kabine starke Nackenschmerzen zugezogen, nachdem ich
10  meinen Kopf beim Fernsehen ständig stark verdrehen musste – der Bildschirm über dem Bett war nämlich extrem ungünstig angebracht. Ich gehe davon aus, dass die Reiserücktrittsversicherung mir das Geld für die stornierten Tauchgänge erstattet."

3 _____

15  Aufgrund einer mehrstündigen Flugverspätung beschwerte sich ein Fluggast bei seinem Reiseveranstalter. Sein Biorhythmus sei dadurch so ins Ungleichgewicht geraten, dass dies eine längere Krankschreibung zur Folge hatte. Nun erwarte er dafür eine Entschädigung in Höhe von 1500 Euro, die man ihm auf das angegebene Konto überweisen möge.

4 _____

20  Eine Kundin beklagte sich bei ihrem Reisebüro über das zu schnelle Verschwinden der Sonne auf den Seychellen. Sie hatte die Reise in der Hoffnung gebucht, sich mit ihrem Ehemann wieder besser zu verstehen und wollte dafür Sonnenuntergänge am Strand nutzen. Beeindruckend sei das Naturspektakel am frühen Abend zwar schon gewesen, aber viel zu kurz, um in die entsprechende romantische Stimmung zu zweit zu kommen.
25  Aus der geplanten Versöhnung sei wegen der knappen stimmungsvollen Zeit nun nichts geworden. Als Lehrerin für Geografie hätte sie allerdings wissen müssen, dass aufgrund der Nähe zum Äquator die Sonnenbahn steiler und die Abenddämmerung folglich kürzer ist.

5 _____

Eine besonders hartnäckige Störung beklagt ein Herr,
30  der mit seiner Ehefrau eine Reise nach London unternommen hatte und eine Maus im Hotelzimmer vorfand. Nicht nur, dass es dem Hotelpersonal nicht gelang, die Maus zu vertreiben, diese machte sich auch noch über die Schokolade des Paares her und fraß sie komplett auf.
35  Das Paar erwartet, dass sich der Reiseveranstalter bei ihnen entschuldigt und ihnen als Entschädigung fünf Tafeln Schokolade zukommen lässt.

b Wählen Sie eine Beschwerde aus a und antworten Sie als Reiseveranstalter darauf. Verwenden Sie einige der folgenden Formulierungen.

„ *... erhielten wir Ihr Schreiben vom ...*
*Darin beschweren Sie sich darüber, dass ...*
*Verständlicherweise wurde Ihre Urlaubsfreude*
*durch ...*

*Wir bedauern ..., aber ... beinhaltet keine ...*
*.... liegt außerhalb unserer Verantwortung.*
*Dennoch ... als Entschädigung ... anbieten.*
*Allerdings ist es uns leider nicht möglich, ...* „

zu Hören 1, S. 29, Ü2

## 10 Ostseehotel „Strandperle"

Ergänzen Sie die konditionalen Konnektoren *wenn, falls/sofern* oder *bei*.

### Unsere Perle an der Ostsee

Herzlich willkommen in unserem Hotel „Strandperle". Unser Dreisternehotel hat 25 exklusiv eingerichtete Zimmer und Suiten, alle Zimmer
5 bieten vom Balkon aus einen traumhaften Blick aufs Meer. __Wenn__ (1) Sie einen Badeurlaub an der Ostsee verbringen möchten, sind Sie bei uns genau richtig. _____ (2) Sie gerne längere Wanderungen an der Steilküste oder in
10 den Dünen unternehmen, ist unser Hotel ideal. _____ (3) Sie Kinder haben, die am Strand spielen wollen, haben Sie die Kleinen von der Hotel-Terrasse aus im Blick. _____ (4) Hunger und Durst sorgen
15 das Fisch-Restaurant „Scholle" sowie die Hotelbar für Sie. Mit 280 Sonnentagen im Jahr lädt Sie die sonnenreichste Region Deutschlands zu Strandleben, Sport oder Ausflügen ein.

_____ (5) das Wetter einmal schlecht sein sollte, verwöhnen wir unsere Gäste u. a.
20 mit Blocksauna, Dampfbad und Aroma-Vital-Duschen.
Übrigens: _____ (6) längeren Aufenthalten im Frühjahr und im Herbst kann der Preis pro Nacht um 50 % gesenkt werden.
25

zu Hören 1, S. 29, Ü2

## 11 Zweiteilige restriktive Konnektoren

GRAMMATIK ENTDECKEN

a Vergleichen Sie die Sätze. Markieren Sie in der rechten Spalte die Konnektoren.

| | |
|---|---|
| 1 Das Hotel „Strandperle" bietet im Prinzip ein gutes Preis-Leistungs-Verhältnis, aber das Essen im hoteleigenen Restaurant ist etwas teuer. | Das Hotel „Strandperle" bietet im Prinzip ein gutes Preis-Leistungs-Verhältnis, außer dass das Essen im hoteleigenen Restaurant etwas teuer ist. |
| 2 Man kann schöne Spaziergänge am Strand machen, nur dann nicht, wenn es sehr stürmisch ist. | Man kann schöne Spaziergänge am Strand machen, außer wenn es sehr stürmisch ist. |
| 3 Die Radtouren sind ebenfalls sehr schön, aber der Gegenwind ist manchmal zu stark und man muss das Rad schieben. | Die Radtouren sind ebenfalls sehr schön, nur dass der Gegenwind manchmal zu stark ist und man das Rad schieben muss. |
| 4 An der Bar kann man sich abends gute Cocktails ohne Alkohol mixen lassen, nur dann nicht, wenn der Barkeeper Sven (der Cocktailspezialist) gerade Urlaub hat. | An der Bar kann man sich abends gute Cocktails ohne Alkohol mixen lassen, es sei denn, dass der Barkeeper Sven (der Cocktailspezialist) gerade Urlaub hat. |

b Welche Konnektoren haben in den Sätzen in a die gleiche Bedeutung?
Ergänzen Sie *aber* oder *nur dann nicht, wenn.*

| außer dass | aber | es sei denn, (dass) | |
|---|---|---|---|
| nur dass | | außer wenn | |

zu Hören 1, S. 29, Ü2

## 12 Restaurant „Nordlicht"  GRAMMATIK

Ergänzen Sie *es sei denn, dass …* / *außer wenn …* und *außer dass …* / *nur dass …*

---

☆☆☆☆☆

Wir sind zum Brunch in dieses Restaurant gegangen. Es war nicht schlecht, *außer dass /*
*nur dass* (1) die Preise ziemlich hoch waren. Alles hat prima gepasst, _____ (2)
um 12 Uhr die Krabben ausgegangen sind. Die Serviceleute waren eigentlich nett und aufmerksam,
_____ (3) es manchmal etwas gedauert hat, bis das Buffet wieder aufgefüllt war.
5  Im Sommer ist die Terrasse geöffnet, _____ (4) sie gerade umgebaut wird,
was bei unserem Besuch leider der Fall war. Darüber wären wir gerne vorher informiert worden. Man
bekommt ohne Wartezeit einen Platz, _____ (5) gerade eine Messe stattfindet. Es gibt
eigentlich nicht viel zu beanstanden, _____ (6) im Internet die Speisekarte nicht als
PDF-Datei zu finden ist.

---

zu Hören 1, S. 29, Ü2

## 13 Schwierige Freizeit- und Urlaubspläne  💻 ÜBUNG 7, 8, 9  GRAMMATIK

Ergänzen Sie die Sätze frei.

1 Marco wandert sehr gern in den Bergen, außer wenn  *es regnet* .
2 Eva und Franz werden im nächsten Winter einen Skiurlaub machen, es sei denn, dass …
3 Tom, der Exfreund von Anna, will am Samstag zur Party kommen, außer wenn …
4 Die Studenten Tobias und Sven haben den Wunsch, im nächsten Jahr eine Weltreise zu machen,
   nur dass …
5 Max hat sich nicht informiert und weiß fast nichts über sein Urlaubsziel, außer dass …

zu Sprechen, S. 30, Ü2

## 14 Sanfter Tourismus  💻 ÜBUNG 10, 11  LESEN

Lesen Sie den folgenden Text und markieren Sie bei den Aufgaben 1–9 das Wort (ⓐ, ⓑ, ⓒ oder ⓓ),
das in den Satz passt. Es gibt jeweils nur eine richtige Antwort.

„Fair reisen mit Herz und
Verstand", die beliebte Broschüre im Hosentaschen-
format, ist neu aufgelegt und
5  jetzt auch mobil während
der Reise (0). Die Broschüre
und die neue mobile Internetseite sind gespickt mit
Karikaturen, Zahlen und Fakten und (1) allem hilfreichen
10  Tipps rund um den sogenannten „sanften Tourismus".

„Unser Ratgeber ‚Fair Reisen mit Herz und Verstand' will
zeigen, (2) Rücksicht auf Umwelt und Soziales nichts zu tun
haben muss mit Komfortverzicht, Verboten und Einschrän-
kungen. Im Gegenteil: Gerade durch Achtung der Umwelt
15  und Respekt (3) den bereisten Ländern, der Kultur und den

Beispiel:

**(0)**
ⓐ machbar
ⓑ lesbar
☒ verfügbar
ⓓ sichtbar

**(2)**
ⓐ ob
ⓑ wie
ⓒ dass
ⓓ weil

**(1)**
ⓐ in
ⓑ bei
ⓒ zu
ⓓ vor

**(3)**
ⓐ mit
ⓑ bei
ⓒ vor
ⓓ zu

Menschen gewinnt eine Reise an Qualität und Wert", so Antje Monshausen, Tourismusexpertin bei „Brot für die Welt".

(4) vor dem Urlaub sind die Wahl des Reiseveranstalters, des Verkehrsmittels und die Urlaubsdauer entscheidend
20 für die Nachhaltigkeitsbilanz. Vor Ort stellen sich dann oft ganz praktische Fragen: Ist Trinkgeld (5)? Worauf sollte ich bei der Hotelwahl achten und wie (6) ich mich respektvoll in einem Hindu-Tempel? (7) kommen Links und Hinweise zu Internetseiten von Nichtregierungsorganisationen, auf
25 denen wichtige Informationen zum Reiseland mit Blick hinter die touristischen Fassaden zu finden sind.

Durch direkte Begegnungen mit Menschen kann der Urlaub in unvergesslicher Erinnerung (8). Doch was für den Rei-senden Urlaub ist, ist für die Menschen, die in den Urlaubs-
30 gebieten leben und im Tourismus arbeiten, Alltag. „Mit der (9) unseres Reisens können wir einen Unterschied machen – damit wir eine schöne Reise und unsere Gastgeber die Chance auf ein besseres Leben haben", so Monshausen.

http://www.tourism-watch.de

(4)
a Manchmal
b Bald
c Zufällig
d Bereits

(5)
a üblich
b möglich
c höflich
d schädlich

(6)
a verstehe
b behalte
c verhalte
d verstecke

(7)
a Dazu
b Dabei
c Damit
d Dafür

(8)
a stehen
b sein
c halten
d bleiben

(9)
a Kunst
b Art
c Natur
d Idee

───────────────────── WIEDERHOLUNG GRAMMATIK

**2**

zu Wortschatz 1, S. 31, Ü1

## 15 Rund um den Urlaub

Ergänzen Sie die passenden Nomen-Verb-Verbindungen in der richtigen Form.

die Verantwortung übernehmen • ein Gespräch führen • Freundschaft schließen • sich etwas zur Gewohnheit machen • über Kenntnisse verfügen • eine Entscheidung treffen • eine Lösung finden

1 Im letzten Camping-Urlaub haben wir mit unseren Zeltnachbarn  *Freundschaft geschlossen* .
2 Alexa hat es _____, jedes Jahr in ihrem Sommerurlaub einen einwöchigen Sprachkurs in Spanien zu machen.
3 Seit ihrem letzten Urlaub streiten Tanja und Peter ziemlich oft miteinander. Aber gestern _____ sie endlich mal wieder ein richtig gutes _____.
4 Im nächsten Urlaub nach Afrika oder nach Australien? Morgen müssen Karin und Andreas _____, denn die Flugtickets sind nur noch jetzt so günstig.
5 Wenn etwas bei einer gebuchten Reise nicht so ist wie versprochen, muss der Reiseveranstalter dafür _____.
6 Herr und Frau Hofner sind mit den hoteleigenen Handtüchern im Bad unzufrieden, sie sind ihnen zu dünn. Der Hotelmanager hat versprochen, dafür so bald wie möglich _____ zu _____.
7 Wenn Sie bei diesem Segeltörn in der Karibik mitmachen wollen, müssen Sie _____ grundlegende _____ beim Segeln _____.

# LEKTION 2

zu Wortschatz 1, S. 31, Ü1

## 16 Feste Nomen-Verb-Verbindungen

GRAMMATIK ENTDECKEN

a Unterstreichen Sie die festen Nomen-Verb-Verbindungen
in der Tabelle und ordnen Sie die Sätze 1–6 den Nomen-Verb-
Verbindungen (A–F) zu.

1 Der Reiseveranstalter gibt der Reisegruppe Fahrräder.
2 Die Reisegruppe bekommt Fahrräder.
3 Die Reiseteilnehmer kritisieren einige Vorschläge.
4 Die Unzufriedenheit der Gäste wurde angesprochen.
5 Einige Gäste haben ihre Unzufriedenheit angesprochen.
6 Einige Vorschläge werden kritisiert.

| Nomen-Verb-Verbindungen | a | p |
|---|---|---|
| 4  A  Die Unzufriedenheit einiger Gäste kam zur Sprache. | | X |
| ☐  B  Einige Gäste haben ihre Unzufriedenheit zur Sprache gebracht. | | |
| ☐  C  Der Reiseveranstalter stellt der Reisegruppe Fahrräder zur Verfügung. | | |
| ☐  D  Der Reisegruppe stehen Fahrräder zur Verfügung. | | |
| ☐  E  Einige Vorschläge stoßen auf Kritik. | | |
| ☐  F  Die Reiseteilnehmer üben an einigen Vorschlägen Kritik. | | |

b Markieren Sie in der Tabelle in a, welche Sätze aktive (a) und welche passive (p) Bedeutung haben.

c Wählen Sie eins der folgenden Nomen und erarbeiten Sie eine ähnliche Tabelle
wie im Kursbuch auf S. 31, Ü2a.

Anspruch/Ansprüche · Ende · Frage · Gefahr · Gespräch · Ordnung · Wahl

zu Wortschatz 1, S. 31, Ü1

## 17 Chance auf einen Traumurlaub 🖳 ÜBUNG 12, 13

GRAMMATIK

Finden Sie die entsprechenden Nomen-Verb-Verbindungen und schreiben Sie den Text neu.

jmd. etwas zur Verfügung stellen · in Erfahrung bringen · zur Verfügung stehen ·
eine Auswahl treffen · ~~die Initiative ergreifen~~ · in Erfüllung gehen

Werden Sie aktiv und machen Sie mit bei unserem Gewinnspiel!
Mit etwas Glück wird Ihr Wunsch erfüllt und Sie gewinnen
eine Erlebniswoche in New York für zwei Personen incl. Flug und
Übernachtung in einem
Viersternehotel. An einem Tag bekommen
Sie von uns einen Wagen mit einem persönlichen
Führer. An einem anderen Tag finden Sie dann
heraus, wie es im Frühling im Central Park aussieht
und ob es in diesem Frühjahr genügend „Yellow Cabs"
gibt. Suchen Sie sich etwas aus dem riesigen Freizeit-
angebot aus, wir laden Sie gerne ein!

5

10

*Ergreifen Sie die Initiative und machen Sie mit bei unserem Gewinnspiel!*

zu Schreiben, S. 32, Ü2

## 18 Vorschläge für den Urlaub

WORTSCHATZ

Lesen Sie die Vorschläge des Tourismusamts Elbtal.
Ergänzen Sie die passenden Verben in der richtigen Form.

ausklingen lassen • beginnen • erleben • erfahren • mitbringen • erkunden •
genießen • nahebringen wollen • ~~probieren~~ • auf die Probe stellen • verwöhnen lassen

### Urlaub im wunderschönen Elbtal bietet für jeden etwas

1 _____ den Tag mit sanften Tai Chi Übungen.

2 _____ in unserem Heimatjournal Wissenswertes über diese einmalige Region.

3 _____ die Überreste des ehemaligen
Bergbaugebietes.

4 _____ für den Ausflug unbedingt festes
Schuhwerk _____ !

5 Wir _____ Ihnen heute die Herstellung regionaler
Bauernprodukte _____

6 *Probieren Sie* unbedingt die naturbelassenen Obst-
säfte aus regionalem Anbau.

7 _____ bei uns Ihr Können im Felsklettern
_____ .

8 _____ unsere lokalen „Wildtiere" hautnah.

9 _____ sich durch ein Bad im Moorteich mit
anschließender Massage _____

10 _____ das einmalige Panorama des Elbsand-
steingebirges.

11 _____ den Tag bei einem kleinen Konzert
im Kurpark _____ .

zu Hören 2, S. 33, Ü2

## 19 Wie kann man noch sagen? 💻 ÜBUNG 14

WORTSCHATZ

Ordnen Sie zu.

**Begriffe**

1 die Zuneigung — A ein großer Nachtvogel
2 die Eule ⎺ B ein positives Gefühl für jemanden
3 das Kalkül    C Zustand, in dem man gar nichts versteht
4 das Synonym   D die genaue Berechnung von etwas
5 geistige Umnachtung   E ein gleichbedeutender Begriff

**Verben**

1 etwas erstehen   A etwas verbieten
2 etwas konservieren   B einer Sache logisch folgen
3 etwas nachvollziehen   C etwas kaufen
4 etwas untersagen   D etwas so erhalten, wie es ist

## 20 Diskussion im Forum für regionale Entwicklung ⬛ ÜBUNG 15    WORTSCHATZ

Was ist richtig? Markieren Sie.

Ein Vorschlag meinerseits ist, den öffentlichen Nahverkehr noch stärker *auszubauen*/*anzuregen* (1). Das wäre sowohl für den Tourismus als auch für die *öffentliche*/*lokale* (2) Bevölkerung ein Gewinn. Man könnte in den Sommermonaten auch Bahntickets anbieten, mit denen man zusätzlich die *Nutzung*/*Ausstattung* (3) von Leihfahrrädern kombinieren kann.                                 Anna

Eine gute Idee! In diesem Zusammenhang könnte man sich auch mit Partnerregionen *unterstützen*/*vernetzen* (4), die eine vergleichbare Infrastruktur haben. Wir sollten an *landschaftlich*/*ländlich* (5) besonders attraktiven Strecken die Radwege ausbauen und eine App *verarbeiten*/*entwickeln* (6), die Rundfahrten durch verschiedene Regionen vorschlägt und gleichzeitig die Reservierung von Übernachtungen ermöglicht.                        Vincent

Als Vorgeschmack auf die abendliche *Stärkung*/*Verstärkung* (7) der sportlich Aktiven könnte man dann ja noch Speisekarten der *umliegenden*/*herumstehenden* (8) Restaurants in die App einfügen. Natürlich nur von solchen, die vor allem *heimliche*/*einheimische* (9) Produkte verarbeiten. Dann kann man sich das verdiente Erfrischungsgetränk und sein Abendessen gleich *voranstellen*/*vorbestellen* (10) und radelt beschwingter ans Ziel!                                               Stefan

Wir sollten auch daran denken, unseren Gästen die Möglichkeit zu unvergesslichen *Segeltörns*/*Segelbooten* (11) auf unseren wunderschönen Seen nahezulegen, ein weiterer Beitrag zu *anhaltender*/*nachhaltiger* (12) Entwicklung. Dabei sollten wir unbedingt betonen, dass wir immer nur segeln und so nicht mit lauten Motorengeräuschen die Tiere erschrecken. Unser Segelklub könnte da einen schönen Flyer oder Ideen für eine *entsprechende*/*entscheidende* (13) App entwickeln. Ohne so etwas geht es ja kaum mehr. ☺      Vivien

Das klingt alles schon ziemlich gut! Wichtig erscheint mir, dass in diesem Zusammenhang auch die Erzeugung *erneuerbarer*/*erneuerter* (14) Energien auf der Basis von Sonnen- und Windkraft verstärkt wird. Dazu müssten noch umfassende Konzepte erstellt werden, die die lokalen Besonderheiten *berichten*/*berücksichtigen* (15). Die interessierten Gemeinden sollten schon bald eine *Internetanfrage*/*Internetplattform* (16) dazu einrichten.      Susan

zu Sehen und Hören, S. 35, Ü1

## 21 Die Erfolgsgeschichte einer Unternehmensgründung     LESEN

**Lesen Sie den Text und notieren Sie Stichpunkte zu den folgenden Fragen.**

1 Was unterscheidet *Waymate* von anderen Online-Reisediensten?
2 Zwischen welchen Kriterien bei der Reiseverbindung kann der Nutzer beispielsweise wählen?
3 Von wem werden schließlich die Fahrkarten verkauft?
4 Wie verdient *Waymate* Geld?
5 Was half bei der Unternehmensgründung?
6 Wie fällt die Bewertung für *Waymate* in diesem Artikel aus?

**Einmal um die Welt: Das Start-up-Unternehmen *Waymate* plant automatisch Ihre optimale Reiseroute. So kommen Sie schnell und günstig von der Haustür bis zum Hotel.**

Wohin soll's gehen? Einmal Los Angeles und zurück? Oder doch lieber nach Kapstadt mit Zwischenstopp
5 in Dubai? Ist die Entscheidung für ein Reiseziel gefallen, stellt sich die nächste Frage: Wie komme ich schnell und günstig ans Ziel? Hier will das Start-up-Unternehmen *Waymate* helfen. Auf dessen Internetseite vergleichen Reisende Preise und kaufen Tickets;
10 zudem bekommen sie automatisch die beste Reiseroute vorgeschlagen.

### Einen Schritt voraus
Der Markt der Online-Reisedienste ist stark umkämpft. Es gibt viele etablierte Marken, die günstige Flüge anbieten. *Waymate* geht daher einen Schritt weiter und empfiehlt komplette
15 Routen, zusammengesetzt aus verschiedenen Fortbewegungsmitteln.

### So funktioniert *Waymate*
Und so geht's: einfach Start- und Zielort eingeben und die Anzahl der Reisenden bestimmen.
*Waymate* sucht den optimalen Reiseweg. Möchte der Nutzer etwa die schnellste Verbindung von Hamburg nach München haben, werden ihm Flüge angezeigt. Soll es die günstige Variante
20 sein, bietet *Waymate* den ICE an. Und wenn ein Mix aus Flug und Zug am sinnvollsten ist, schlägt *Waymate* auch das vor. Die Buchungen bei *Waymate* werden an Bahn- oder Fluggesellschaften weitergeleitet, der Anbieter stellt dann die Tickets aus. Das klappte beim Ausprobieren problemlos. Die optimalen Routen waren meist die perfekte Kombination aus günstig und schnell. Die Seite leitet beim Buchungswunsch schnell und ohne Umwege zum Ticketkauf weiter. Auf der Seite
25 der eigentlichen Ticketverkäufer stimmte der Preis mit dem auf *Waymate* angegebenen überein.

### Regional und international
*Waymate* hat die Deutsche Bahn und die regionalen Verkehrsverbünde überzeugt. „Wir wollen unser Geschäftsmodell aber auch international ausbauen", sagt Gründer Tom Kirschbaum. Man spreche bereits mit europäischen Bahnunternehmen. In Zukunft sollen sogar Mitfahrgelegen-
30 heiten hinzukommen. Das Start-up will weiter wachsen, denn *Waymate* erhält für jede Buchung eine Provision der jeweiligen Bahn- und Fluggesellschaft. Fürs Erste steht den Gründern derzeit aber auch ein zweistelliger Millionenbetrag zur Verfügung. An die Geschäftsidee hinter *Waymate* glauben also offensichtlich nicht nur die beiden Gründer.

### Fazit
35 *Waymate* ist eine übersichtliche und einfach zu nutzende Alternative zu den etablierten Online-Reisediensten. Die clevere Reisesuche in Verbindung mit günstigen Preisen lässt keine Wünsche offen. Allerdings wird jeder Kunde zu Drittanbietern weitergeleitet. Das sind oft unbekannte Unternehmen – aber nur so sind die günstigen Angebote möglich.

## — AUSSPRACHE: Betonung und Bedeutung von *auch*, *denn* und *doch* —

### 1 Betonung hören und Bedeutung verstehen

CD IAB

**a** Hören Sie die folgenden Sätze. In welchen Sätzen ist *auch*, *denn* und *doch* betont? Markieren Sie.

1 Wenn du dieses Hotel auch schön findest, nehmen wir es, denn mir gefällt es ja sehr!
2 Wenn du dieses Hotel auch schön findest, so möchte ich lieber ein preisgünstigeres buchen.
3 Wo möchtest du denn hinfahren, hast du schon eine Idee?
4 Wo möchtest du denn hinfahren, wenn nicht an den Bodensee?
5 Das ist aber auch ein tolles Hotel. Unglaublich, wie schön es ist.
6 Das ist aber auch ein tolles Hotel. Genau wie das, welches wir eben betrachtet haben.
7 Das ist doch ein Einzelzimmer, wir brauchen aber ein Doppelzimmer!
8 Das ist doch ein Einzelzimmer, auch wenn du noch zehnmal behauptest, es sei ein Doppelzimmer.

**b** Welche Bedeutung haben *auch*, *denn* und *doch* in a?
Ordnen Sie zu, welche Wörter man stattdessen verwenden könnte.

Betrachten Sie zuerst die Sätze 1 bis 4 und ordnen Sie sie den Bedeutungen a–d zu.

a überhaupt ☐
b sonst ☐
c ebenfalls ☑
d obwohl ☐

Betrachten Sie nun die Sätze 5–8 und ordnen Sie die Möglichkeiten e–h zu.

e ebenfalls ☐
f wohl ☐
g ja ☐
h wirklich ☐

**c** Formen Sie die Sätze mit den entsprechenden Ersatzwörtern um und sprechen Sie sie laut aus.

CD IAB

**d** Hören Sie und kontrollieren Sie.

### 2 Die Betonung macht den Unterschied.

CD IAB

**a** Hören Sie die Sätze. Markieren Sie, welche Aussage (a oder b) jeweils dazu passt.

1 Wie viele Personen sind Sie denn?
  ⒜ Sie möchten also bei uns die Ferien verbringen. – ...
  ⊠ Hatten Sie nicht gesagt, Sie sind nur zu zweit? – ...

2 Ist das Zimmer auch preisgünstig?
  ⒜ Der Preis für das Frühstücksbüfett ist wirklich sehr günstig. – ...
  ⒝ Das Zimmer sieht im Prospekt ja sehr schön aus. Aber: ...

3 Sie haben doch ein Einzelzimmer gebucht!
  ⒜ Wie? Sie sind vier Personen? – ...
  ⒝ Warum behaupten Sie, Sie hätten kein Einzelzimmer gebucht? Ich sage Ihnen was: – ...

4 Ist denn das Frühstücksbüfett auch kalorienarm und gesund?
  ⒜ Das Abendbüffet wird im Prospekt ja als kalorienarm und gesund angepriesen. – ...
  ⒝ Das Frühstück klingt im Prospekt ja gut, aber ...? Ich bin nämlich auf Diät.

**b** Sprechen Sie nun jeweils beide Betonungsvarianten der Aussagen mit den dazu passenden Ergänzungssätzen aus.

CD IAB

**c** Hören Sie und kontrollieren Sie.

# LEKTION 2 LERNWORTSCHATZ

## EINSTIEGSSEITE, S. 25

die Ausstattung, -en
die Durchsage, -n
die Umgangsform, -en
die Verzögerung, -en

## LESEN, S. 26–28

die Betätigung, -en
der Einsatz, ̈e
die Facette, n
das Flair (Sg.)
Hotelfachleute (Pl.)
Hotelkaufleute (Pl.)
die Kreuzfahrt, -en
der Page, -n

schwanken

etwas einen modernen/neuen
    Anstrich geben, gab,
    hat gegeben
in der Lage sein
von der Pike auf lernen
einen neuen Weg einschlagen,
    schlug ein, hat eingeschlagen

administrativ
angehend
reizvoll

derzeit
hinter den Kulissen

## HÖREN 1, S. 29

das Attest, -e
das Beistellbett, -en
das Büfett, -s/-e
    (A, CH auch Buffet)
der Rücktritt, -e
die Suite, -n

beinhalten

stilvoll

## SPRECHEN, S. 30

der Kompromiss, -e

der Ansicht sein
zur Auswahl stehen, stand,
    hat/ist gestanden
Freude bereiten
in Kauf nehmen, nahm,
    hat genommen
Schwierigkeiten bereiten
zur Sprache kommen, kam,
    ist gekommen
zur Verfügung stehen
zur Verfügung stellen
das Verständnis vertiefen
Vorbereitungen treffen, traf,
    hat getroffen
im Vordergrund stehen

es gilt, etwas zu tun, galt,
    hat gegolten

abgelegen
fachkundig
pauschal

auf eigene Faust

## WORTSCHATZ 1, S. 31

das Schlagwort, ̈er/-e

eine Auswahl treffen
eine Entscheidung treffen
in Erfahrung bringen, brachte,
    hat gebracht
in Erfüllung gehen, ging,
    ist gegangen
sich etwas (+ Akk.) zur
    Gewohnheit machen
eine Initiative ergreifen, ergriff,
    hat ergriffen
über Kenntnisse verfügen
Kritik üben an (+ Dat.)
auf Kritik stoßen, stieß,
    ist gestoßen
eine Lösung finden, fand,
    hat gefunden
zur Sprache bringen
Verantwortung übernehmen

## SCHREIBEN, S. 32

der Bogen, -
der Erzeuger, -
der Kurpark, -s
das Panorama, die Panoramen
das Schuhwerk (Sg.)
das Trio, -s
der Überrest, -e

ausklingen, klang aus,
    ist ausgeklungen
jemandem etwas nahebringen
verwöhnen

auf die Probe stellen

ausgleichend
hautnah
naturbelassen

## HÖREN 2, S. 33

das Andenken, -
die Eule, -n
das Kalkül, -e
das Souvenir, -s
das Synonym, -e
die Zuneigung, -en

erstehen (+ Akk.), erstand,
    hat erstanden
konservieren
nachvollziehen
jemandem etwas untersagen

enorm

geistige Umnachtung

## WORTSCHATZ 2, S. 34

der Impuls, -e
die Internetplattform, -en
der Segeltörn, -s

ausbauen

liebenswert
nachhaltig

Bei den mit (A) gekennzeichneten Wörtern handelt es sich um spezifische Wörter aus Österreich.
Bei den mit (CH) gekennzeichneten Wörtern handelt es sich um spezifische Wörter aus der Schweiz.

# LEKTIONSTEST 2

## 1 Wortschatz

**a Ergänzen Sie.**

Kulissen • Faust • Anstrich • Pike • Probe • Weg

1 Will man etwas neu erscheinen lassen, gibt man der Sache einen modernen _____ .
2 Was man von Grund auf gelernt hat, hat man von der _____ auf gelernt.
3 Was in der Öffentlichkeit nicht bekannt wird, passiert hinter den _____ .
4 Wer sich beruflich oder privat stark verändern will, schlägt einen neuen _____ ein.
5 Wer allein etwas entscheidet oder unternimmt, tut es auf eigene _____ .
6 Wenn man wissen möchte, wie fähig eine Person ist, kann man sie auf die _____ stellen.

Je 1 Punkt   Ich habe _____ von 6 möglichen Punkten erreicht.

**b Was passt? Ergänzen Sie *-gelegen, -voll, -haltig, -wert, -nah, -kundig*.**

1 reiz_____     3 haut_____     5 nach_____
2 fach_____     4 liebens_____   6 ab_____

Je 0,5 Punkte   Ich habe _____ von 3 möglichen Punkten erreicht.

## 2 Grammatik

**a Schreiben Sie die Sätze mit den Konnektoren in Klammern neu auf ein separates Blatt.**

1 Obwohl das Stellenangebot sehr reizvoll war, hat Antje darauf verzichtet. (wenn ... auch)
2 Die Speisen im Meier's sind zwar gesund, sie schmecken uns trotzdem nicht. (wie ... auch)
3 Das neue Kurhaus ist toll ausgestattet und hat Flair, aber es ist etwas abgelegen. (nur dass)
4 Marc macht gern längere Segeltörns, aber nicht, wenn lauter „Neulinge" an Bord sind. (außer wenn)
5 Ich kann an Pauschalreisen nichts Vorteilhaftes finden, aber sie sind oft sehr günstig. (außer dass)
6 Linda freut sich über Mitbringsel nur dann nicht, wenn sie geschmacklos sind. (es sei denn)

Je 1,5 Punkte   Ich habe _____ von 9 möglichen Punkten erreicht.

**b Ergänzen Sie in der richtigen Form: *zur Sprache bringen, zur Sprache kommen,
zur Verfügung stehen, zur Verfügung stellen, Kritik üben, auf Kritik stoßen.***

Auf der Teambesprechung des Reiseunternehmens _____ aktuelle Probleme
_____ (1). Dabei ging es um die Reisebusse, denn in letzter Zeit _____ die Reisenden häufig
an der schlechten Ausstattung der Fahrzeuge _____ (2). Mitreisende hatten sich beschwert,
dass keine Kühlschränke für Getränke _____ (3). Außerdem
_____ die unbequemen Sitze in manchen Bussen _____ massive _____ (4). Ein Mitarbeiter
_____ auch noch die mangelnde Vorbereitung mancher Reiseleiter _____ (5). Am Ende
wurde beschlossen, mehr Geld für die Ausstattung der Busse _____ (6).

Je 1 Punkt   Ich habe _____ von 6 möglichen Punkten erreicht.

## 3 Kommunikation

**Ergänzen Sie die Aussagen. Orientieren Sie sich dabei an den folgenden Wörtern:**
*Erholung – Vordergrund! / Hütte – prima! / Luxushotel – bloß nicht! / Familienpension – okay.*

a Wenn ich verreise, _____
b Als Unterkunft _____
c Ein Luxushotel _____
d Aber eine kleine Familienpension würde _____

Je 1,5 Punkte   Ich habe _____ von 6 möglichen Punkten erreicht.

---

**Auswertung:** Vergleichen Sie Ihre Lösungen mit S. AB 111.
Ihre Erfolgspunkte tragen Sie unter jeder Aufgabe ein.

| ☺ | ☺ | ☹ |
|---|---|---|
| 30–26 | 25–15 | 14–0 |

**Ich habe _____ von 30 möglichen Punkten erreicht.**

## 1 Rund ums Wissen

**a** Was passt? Ergänzen Sie.

> auffrischen · aufgreifen · auskennen · auswendig lernen · beherrschen · beibringen ·
> beurteilen · entwickeln · erfahren · bestehen · scheitern · ~~vertraut machen~~

1 sich mit der Funktionsweise eines Geräts  *vertraut machen*
2 für den Urlaub die Fremdsprachenkenntnisse _____
3 als Wissenschaftler eine neue Methode _____
4 ein Gedicht _____
5 jemandem das Skilaufen _____
6 aus der Zeitung _____, was in der Welt passiert
7 an einer schwierigen Aufgabe _____
8 den Stoff für die Prüfung gut können oder _____
9 als Lehrender die Leistung eines Studenten _____
10 ein Thema wieder _____
11 sich in einem Wissensgebiet besonders gut _____
12 die Führerscheinprüfung auf Anhieb _____

**b** Welche Adjektive passen zu Personen (= P), welche zu Aufgaben (= A), welche zu beiden?
Markieren Sie.

| | | | |
|---|---|---|---|
| ☒ A vielseitig | P A ehrgeizig | P A erfahren | P A knifflig |
| P A aufmerksam | P A nachdenklich | P A nützlich | P A abwechslungsreich |
| P A vielfältig | P A kreativ | P A klug | P A intelligent |

**3**

---

`zur Einstiegsseite, S. 37, Ü2`

## 2 In der Altsteinzeit

SCHREIBEN

**a** Ordnen Sie den Informationen links die Beispiele und Erläuterungen rechts zu.

1 Längste Epoche
der Menschheit

2 Ernährung als Jäger
und Sammler

3 Feuer als Lebens-
erleichterung

4 Neandertaler am
Ende der Epoche:
geschickt und
mit vielfältigen
Fertigkeiten

5 Nutzung von
Tierresten

6 Leben in der
Gruppe/Horde

A Zunächst Früchte, Wurzeln, Körner,
Insekten; später Fleisch, bessere Jagd-
waffen wie Speere, Pfeil und Bogen

B Herstellung von Werkzeugen, Jagd-
geräten und anderen Gegenständen
aus Knochen, Sehnen, Innereien, Fell
oder Leder

C Schutz vor Raubtieren und Kälte,
Licht, nicht nur rohe Nahrung

D Vorteile: leichtere Nahrungssuche,
besserer Schutz und Aufzucht des Nachwuchses,
bessere Jagd- und Lernmöglichkeiten

E Z. B. Erfindung der Nähnadel – Kleidung aus Tierfellen
und Zelte

F Beginn vor 1,5 Millionen – Ende vor 10 000 Jahren

**b** Verfassen Sie mithilfe dieser Vorgaben nun einen kurzen Text über die Altsteinzeit.

> *Das Leben des Menschen in der Altsteinzeit*
>
> *Die Altsteinzeit gilt als die längste Epoche der Menschheit.*

zu Lesen, S. 38, Ü2

## 3 Ein wichtiger Entwicklungsschritt 🖳 ÜBUNG 1 WORTSCHATZ

Ergänzen Sie in der richtigen Form.

> Lage · Kapazität · Verfügbarkeit · Vorfahre · ~~Wesen~~ · abhängen · allmählich · anschaulich · beeindruckend · erforderlich · schlau

### Unsere Vorfahren

Der Homo sapiens, also das menschliche  Wesen  (1), ist sehr anpassungsfähig. _____ (2) ist vor allem, unter welchen Lebensbedingungen er in der Steinzeit überlebte.

Unsere _____ (3) lebten einst als Jäger und Sammler unter schwierigen Umständen. Für ihr Überleben brauchten sie unterschiedliche Fertigkeiten und geistige _____ (4). Wer etwa auf der Jagd nicht erfolgreich war, besaß nicht die _____ (5) Eigenschaften und hatte somit eine geringere Chance zu überleben. Die steinzeitlichen Gemeinschaften waren nämlich nicht in der _____ (6), schwache Personen lange mit durchzufüttern. Das änderte sich erst, als die Spezies „Mensch" _____ (7) sesshaft wurde, das heißt, sich an einem Ort ansiedelte. Man baute nun Pflanzen an und züchtete Tiere, sodass die tägliche Ernährung nun nicht mehr allein davon _____ (8), was man erbeutete. Durch die längerfristige _____ (9) von Lebensmitteln konnte man auch Menschen, die weniger geschickt und _____ (10) waren, ernähren. Die Ur- und Frühgeschichte der Menschheit ist beispielsweise im Badischen Landesmuseum im Karlsruher Schloss sehr _____ (11) dargestellt.

zu Lesen, S. 38, Ü2

## 4 Rabenschwarze Intelligenz BUCHTIPP / LESEN

Lesen Sie den Buchtipp und ergänzen Sie die fehlenden Präpositionen.

 Von  (1) dem Zoologen Josef Reichholf erfahren wir _____ (2) 224 Seiten alles _____ (3) Raben und ihre Artverwandten. Gemeinhin gelten sie eher als Zerstörer _____ (4) Feldern und Mörder von Singvögeln, was aber viele nicht _____ (5) sie wissen: Sie sind besonders
5 intelligent und können ein enges und vertrautes Verhältnis _____ (6) Menschen und sogar anderen Tieren entwickeln.
_____ (7) der Typisierung der unterschiedlichsten Raben- und Krähenvögel und der Beschreibung ihrer Lebensweise geht es auch immer wieder _____ (8) die ganz persönlichen Erfahrungen des Autors _____ (9)
10 einzelnen Tieren: etwa mit dem Raben Mao, dessen Spezialität es war, den Hund des Autors _____ (10) geschickten Tricks zu überlisten. Mao schien sogar so etwas wie ein Unrechtsempfinden zu haben, denn er reagierte _____ (11) scheinbar ungerechte Behandlung _____ (12) Stehlen und Verstecken von Dingen. Beides sind jedenfalls Zeichen _____ (13) eine hohe Intelligenzleistung des gefiederten Tiers.
15 Alles in allem eine lesenswerte und spannende Abhandlung _____ (14) Tiere, die so gewöhnlich erscheinen und doch recht außergewöhnlich sind.

Josef H. Reichholf
**Rabenschwarze Intelligenz**
Was wir von Krähen lernen können

PIPER

zu Lesen, S. 39, Ü3

## 5 Intelligenz

a Unterstreichen Sie die Umschreibungen der Modalverben *können*, *müssen* und *wollen*.

### Wissenschaft und ihre Grenzen

<u>Ist es möglich</u>, Intelligenz zu erklären (1)? Es ist notwendig, weiter darüber nachzudenken, denn Psychologen und Naturwissenschaftler haben bisher keine eindeutige Lösung gefunden (2). Viele Wissenschaftler haben den Plan, Denkprozesse mithilfe moderner Computertomografen zu beobachten (3). Nur dann ist man vielleicht fähig, diese Prozesse einmal zu verstehen (4) und man braucht nicht zu spekulieren (5). Andere Forscher haben den Wunsch herauszufinden, wie das Gehirn Wissen speichert (6). Bis diese Ziele erreicht sind, ist es allerdings nötig, noch viel zu forschen (7).

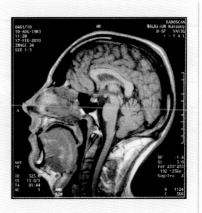

b Schreiben Sie die Formulierungen mit den passenden Modalverben neu.

*1 Kann man Intelligenz erklären?*

zu Lesen, S. 39, Ü3

## 6 Forschung

Unterstreichen Sie die Passiv-Ersatzformen und formulieren Sie die Sätze mit den Modalverben *können* oder *müssen* um. Manchmal sind beide Modalverben möglich.

1 Wie <u>ist</u> Intelligenz <u>zu definieren</u>?

*Wie kann / muss Intelligenz definiert werden?*

2 Manche Forschungsprojekte sind nur schwer realisierbar.

3 Circa 50 Prozent der Intelligenz sind auf genetische Faktoren zurückzuführen.

4 Im Computertomografen lassen sich die geistigen Tätigkeitsfelder im Gehirn bestimmen.

5 Die Präsentation der Untersuchungsergebnisse war leider unverständlich.

6 Der Text lässt sich sicher noch vereinfachen.

7 Beim Betreten des Labors sind die Vorschriften zu befolgen.

zu Lesen, S. 39, Ü3

## 7 Umschreibung der Modalverben *können*, *müssen* und *wollen*

Ordnen Sie die alternativen Ausdrücke dem richtigen Modalverb zu.

> ~~beabsichtigen~~ • es ist unumgänglich • bestrebt sein • imstande sein • die Chance haben •
> es bleibt einem nichts anderes übrig, als • haben + *zu* + Infinitiv • die Absicht haben •
> die Möglichkeit haben • gezwungen sein • die Intention haben • vermögen • vorhaben •
> es ist erforderlich • in der Lage sein • verpflichtet sein

| können | müssen | wollen |
|--------|--------|--------|
|        |        | *beabsichtigen* |
|        |        |        |
|        |        |        |
|        |        |        |

zu Lesen, S. 39, Ü3

## 8 Gehirn-Jogging  ÜBUNG 2, 3

Ergänzen Sie die Ausdrücke aus Übung 7. Manchmal passen mehrere Ausdrücke.

## Fitness mental

Jeder *hat die Möglichkeit* (können) (1), es selbst zu
beeinflussen, wie lange man geistig fit bleibt. Neugierig
bleiben, Neues ausprobieren, Neuigkeiten mit Freunden
5  austauschen – gut ist alles, was dem Gehirn neue Eindrücke
verschafft. Zum Beispiel _____ Sie mithilfe
von Gehirnjogging _____
(können) (2), Ihre Geisteskraft und Ihre Merkfähigkeit zu
steigern: Es _____ Ihnen allerdings nichts
10  _____ (müssen) (3), als sich pro Tag mindestens zweimal zehn
Minuten Zeit für Ihr Gedächtnis zu nehmen – einmal am Vormittag und einmal am Nachmittag.
Am Vormittag _____ Sie _____ (können) (4), eine der Gehirn-Jogging-
Aufgaben zu machen. Am Nachmittag lesen Sie einen Text, den Sie sowieso _____
(wollen) (5) zu lesen oder den Sie zu lesen _____ (wollen) (6). Für das Training
15  _____ es _____ (müssen) (7), die Seite umzudrehen, sodass die
Buchstaben auf dem Kopf stehen. Durch diese Übung _____ Sie _____
(können) (8), Ihr räumliches Vorstellungsvermögen zu aktivieren, sodass Ihr Gehirn abseits der
gewohnten Bahnen denkt. Wer _____ (wollen) (9), sein Gehirn
vor solche neuen Herausforderungen zu stellen, sollte allerdings darauf achten, dass er Freude an
20  diesen Aktivitäten hat. Denn es nützt nichts, sich zu einer Tätigkeit zu zwingen, nur weil sie gut
für den Kopf ist.

zu Schreiben, S. 40, Ü2

## 9 Wie umschreibt man …?

WORTSCHATZ

**a Was passt? Ordnen Sie zu.**

1 die Lerneinheit
2 die Muskulatur
3 der Reflex
4 der Reiz
5 die Rhetorik
6 der Säugling
7 der Vorsprung

A körperliche oder geistige Anregung/Stimulation
B unkontrollierte Reaktion auf einen Einfluss von außen
C sehr junger Mensch
D Bewegungsapparat des Körpers ohne Knochen und Sehnen
E Abstand vor Mitstreitern in einer Konkurrenzsituation
F Menge an neuem Wissen oder Können, die man sich aneignet
G die Kunst, so zu sprechen, dass es viele Menschen überzeugt

**b Ergänzen Sie die Verben in der richtigen Form.**

> jemandem etwas abverlangen · aktivieren · fördern ·
> sich etwas einprägen · stimulieren · vermarkten ·
> etwas nachvollziehen · ~~versäumen~~ · alles sträubt sich ·
> jemanden vertraut machen mit etwas

1 Wenn man bei einer Veranstaltung zu spät kommt, hat man den Anfang _versäumt_ .
2 Was man auf keinen Fall vergessen will, muss man _____ .
3 Wer die Gedanken und Gefühle einer anderen Person versteht, kann diese _____ .
4 Wenn man etwas absolut nicht will, dann _____ bei einem _____ dagegen.
5 Einen Computeraccount muss man _____ , bevor er funktioniert.
6 Wer eine Geschäftsidee gut _____ , kann dadurch zu Geld kommen.
7 Wenn man jemandem Hilfe und Unterstützung bietet, _____ man ihn.
8 Bei einer anspruchsvollen Aufgabe wird einem eine große Leistung _____ .
9 Eine neue Kollegin muss man mit ihren Aufgaben und den Arbeitsabläufen _____ .
10 Kaffee ist ein Getränk, das die meisten Menschen anregt und _____ .

zu Schreiben, S. 41, Ü3

## 10 Sagen Sie es anders. 💻 ÜBUNG 4

KOMMUNIKATION

**Ordnen Sie die entsprechenden Redemittel aus dem Kursbuch, S. 41, zu.**

1 Das ist sehr zu kritisieren. _Das ist besonders kritikwürdig_ .
2 Das kann ich nicht verstehen. _____ .
3 Die Situation ist mir ziemlich vertraut. _____ .
4 Das empfinde ich positiv. _____ .
5 Ich bin zu folgendem Schluss gekommen: _____ .
6 Das ist mein unverrückbarer Standpunkt. _____ .
7 In diesem Punkt bin ich der Meinung, dass _____ .
8 Das finde ich nicht so schlimm. _____ .

zu Schreiben S. 41, Ü4

**11 Umschreibung der Modalverben *dürfen* und *sollen***   GRAMMATIK ENTDECKEN

a   Lesen Sie einen Auszug aus einem Interview mit dem Pädagogen
    Dr. Max Schreiner und markieren Sie die Umschreibungen von *dürfen* und *sollen*
    in verschiedenen Farben.

> **Journalistin:** Herr Schreiner, wie war Ihre Kindheit?
> Was haben Ihre Eltern zugelassen (1), was war Ihnen
> untersagt (2)? Gibt es einen Unterschied zu heute?
>
> **Schreiner:** Meine Kindheit spielte sich hauptsächlich
> 5   draußen ab, meine Geschwister und ich hatten
> die Erlaubnis (3), nach der Schule auf den Wiesen
> hinter unserem Haus zu spielen, so konnten wir
> eigene Ideen für unsere Spiele entwickeln. Es war
> mir auch erlaubt (4), einfach mal nichts zu tun.
> 10   Länger als eine Stunde pro Tag fernzusehen war allerdings verboten. (5) Außerdem hatten
> wir eigentlich die Pflicht (6), den Müll runterzubringen und mit dem Hund rauszugehen – das
> haben wir leider manchmal vergessen. Heute erwartet man oft (7), dass die Kinder schon im
> Kindergarten unglaublich viel lernen, damit sie später einen Vorsprung haben und Karriere
> machen. Häufig haben Erzieherinnen von den Eltern den Auftrag (8), die Kinder ganz gezielt
> 15   zu fördern.
>
> **Journalistin:** Ist es empfehlenswert (9), den Kindern schon im Kindergarten etwas abzuverlangen,
> ihnen z. B. Mathematik oder Chemie beizubringen?
>
> **Schreiner:** Es wäre besser (10), wenn wir mit den Kindern reden würden, anstatt ihnen chemische
> Experimente vorzuführen. Kinder müssen das Recht haben (11), selbst kreativ zu werden und
> 20   dabei ihr eigenes Denken zu aktivieren. Es wäre ratsam (12), nicht bereits die Zeit im Kinder-
> garten damit zu verschwenden, Kindern unnützes Wissen beizubringen.

b   Ordnen Sie die Umschreibungen im Infinitiv in die Tabelle ein.

| dürfen | nicht dürfen | sollen | sollten (Konjunktiv II) |
|---|---|---|---|
| zulassen | | | |

zu Schreiben, S. 41, Ü4

**12 Frühförderung: ja oder nein?** ÜBUNG 5, 6   GRAMMATIK

Ersetzen Sie die Modalverben durch einen Ausdruck aus Übung 11b.

1 Kinder sollen so früh wie möglich eine andere Sprache lernen.
2 Meine Kinder dürfen alles machen, was ihnen Freude macht, solange sie die Schule nicht
  vernachlässigen.
3 Lehrer sollen Kinder auf das Leben vorbereiten.
4 In unserem Kindergarten dürfen die Kinder nichts Süßes mitbringen.

*1 Es ist empfehlenswert, dass Kinder so früh wie möglich eine andere Sprache lernen.*

# LEKTION 3

zu Hören, S. 42, Ü2

## 13 Alte Weisheiten oder Unsinn?

LESEN

a   Lesen Sie die folgenden Behauptungen. Was ist Ihrer Meinung nach *richtig, falsch*
    oder *stimmt nur zum Teil*? Ergänzen Sie in der mittleren Spalte.

|  | Meine Vermutung | Text |
|---|---|---|
| 1 Häufiges Haareschneiden fördert das Wachstum der Haare. | richtig | falsch |
| 2 Bei Fernflügen ist der Körper starker Strahlung ausgesetzt. | | |
| 3 Der Schlaf vor Mitternacht ist der beste. | | |
| 4 Der Mensch in Europa wird immer größer. | | |
| 5 Im Dunkeln zu lesen ist schlecht für die Augen. | | |
| 6 Auch kurzes Baden trocknet die Haut aus. | | |

b   Lesen Sie nun den Text. Ergänzen Sie in a in der rechten Spalte, ob die Behauptungen im Text
    als richtig oder falsch bewertet werden, und markieren Sie die jeweiligen Stellen im Text.
    Vergleichen Sie die Ergebnisse auch mit Ihren Vermutungen.

*Am besten ist der Schlaf vor Mitternacht, Baden trocknet die Haut aus und*
*Lesen im Dunkeln ist schlecht für die Augen.*

So lauten einige der gängigen Volksweisheiten. Aber welche davon sind wirklich richtig?

❶ <u>Der Haarwurzel ist es egal, wie oft sie geschnitten wird.</u> Frisch geschnittene Haare haben eine
5   klare Schnittkante und fühlen sich deshalb kräftiger und voller an als an den Spitzen gespal-
tene. Schon nach einigen Tagen sind sie dann wieder abgerundet und weicher. Ähnlich ist es
auch mit Bein- und Barthaaren.

❷ Mit zunehmender Höhe und Nähe zu einem Erdpol steigt die Strahlung, der man ausgesetzt
ist. Wissenschaftler stellten fest, dass auch schon ein Flug über den Atlantik den Körper etwa
10  so stark wie zwei Röntgenaufnahmen belastet, mehr noch, wenn die Route über den Nordpol
geht. Nicht unterschätzen sollten dies Vielflieger, Flugbegleiter und Piloten.

❸ Die meisten Deutschen legen sich gegen 23 Uhr schlafen, die erholsamste Schlafphase ist dann
bis circa vier Uhr morgens. Menschen, die sehr früh zu Bett gehen, haben demnach einen großen Teil des Tiefschlafs tatsächlich vor Mitternacht, in den ersten Stunden nach dem Einschlafen
15  also. Wichtig aber ist nicht der Schlaf vor Mitternacht, sondern sind regelmäßige Schlafzeiten.

❹ Seit 150 Jahren nimmt die durchschnittliche Größe der Menschen in Europa pro Jahr um bis zu
einen Millimeter zu, das haben Forscher ermittelt. In Wohlstandsgesellschaften steigt also die
durchschnittliche Körpergröße, besonders die Länge der Beine.

❺ Wer im Dämmerlicht, vielleicht sogar unter der Bettdecke liest,
20  tut seinen Augen nichts Gutes. Besonders bei Kindern bis 10
Jahren kann schlechtes oder zu wenig Licht beim Lesen die
Augenentwicklung negativ beeinflussen. Sehschwächen wie
Kurzsichtigkeit können laut Professoren der Augenklinik Frei-
burg eine Folge sein. Setzen Sie am besten immer folgenden
25  Tipp um: Licht an im Kinderzimmer!

❻ Wenn man nicht zu heiß und nicht zu lange badet, schadet es der Haut nicht. Bei bis zu
38 Grad sollte man spätestens nach 20 Minuten die Wanne verlassen haben. Mit ölhaltigen,
sanften Badesubstanzen, die die Haut schützen, und Eincremen nach dem Bad ist man auf der
sicheren Seite.

# LEKTION 3

zu Hören, S. 43, Ü3

## 14 Neue Erkenntnisse

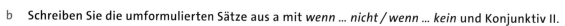

**a** Schreiben Sie Sätze mit *so ... dass* oder *sodass*.

1 Die Schwanzfedern des Urvogels hatten eine aerodynamische Form, folglich haben sie auch beim Fliegen eine große Rolle gespielt.
2 Das Meerwasser hat sich stark erwärmt, deshalb können immer mehr Tiere wie Krabben oder Krebse in die Nordsee wandern.
3 Man hat herausgefunden, dass Monokulturen landwirtschaftlich besonders effektiv sind. Infolgedessen werden immer mehr Flächen auf diese Weise bepflanzt.

*1 Die Schwanzfedern des Urvogels hatten eine so aerodynamische Form, dass sie auch beim Fliegen eine große Rolle gespielt haben.*

**b** Schreiben Sie die umformulierten Sätze aus a mit *wenn ... nicht / wenn ... kein* und Konjunktiv II.

*1 Wenn die Schwanzfedern des Urvogels keine aerodynamische Form gehabt hätten, hätten sie auch beim Fliegen keine große Rolle gespielt.*

zu Hören, S. 43, Ü3

## 15 Irreale Folgesätze

**a** Markieren Sie die Unterschiede in den beiden Spalten.

| | |
|---|---|
| 1 „Glücklich durch Schokolade!": Das hört sich für mich <u>so</u> fantastisch an, <u>dass</u> ich es <u>nicht glaube</u>. | „Glücklich durch Schokolade!": Das hört sich für mich <u>zu</u> fantastisch an, <u>als dass</u> ich es <u>glauben würde</u>. |
| 2 „Schöner werden durch Pillen!": Manche Versprechen klingen so verlockend, dass sie nicht wahr sein können. | „Schöner werden durch Pillen!": Manche Versprechen klingen zu verlockend, um wahr sein zu können. |
| 3 „Reicher werden durch Nachdenken!": Manche Behauptungen sind so absurd, dass man sie nicht glauben darf. | „Reicher werden durch Nachdenken!": Manche Behauptungen sind zu absurd, als dass man sie glauben dürfte. |
| 4 „Wörter lernen im Schlaf": Das klingt leider so einfach, dass es nicht stimmen kann. | „Wörter lernen im Schlaf": Das klingt leider zu einfach, um stimmen zu können. |
| 5 „Erfolgreich durch positives Denken!": Einigen Unsinn hat man schon <u>so</u> oft gehört, <u>dass</u> man ihn <u>nicht mehr</u> ernst <u>nimmt</u>. | „Erfolgreich durch positives Denken!": Einigen Unsinn hat man schon <u>zu</u> oft gehört, <u>als dass</u> man ihn <u>noch</u> ernst <u>nehmen würde</u>. |

**b** Ergänzen Sie.

> Konjunktiv II · zu viel · noch · Folge

Irreale Folgesätze drücken aus, dass es von dem Sachverhalt im Hauptsatz _____ oder zu wenig gibt, weshalb eine bestimmte _____ nicht eintreten kann. Meistens wird der _____ verwendet. *Nicht mehr / Keine mehr* wird zu _____.

zu Hören, S. 43, Ü3

## 16 Rund ums Schlafen 🖥 ÜBUNG 7, 8, 9

GRAMMATIK

**Schreiben Sie die Sätze mit *zu ...*, *als dass* oder *zu ...*, *um ... zu*.**

1 Ohne ausreichenden Schlaf ist man so müde, dass man keine
körperlichen oder geistigen Leistungen mehr erbringen kann.
*Ohne ausreichenden Schlaf ist man zu müde,*
*um noch körperliche oder geistige Leistungen*
*erbringen zu können.*

2 In manchen Schlafzimmern ist es so warm, dass man nicht
mehr gut und erholsam schlafen kann.

3 Gerade im Frühjahr sind einige Leute tagsüber oft so müde, dass sie ihre volle Leistungskapazität
nicht erreichen können.

4 Manche Menschen schlafen so unruhig, dass ihr Körper keine Erholung findet.

5 Ausreichender Schlaf ist so wichtig, dass man ihn nicht aufs Spiel setzen darf.

6 Manche Leute schnarchen so laut, dass ihre Partner nicht einschlafen können.

zu Sprechen, S. 45, Ü3

## 17 Talk nach acht

HÖREN

 **11**
CD|AB

Hören Sie eine Radiodiskussion zum Thema „Brauchen Erstwähler Nachhilfe in Politik
und Landeskunde? Wäre ein Pflichtkurs sinnvoll?" Wer sagt was? Markieren Sie.

|  | Mode-rator | Dr. Weg-mann | Prof. Kist | Julia Brausig |
|---|---|---|---|---|
| 1 Wünschenswert wären Wähler, die ihre Stimme nicht nur nach reinen Gefühlsentscheidungen abgeben. | ☐ | ☒ | ☐ | ☐ |
| 2 Wir bitten auch die Radiohörer, ihre Meinung zum Thema zu äußern. | ☐ | ☐ | ☐ | ☐ |
| 3 Junge Menschen brauchen manchmal Druck von außen, um aktiv zu werden. | ☐ | ☐ | ☐ | ☐ |
| 4 Ein deutscher Pass allein sagt noch nichts über die politische und gesellschaftliche Reife einer Person aus. | ☐ | ☐ | ☐ | ☐ |
| 5 Es gibt Schulfächer, die junge Menschen politisch bilden. | ☐ | ☐ | ☐ | ☐ |
| 6 Man wird noch über die möglichen Formen solcher Politikkurse sprechen. | ☐ | ☐ | ☐ | ☐ |
| 7 Manchmal erreicht man mit verpflichtenden Kursen das Gegenteil dessen, was man sich erhofft hatte. | ☐ | ☐ | ☐ | ☐ |

zu Sprechen, S. 45, Ü3

## 18 Diskussionsleitung und Argumentation 🖳 ÜBUNG 10, 11    KOMMUNIKATION

a   Lesen Sie Auszüge aus der Diskussionsrunde in Übung 17 und ergänzen Sie
    die Verben in der richtigen Form.

> wünschen · nachvollziehen · erweisen · legen ·
> ~~auseinandersetzen~~ · sein · einholen

**Moderator:** Herzlich willkommen zu unserer Sendung „Talk nach acht". Heute wollen wir uns
mit der folgenden Fragestellung _auseinandersetzen_ (1): Sollte jede Bürgerin und jeder
Bürger eines Landes, bevor sie oder er zum ersten Mal wählen darf, einen Pflichtkurs in
Landeskunde und Politik absolvieren? Anschließend wollen wir uns am Hörertelefon
5  noch ein Meinungsbild von unseren Zuhörern _____ (2). Können Sie die
Forderung nach einem verpflichtenden Politikkurs _____ (3)?

**Dr. Wegmann:** Natürlich würde man sich manchmal _____ (4), dass bei Wahl-
entscheidungen nicht so sehr der erste Eindruck und die Sympathie für den Kandidaten
entscheiden, sondern dass mehr Gewicht darauf _____ (5) wird, ob sich die
10  Wahlkampfversprechen als seriös _____ (6) ...
Dabei _____ (7) etwas mehr Hintergrundinformationen sicherlich von Vorteil.

b   Ergänzen Sie die Nomen.

> Gewicht · Standpunkt · Argumente · Frage · Punkt · Forderung

**Professor Kist:** Kein unwichtiges Anliegen, und ein zentraler
_____ (1) ist doch die Frage, wie man die Bürger
in noch stärkerem Maße zu politisch interessierten und aktiven
Mitgestaltern der Gesellschaft machen kann. Man kann dabei
5  durchaus den _____ (2) vertreten, dass allein die
Staatsbürgerschaft einen nicht automatisch mit 18 Jahren zu
einem reifen und mündigen Bürger macht, und dass man diese
Reife dann nachweisen sollte.

**Julia Brausig:** In der Schule wurde im Sozialkundeunterricht auch
10  größeres _____ (3) auf das Thema „Wahlen und
politische Inhalte" gelegt, das finde ich gut. Im Grunde kann ich
dieser _____ (4) schon zustimmen, denn viele Leute
sind einfach zu faul oder denken, es wäre zu aufwendig, sich gut
über Politik zu informieren.

15  **Moderator:** Alles in allem haben wir also bisher durchaus gewichtige
_____ (5) sowohl für als auch gegen einen Pflicht-
kurs in Politik gehört. Die _____ (6), wie man solche
Kurse ganz konkret umsetzen kann, ob als Kurs mit Anwesenheits-
pflicht oder auch als Onlinekurs, werden wir später noch einmal
20  aufgreifen.

🎧 11
CD I AB
c   Hören Sie die Radiosendung aus Übung 17 nun noch einmal und
    kontrollieren Sie Ihre Lösungen.

zu Sprechen, S. 45, Ü4

## 19 Eignungstests

Lesen Sie die Informationen zu neuen Bewerbungsverfahren und ergänzen Sie
die Adjektivendungen.

### Die neue Suche nach geeigneten Mitarbeitern

Viele Arbeitgeber verlassen sich heute immer weniger auf einen klar strukturiert **en** (1)
Lebenslauf, gut_____ (2) Zeugnisse, ein aussagekräftig_____ (3) Bewerbungsgespräch und
damit auf den erst_____ (4) Eindruck, stattdessen wollen sie selbst testen: Ist der Kandidat
5  für den infrage kommend_____ (5) Job geeignet? Wie gut ist seine Allgemeinbildung? Und
wie sieht es mit dem logisch_____ (6) Denken aus? Ein Eignungstest gehört heute oft zu den
Bewerbungsprozessen dazu, denn er sagt meist sehr viel mehr über einen potenziell_____ (7)
neu_____ (8) Mitarbeiter aus als eine üblich_____ (9) Bewerbungsmappe. Man sollte also bei
jeder neu_____ Bewerbung damit rechnen, einen eigens für die Firma entwickelt_____ (10)
10  Eignungstest absolvieren zu müssen. Doch keine Angst, mit der richtig_____ Vorbereitung
stellt das kein echt_____ (11) Problem dar.

zu Sprechen, S. 45, Ü4

## 20 Adjektivdeklination nach Artikelwörtern und nach Adjektiven / unbestimmten Zahlwörtern

**GRAMMATIK ENTDECKEN**

a  Lesen Sie den Artikel weiter und markieren Sie die Artikelwörter *alle*, *solche*, *keine*,
*sämtliche* und die folgenden Adjektivendungen rot.

Bei Eignungstests ist es so wie bei fast allen wichtigen Dingen im Leben: Die Vorbereitung ist
entscheidend! Auch für solche eher unangenehmen Tests kann man üben! Bestimmte Sachen
wiederholen sich, wie einige immer gleiche Fragen zu verschiedenen aktuellen oder histori-
schen Geschehnissen oder viele ähnliche Übungen zum logischen Denken. Bei zahlreichen tech-
5  nischen Berufen gibt es zusätzlich mathematische Aufgaben. Wer hier keine weiteren Fragen hat,
kann gleich beim Probetest weitermachen. Sämtliche gegebenen Antworten werden in „richtig"
oder „falsch" sortiert. Und wer noch Fragen hat, sollte zuerst folgende weiterführende Hinweise
lesen. Nach mehreren gelungenen Probetests sollten Sie für den Ernstfall fit sein, also klicken Sie
sich weiter zum Erfolg!

b  Markieren Sie dann die Adjektive / Zahlwörter *einige, verschiedene, viele, zahlreiche,*
*folgende, mehrere* und die folgenden Adjektivendungen blau.

c  Vergleichen Sie die Endungen nach Nullartikel bzw. bestimmtem Artikel und
unterstreichen Sie die Unterschiede.

|   | Artikel | Adjektiv / unbestimmtes Zahlwort | Adjektiv | Nomen |
|---|---------|----------------------------------|----------|-------|
| 1 |         | viele                            | ähnliche | Übungen |
| 2 | die     | vielen                           | ähnlichen | Übungen |
| 3 |         | wenige                           | einfache | Fragen |
| 4 | die     | wenigen                          | einfachen | Fragen |

zu Sprechen, S. 45, Ü4

**21 Ein – nicht ganz ernst gemeinter – Verkäufer-Test** 🖳 ÜBUNG 12, 13, 14     GRAMMATIK

a    **Ergänzen Sie die Endungen.**

## Test für angehende Verkäufer

Sie haben sich bei uns beworben, wissen aber nicht, wie Sie sich auf unseren Einstellungstest vorbereiten können? Als kleinen Einblick finden Sie
5    im Folgenden eine unserer möglichen Testfragen:

**Die Öffnungszeiten Ihrer Filiale sind von 8.00 Uhr bis 20.00 Uhr. Um 20.10 Uhr befinden sich immer noch einig e verspätet e (1) Kunden im Betrieb. Wie reagieren Sie? Markieren Sie.**

10    Möglichkeit 1 ☐

    Ich bitte all____ anwesend____ (2) Kunden durch die Haussprechanlage höflich, sich zu den Kassen zu begeben, da die Öffnungszeit von 8.00 Uhr bis 20.00 Uhr vorbei ist. Ich wünsche den Kunden und sämtlich____ verblieben____ (3) Mitarbeitern einen guten Heimweg.

    Möglichkeit 2 ☐

15    Ich laufe durch all____ vorhanden____ (4) Räume und fordere einig____ verspätet____ (5) Kunden auf, den Laden zu verlassen. Es gibt kein____ weiter____ (6) Probleme, denn erfahrungsgemäß werden solch____ direkt____ (7) Aufforderungen von den Kunden befolgt.

    Möglichkeit 3 ☐

    Die Öffnungszeiten sind am Kundeneingang sowie in jeder Abteilung an mehrer____
20    deutlich sichtbar____ (8) Plätzen ausgewiesen. Der Kunde hatte die Möglichkeit, sich daran zu halten. Ich kenne schon verschieden____, wenig überzeugend____ (9) Ausreden von zahlreich____ verspätet____ (10) Kunden. Ich habe eine Verabredung, deshalb packe ich meine Sachen und gehe.

    Sie möchten sich mit verschieden____ weiter____ (11) Fragen umfassend auf Ihren Einstel-
25    lungstest vorbereiten? Dazu empfehlen wir Ihnen unser Prüfungspaket mit viel____ zusätzlich____ (12) Original-Testfragen.

b    **Schreiben Sie Sätze.**

1 geben / auch / viel____ / kritisch____ / Stimmen zu Eignungstests
    *Es gibt auch viele kritische Stimmen zu Eignungstests.*

2 folgend____ / wichtig____ / Aspekte / man / sich klar machen / sollte

3 einig____ / angehend____ / Bewerber / einfach / mal / schlecht____ / Tag / haben

4 auf / solch____ / individuell____ / Besonderheiten / Test / kein____ Rücksicht nehmen

5 all____ / nicht erfolgreich____ / Bewerber / zweit____ / Versuch / machen sollten

zu *Wussten Sie schon?*, S. 46

## 22 Eine Fabel interpretieren

SCHREIBEN

**Lesen Sie die Fabel und verfassen Sie dazu eine kurze Interpretation,
in der Sie auf folgende Fragen eingehen.**

1 In welcher Situation befinden sich die Tiere?
2 Welche menschlichen Eigenschaften verkörpern sie dabei?
3 Was wird indirekt kritisiert?
4 Wie endet die Fabel und welche Moral kann/sollte der Leser daraus ableiten?

### Vom Frosch und der Maus

*Fabel von Martin Luther*

Eine Maus wäre gerne über einen Teich gelaufen,
konnte es aber nicht und bat einen Frosch um Hilfe.
5  Der Frosch, ein hinterlistiges Kerlchen, sprach zur
Maus: „Binde deinen Fuß an meinen Fuß, so will ich
schwimmen und dich hinüberziehen."
Als sie aber auf das Wasser kamen, tauchte der Frosch
hinunter und wollte die Maus ertränken. Während die
10 Maus sich nun wehrte und arbeitete, flog ein Raubvogel
daher und erhaschte die Maus. Er zog dabei den Frosch
auch mit heraus und fraß sie beide.

„ *In dieser Fabel ... die Hauptfiguren:*
*Sie erleben ...*
*... wird ... als besonders ... dargestellt, ... ist eher ...*
*Damit werden menschliche Eigenschaften wie ...*
*Das Ende der Geschichte zeigt auf, was passiert, wenn ...*
*Die Moral könnte also folgendermaßen lauten: ...* "

*In der Fabel sind folgende Tiere die Hauptfiguren:*

_____

_____

_____

zu Wortschatz, S. 46, Ü1

## 23 Die Sonne und der Wind

HÖREN

CDIAB

**Hören Sie eine Fabel des deutschen Dichters Johann Gottfried von Herder
und ergänzen Sie die Sätze sinngemäß.**

1 Die Sonne und der Wind hatten einen Streit darüber, ...
2 Sie einigten sich darauf, dass ...
3 Als Erstes versuchte der Wind, ...
4 Aber der Wanderer ...
5 Die Sonne probierte es folgendermaßen: ...
6 Daraufhin musste der Wanderer ...
7 Gewonnen hat den Streit also ..., weil ...

*1 Die Sonne und der Wind hatten einen Streit darüber, wer von beiden der Stärkere sei ...*

# LEKTION 3

zu Wortschatz, S. 46, Ü1

## 24 Charaktereigenschaften ▣ ÜBUNG 15                    WORTSCHATZ

### Was passt? Ordnen Sie zu.

> eitel · einfältig · gemein · gutmütig · listig · naiv ·
> schlau · ~~töricht~~ · überlegen · weise · eingebildet

1 Wer immer alles glaubt, ist _____ .
2 Wer Freude daran hat, anderen zu schaden, ist _____ .
3 Wer vieles/alles mit sich machen lässt, ist _____ .
4 Wer komplexe Aufgaben schnell versteht, ist _____ .
5 Wer aus wiederholten Fehlern nicht lernt, ist *töricht* .
6 Wer vor allem auf seine äußere Erscheinung bedacht ist, ist _____ .
7 Wer die einfachsten Zusammenhänge nicht versteht, ist _____ .
8 Wer denkt, dass er besser und klüger als andere ist, ist _____ .
9 Wer in einer Situation jemand anderen übertrifft, ist _____ .
10 Wer andere austrickst, ist _____ .
11 Wer durch Lebenserfahrung gelernt hat, ist _____ .

zu Sehen und Hören, S. 47, Ü3

## 25 Die Machart eines Animationsfilms                    WORTSCHATZ

### Was passt? Markieren Sie.

Der fünfminütige Animationsfilm „Das Wissen der Welt" kommt ganz ohne (Sprache)/Ton (1) aus und *aktiviert/beeindruckt* (2) durch seine Machart.

Die Personen sehen aus wie *handgefertigte/anschauliche* (3) Figuren aus Knetmasse. Mimik und Gestik sind kaum *adäquat/ausgeprägt* (4), die Figuren können lediglich ihre Augen rollen; ihre *Bewegungen/Reflexe* (5) sind eher eckig, dadurch wirken sie langsam und unbeholfen. Dennoch erkennt man die *Fertigkeiten/Beweggründe* (6) für ihr Handeln und scheint ihre Gefühle zu verstehen, beispielsweise als der „alte" Ägypter das Experiment mit der Zeitmaschine so lange probiert, bis es ihm schließlich *gefällt/gelingt* (7).

Die *Requisiten/Beute* (8), wie zum Beispiel die Inneneinrichtung der Bibliothek mit alten Papyrusrollen oder die Zeitmaschine, sind mit viel Liebe zum Detail gemacht. Diese Gegenstände *erzählen von/erinnern an* (9) Kinderspielzeug für eine Puppenstube oder einen Miniaturkaufladen.

Es gibt nur wenige *Rollenwechsel/Szenenwechsel* (10), dafür einige Schnitte innerhalb der Szenen, die entweder in der Bibliothek im alten Alexandria oder im Schnellimbiss der heutigen Zeit *spielen/drehen* (11). Insgesamt ist das Tempo im Film langsam und *bedächtig/verdächtig* (12).

Deutlich hört man die *Töne/Geräusche* (13), die durch die Handlungen der Personen verursacht werden, beispielsweise bei der Bedienung der Geräte oder der Zeitmaschine und beim Braten der Hamburger. Zusätzlich ist der Film in den Szenen, in denen er im alten Ägypten spielt, noch mit Instrumentalklängen *stabilisiert/unterlegt* (14).

Alles in allem *machen/probieren* (15) wohl zwei Dinge den Zauber dieses Animationsfilms aus: Einerseits beschränkt er sich auf das Wesentliche – sei es in der Sprache, im Tempo, in den Bewegungen oder Handlungen –, andererseits wird der Film durch die liebevoll gestalteten Figuren und Requisiten auch ganz *unmittelbar/unlängst* (16) (be)greifbar.

# LEKTION 3 LERNWORTSCHATZ

der Bauer, -n
die Eiszeit, -en
die Fähigkeit, -en
die Fertigkeit, -en
die Geschicklichkeit (Sg.)
der Jäger,
der Krieger, -
das Mittelalter (Sg.)
der Ritter, -
der Sammler, -
der Siedler, -
die Steinzeit (Sg.)
die Vorsicht (Sg.)

existenziell

der Homo sapiens (Sg.)
die Kapazität, -en
die Merkfähigkeit (Sg.)
die Spezies, -
die Verfügbarkeit (Sg.)
der Vorfahre, -n
das Wesen, -

abhängen von, hing ab,
   hat abgehangen
beeindrucken
einstellen (hier: beenden)
entgegenstehen, stand entgegen,
   hat/ist entgegengestanden
schwinden, schwand,
   ist geschwunden
vererben

abwärtsgehen, es ging abwärts,
   es ist abwärtsgegangen
imstande sein

anschaulich
ausgeprägt
eigenständig
erforderlich
numerisch
schlau

allmählich
lediglich
hingegen

die Lerneinheit, -en
der Reflex, -e
der Reiz, -e
die Rhetorik (Sg.)
das Symbol, -e
der Vorsprung (Sg.)

jemandem etwas abverlangen
sich (Dat.) etwas einprägen
fördern
stabilisieren
stimulieren
sich sträuben
versäumen
zuordnen

etwas sträubt sich bei jemandem
jemanden vertraut machen mit

großflächig

neulich

das ist mir nicht ganz unbekannt

Alzheimer (Sg.)
das Gehirn, -e

schlafen über (+ Akk.), schlief,
   hat geschlafen
umsetzen
unterschätzen

angespannt

ein guter Vorsatz

der Betriebsrat, ⸚e
die Eignung (Sg.)
die Empathie (Sg.)

sich auseinandersetzen mit
sich erweisen als, erwies sich,
   hat sich erwiesen
festhalten, hielt fest,
   hat festgehalten
etwas gelten lassen, ließ gelten,
   hat gelten lassen
optimieren

Gewicht legen auf (+ Akk.)
einen Standpunkt vertreten,
   vertrat, hat vertreten
von Vorteil sein
etwas im Visier haben

adäquat
aufwendig
intellektuell
renommiert
standardisiert

alles in allem

die Antike (Sg.)
die Belehrung, -en
die Verfremdung, -en
die Fabel, -n
der Fuchs, ⸚e
die Moral (Sg.)

jemandem schmeicheln
jemandem überlegen sein
jemandem etwas zuschreiben,
   schrieb zu, hat zugeschrieben

jemandem einen Spiegel
   vorhalten, hielt vor,
   hat vorgehalten

eitel
einfältig
empört
gemein
gutmütig
listig
naiv
töricht
weise

das Requisit, -en

unmittelbar

3

# LEKTIONSTEST 3

## 1 Wortschatz

**Was ist richtig? Markieren Sie.**

1 Bei schwierigen Aufgaben wird *einem etwas abverlangt / man gefördert*.
2 Wer einer anderen Person Komplimente macht, *hält ihr einen Spiegel vor / schmeichelt ihr*.
3 Wer sich Dinge gut merken will, muss *sich mit ihnen vertraut machen / sie sich einprägen*.
4 Durch Reize von außen kann man den Körper *stimulieren / stabilisieren*.
5 Interessante Wissenssendungen im Fernsehen sollte man nicht *festhalten / versäumen*.
6 Wer etwas besser kann als die anderen, ist *gutmütig / überlegen*.
7 Ein anderer Begriff für „einfältig" ist *töricht / gemein*.

Je 1 Punkt   **Ich habe _____ von 7 möglichen Punkten erreicht.**

## 2 Grammatik

**a Schreiben Sie die Sätze auf ein separates Blatt mit *imstande sein, die Gelegenheit haben, das Recht haben, bestrebt sein, verpflichtet sein, untersagt sein, ratsam sein, nichts anderes übrig bleiben als* neu.**

1 Morgen kann ich dich leider nicht anrufen, da bin ich auf Fortbildung.
2 Während des Experiments darf man nicht telefonieren.
3 Bei großer Nervosität sollte man pflanzliche Beruhigungstropfen einnehmen.
4 Einige Eltern wollen ihre Kinder schon in jungen Jahren zum Leistungsdenken erziehen.
5 Wer Mitglied im Sportverein ist, darf die Fitnessgeräte immer nutzen.
6 Manche Lehrer können das Potenzial ihrer Schüler nicht richtig einschätzen.
7 Wer einen Vertrag unterschreibt, muss die vereinbarten Inhalte befolgen.
8 Wenn Simone die Führerscheinprüfung nicht besteht, muss sie noch einmal antreten.

Je 1,5 Punkte   **Ich habe _____ von 12 möglichen Punkten erreicht.**

**b Irreale Folge: Schreiben Sie Sätze mit *zu ..., als dass ...* oder, wenn möglich, mit *zu ..., um ... zu* auf ein separates Blatt.**

1 Das Leben in der Steinzeit war sehr hart. Man fütterte schwächere Menschen nicht durch.
2 Ältere Personen sind oft sehr stolz. Sie wollen sich in ungewohnten Situationen nicht helfen lassen.
3 Studenten wird an der Uni manchmal sehr viel abverlangt. Sie können ihr Lernpensum nicht schaffen.

Je 2 Punkte   **Ich habe _____ von 6 möglichen Punkten erreicht.**

## 3 Kommunikation

**Ordnen Sie zu.**

| | |
|---|---|
| 1 Heute wollen wir uns | A eine prinzipielle Eignung für eine Tätigkeit feststellen. |
| 2 Einerseits lässt sich damit | B Gewicht auf Eigenständigkeit gelegt wird. |
| 3 Andererseits halte ich | C später noch mal aufgreifen. |
| 4 Natürlich haben solche Tests | D mit dem Thema „Eignungstests" auseinandersetzen. |
| 5 Du lässt also das Argument von Lisa | E ihre Berechtigung, aber man sollte ... |
| 6 Ich würde mir wünschen, dass mehr | F dazu noch äußern? |
| 7 Das kann ich so nicht | G nachvollziehen. Bitte erklär mir, wie du das meinst. |
| 8 Diesen Punkt können wir | H gelten, meinst aber auch, man müsste ... |
| 9 Wer möchte sich | I also festhalten: ... |
| 10 Abschließend können wir | J solche Testverfahren für problematisch. |

Je 0,5 Punkte   **Ich habe _____ von 5 möglichen Punkten erreicht.**

---

**Auswertung:** Vergleichen Sie Ihre Lösungen mit S. AB 111.
Ihre Erfolgspunkte tragen Sie unter jeder Aufgabe ein.

|  😊 | 😐 | 🙁 |
|---|---|---|
| 30–26 | 25–15 | 14–0 |

**Ich habe _____ von 30 möglichen Punkten erreicht.**

## 1 Kreuzworträtsel

**Ergänzen Sie die passenden Wörter im Kreuzworträtsel.**
**Die markierten Buchstaben, von oben nach unten gelesen, ergeben das Lösungswort.**

- ■ Hast du zufällig die _(1)_ für die Stelle im Marketing im Newsletter gesehen?
- ◆ Ja, habe ich. Ich bin aber nicht interessiert. Leider erfülle ich die _(2)_ wohl nicht.
- ■ Ich überlege mir schon, ob ich eine _(3)_ losschicke.
- ◆ Willst du das wirklich? Zu den Aufgaben gehören auch Reisen zu internationalen _(4)_.
- ■ Welche _(5)_ müssen die Bewerber denn noch mal mitbringen? Ich erinnere mich gerade nicht mehr.
- ◆ Abitur und Auslandserfahrung. Man soll außerdem gut reden können, damit man das _(6)_ und seine Produkte positiv darstellen kann.
- ■ Klingt doch gut. So etwas könnte ich mir vorstellen. Ich brauche jetzt mal eine neue _(7)_.
- ◆ Ich dachte, dir gefällt deine _(8)_ als Assistentin der Bereichsleitung?
- ■ Aber ich habe ja etwas ganz anderes studiert. Ich möchte eine Arbeit, die meiner _(9)_ entspricht.
- ◆ Hast du etwas über die Atmosphäre im _(10)_ gehört, also wie da so die Stimmung ist?
- ■ Soweit ich weiß, sollen sich die _(11)_ dort sehr wohlfühlen.

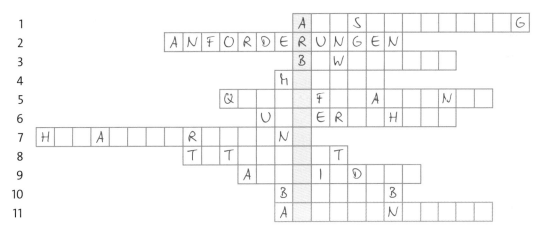

| | | | | | | | | | | | | | | |
|---|---|---|---|---|---|---|---|---|---|---|---|---|---|---|
| 1 | | | | | | A | | S | | | | | | G |
| 2 | A | N | F | O | R | D | E | R | U | N | G | E | N | |
| 3 | | | | | | B | | W | | | | | | | |
| 4 | | | | | | H | | | | | | | | | |
| 5 | | | Q | | | F | | A | | N | | | | | |
| 6 | | | | U | | E | R | | H | | | | | | |
| 7 | H | | A | | R | | N | | | | | | | | |
| 8 | | | | T | T | | | | T | | | | | | |
| 9 | | | A | | | I | | D | | | | | | | |
| 10 | | | | B | | | | B | | | | | | | |
| 11 | | | | A | | | | N | | | | | | | |

*Wie heißt das Lösungswort?* _____

---

zur Einstiegsseite, S. 49, Ü2

## 2 Ingenieur – Traumjob oder Albtraum?

**Was passt nicht? Streichen Sie durch.**

1 *Der Beruf / ~~Die Berufung~~* des Ingenieurs ist sehr abwechslungsreich.
2 Manche müssen bis tief in die Nacht *schuften/schnuppern*.
3 Schichtarbeit verlangt *Balance/Leidenschaft* für den Beruf, denn sie ist körperlich sehr anstrengend.
4 Zu ungewöhnlichen Uhrzeiten zu arbeiten, etwa nachts oder an Feiertagen, *verlangt/verspricht* Ausdauer.
5 Dafür ist die Bezahlung häufig *übersichtlich/überdurchschnittlich*.
6 Es gibt Menschen, die ihre Tätigkeit als *Beruf/Berufung* empfinden.
7 Man sollte am Wochenende richtig *ausspannen/schuften*.
8 Man sollte darauf achten, eine *Balance/Leidenschaft* zwischen Arbeit und Privatleben herzustellen.

zu Lesen 1, S. 50, Ü2

## 3 Mangelhafte Einarbeitung 🖥 ÜBUNG 1                    WORTSCHATZ

**Ergänzen Sie in der richtigen Form.**

> ausloten · ~~führen~~ · machen · erfüllen ·
> folgen · liegen · schauen · streben

Alexandra: Linda hat mir erzählt, dass ihr der neue Job nicht besonders gefällt.

Tristan: Wirklich? Sie hat sich doch nur bei dieser einen Firma beworben. Ich finde, man sollte möglichst viele Bewerbungsgespräche _führen_ (1).

Alexandra: Ja, das finde ich auch. Bevor man sich entscheidet, sollte man alle sich bietenden Möglichkeiten für eine neue Stelle sorgfältig _____ (2).

Tristan: Was Linda offenbar vermisst, ist eine richtige Einarbeitung. Sie hat kaum Gelegenheit, ihren Kollegen über die Schulter zu _____ (3).

Alexandra: Echt? Ich mag es nicht, einem Kollegen auf Schritt und Tritt zu _____ (4). Da fühle ich mich wie ein Anfänger.

Tristan: Klar _____ (5) jeder danach, möglichst selbstständig arbeiten zu können.

Alexandra: Es scheint so, als ob dieser Job echt einseitig wäre. Einige von Lindas Talenten _____ (6) offensichtlich brach. Wichtig ist doch, dass man sagen kann: Die tägliche Arbeit macht mir Spaß und sie _____ (7) mich.

Tristan: Ich sehe das weniger streng. Die berufliche Tätigkeit ist zwar ein Teil von mir, aber sie _____ (8) doch die Person nicht aus, oder?

────────────────────────────── **WIEDERHOLUNG GRAMMATIK**

zu Lesen 1, S. 51, Ü4

## 4 Der falsche Beruf?

a In welchen dieser subjektlosen Passivsätze muss *es* stehen, in welchen nicht? Markieren Sie.

| | nicht nötig | nötig |
|---|---|---|
| 1 Es wird häufig innerlich gegen die Eintönigkeit im Beruf protestiert. | X | |
| 2 Es wird mit der Suche nach einer beruflichen Alternative begonnen. | | |
| 3 Es wird nachgedacht und diskutiert. | | |
| 4 Es wird nach alternativen Berufswünschen und Hobbys gesucht. | | |
| 5 Es wird nachgefragt und herumgefragt. | | |
| 6 Es kann vielen Ratsuchenden bei der neuen Berufswahl von Profis geholfen werden. | | |
| 7 Es wird dafür auf verschiedenen Internetportalen geworben. | | |
| 8 Es wurde auf diese Weise vielen Menschen geholfen, beruflich noch einmal neu anzufangen. | | |

b **Schreiben Sie die Sätze aus a, in denen *es* nicht nötig ist, ohne *es*.**

> 1 Häufig wird innerlich gegen die Eintönigkeit im Beruf protestiert.
> Gegen die Eintönigkeit im Beruf wird häufig innerlich protestiert.

# LEKTION 4

zu Lesen 1, S. 51, Ü4

## 5 *Es* als nicht-obligatorisches Satzelement  GRAMMATIK ENTDECKEN

a Worauf verweist *es* in den folgenden Sätzen? Markieren Sie.

| | Verweis auf Infinitivsatz | Verweis auf Nebensatz |
|---|---|---|
| 1 Es war ein Glücksfall für die Ingenieurin Christa Birker, eine gute Position bei einem großen Chiphersteller zu bekommen. | X | |
| 2 Es interessierte sie nicht, im Konzern aufzusteigen, weshalb sie alle Angebote ablehnte. | | |
| 3 Nach einiger Zeit war es für sie aber fraglich, ob sie diese Arbeit noch weitere 35 Jahre machen wollte. | | |
| 4 Sie hatte es eigentlich satt, den ganzen Tag im Büro am Computer zu sitzen und nie nach draußen zu kommen. | | |
| 5 Es war noch unsicher, welchen Beruf sie stattdessen ergreifen könnte und ob sie den Wechsel wirklich wagen sollte. | | |
| 6 Es wurde ihr klar, dass sie aus ihrer Begeisterung für Gärten einen neuen Beruf machen könnte. | | |
| 7 Die wenigsten Berufswechsler bereuen es, sich beruflich neu orientiert zu haben. | | |

b Schreiben Sie die Sätze aus a ohne *es*.

*1 Eine gute Position bei einem großen Chiphersteller zu bekommen, war ein Glücksfall für die Ingenieurin Christa Birker.*

zu Lesen 1, S. 51, Ü4

## 6 Berufliche Neuorientierung  ÜBUNG 2, 3  GRAMMATIK

Schreiben Sie Sätze, je nach Satzkonstruktion mit oder ohne *es*.

1 Christa / lieben, / Gärten gestalten / und / Grünanlagen / planen
*Christa liebt es, Gärten zu gestalten und Grünanlagen zu planen.*

2 gefallen ihr / kreative Ideen / ihrer Kunden / optimal realisieren

3 eine große Befriedigung / für sie, / sein / dass / ihre Kunden / zufrieden sein

4 unmöglich sein, / diese Art von Anerkennung / in einem Konzern / bekommen

5 dass / auch einige Probleme / dabei / sich ergeben, / ganz / selbstverständlich / sein

6 den falschen Beruf / haben, / für manche Leute / wirklich / ein Problem sein

7 bei einem Berufswechsel / nicht immer nötig sein, / eine komplette Neuorientierung vornehmen

# LEKTION 4

zu Sprechen, S. 52, Ü1

## 7 Eine tolle Firma!                                                          WORTSCHATZ

**Lesen Sie den Praktikumsbericht und ergänzen Sie die Wörter aus dem Kursbuch, S. 52.**

In der Firma herrscht echt ein gutes _____ (1).
Zu Besprechungen bringt oft jemand etwas zum Naschen, zum Beispiel
Kekse, mit. Der _____ (2) ist angenehm. Alle
Mitarbeiter duzen sich. Es werden oft Scherze gemacht, alle lachen
viel. Der _____ (3) in der Firma scheint also
sehr hoch zu sein. Kritik wird möglichst konstruktiv geäußert. Positiv
ist auch, dass bei wichtigen Entscheidungen, zum Beispiel bei der
Einstellung neuer Mitarbeiter oder bei Entlassungen, der Betriebsrat
ein _____ (4) hat. Der Geschäftsleitung liegt
sehr viel an der _____ (5) von Leistung. Wer ein
Projekt erfolgreich abgeschlossen hat, bekommt zum Dank eine E-Mail vom Chef. Wer kontinuier-
lich gute Leistungen erbringt, kann befördert werden oder eine Gehaltserhöhung bekommen.
Aber es gibt auch ein paar negative Seiten. Zum Beispiel die _Vertragssituation_ (6). Wer neu
eingestellt wird, muss damit rechnen, zuerst nur einen Zeitvertrag für ein, zwei oder drei Jahre zu
bekommen. Festanstellungen von Anfang an sind in vielen Branchen selten geworden. Nicht so
angenehm finde ich den Umgang mit der _____ (7). „Von 9 bis 17 Uhr"-Tage
gehören bei der Firma der Vergangenheit an. Oft sitzt man leider länger im Büro oder man arbeitet
am Wochenende ...

zu Sprechen, S. 52, Ü2

## 8 Mittelständische Unternehmen 🖳 ÜBUNG 4, 5                          KOMMUNIKATION

**Lesen Sie einen Zeitungsbericht und ergänzen Sie die Redemittel aus dem Kursbuch, S. 52.**

### Der deutsche Mittelstand hat's schwer

Mittelständische Unternehmen haben einen festen Platz im
Wirtschaftsleben des Landes. Oft stellen sie in Kleinstädten
mit nur einigen Tausend Einwohnern Hightech-Maschinen

5   her. Damit _tun sie sehr viel_ (1) für den Erhalt oder Ausbau
von qualifizierten Arbeitsplätzen. Mit Blick auf die nächste
Generation stellen sich mittelständische Unternehmer
ernste Fragen: Was macht ein Unternehmen zukunftsfähig?
Man ist sich bewusst, dass die Unternehmen im Wettbewerb

10  um Talente stehen. In diesem Zusammenhang
_____ (2), dass junge Fachkräfte lieber in einer Metropole leben als in einer Kleinstadt.
Dadurch _____ sogar in modernsten Unternehmen _____ (3) mit dem
Personal. Mittelständler müssen _____ , _____ (4) sie nicht genügend
Mitarbeiter finden, weil ihre Firma in der Rangliste der Wunscharbeitgeber nicht ganz oben

15  steht. Die Medien berichten vorzugsweise über weltweit bekannte Markenhersteller.
Der Mittelstand kommt da selten vor. Wie sollen sich junge Menschen da für den Mittelstand begeistern? Dabei findet ein technikbegabter Mensch bei einem Mittelständler ein
viel offeneres Spielfeld, er kann in kürzerer Zeit seine Ideen leichter in die Tat umsetzen.
Um bei der jungen Generation zu punkten, _____ manche Unternehmensleitung

20  _____ (5) andere Dinge, zum Beispiel auf ein gutes Betriebsklima. Nach eigenen Aussagen
hat man _____ schon viel mehr _____ (6) als noch vor ein paar Jahren. Diese
Anstrengungen will man _____ (7) noch verstärken. Ein weiterer Pluspunkt
ist die Dauer der Beschäftigung: Berufseinsteiger erhalten nach der Probezeit häufiger einen
festen Vertrag. Das ist für viele _____ (8) ein tolles Image.

# LEKTION 4

zu Hören, S. 53, Ü2

## 9 Volontariat

**WORTSCHATZ**

Lesen Sie die E-Mail einer Auszubildenden an ihre Freundin und bilden Sie
aus den Wörtern in Klammern Nomen.

Liebe Nuray,

in Deiner letzten Mail hast Du mich gefragt, was ein
Volontariat eigentlich genau bedeutet und wie ich
meines gefunden habe. Volontärin heißt, man ist eine

5  _Auszubildende_ (1) (ausbilden). Ein Volontariat ist
geeignet für Leute, die frisch aus dem Studium kommen
und noch keine _____ (2) (erfahren sein
im Beruf) haben. Deshalb ist ein Volontariat genau das
Richtige für _____ (3)

10  (einsteigen ins Berufsleben). Meins dauert ein Jahr,
manchmal geht es etwas länger. Ich habe die Stellenausschreibung im Internet
gefunden. Ich war damals ständig auf _____ (4) (Stelle suchen).
Zu der Zeit habe ich auf _____ basis (5) (honorieren) gearbeitet und
hatte immer Geldmangel. Schließlich habe ich den Newsletter von meinem jetzigen

15  Arbeitgeber abonniert und vor allem die Stellen_____ (6) (anzeigen)
gelesen. Ja, und da fand ich irgendwann diese Ausschreibung. Nachdem ich meine
Bewerbung abgeschickt hatte, hat es etwas gedauert, bis ich eine Einladung
zum _____ gespräch (7) (sich vorstellen) bekam. Das Gespräch
verlief dann zum Glück gut. Innerhalb einer Woche erhielt ich schon eine

20  _____ (8) (zusagen).

zu Wussten Sie schon?, S. 53

## 10 Anruf bei der Minijobzentrale

**HÖREN**

🔊13
CD|AB

Hören Sie ein Telefongespräch zwischen einer Arbeitgeberin und einem Mitarbeiter
der Minijobzentrale. Was ist richtig? Markieren Sie.

1 Warum ruft die Arbeitgeberin an? Sie möchte …
  a  die Rente ihrer Angestellten nicht bezahlen.
  b  eine Minijobberin beschäftigen.
  c  ihrer Haushaltshilfe eventuell mehr Gehalt bezahlen.

2 Was bezahlen Arbeitgeber eines Minijobbers?
  a  Abgaben wie bei normalen Arbeitsstellen
  b  Einen Anteil für die Renten- und Krankenversicherung
  c  Keine Abgaben an den Staat

3 Wenn das Gehalt auf 450 Euro erhöht wird, …
  a  kann die Minijobberin nichts mehr für ihre Rente bezahlen.
  b  soll die Minijobberin nichts mehr für ihre Rente bezahlen.
  c  kann die Minijobberin einen Antrag auf Befreiung von der Abgabe für die Rente stellen.

4 Warum gibt es diese neue Regelung? Der Staat möchte, dass …
  a  Arbeitgeber weniger Abgaben bezahlen.
  b  es mehr Minijobber gibt.
  c  mehr Minijobber eine Rente bekommen.

zu Hören, S. 53, Ü3

## 11 Bewerbertraining

**Lesen Sie den Zeitungsartikel. Ergänzen Sie dann die Textzusammenfassung.**

In dem Artikel wird ein _Seminar_ (1) für Stellensuchende beschrieben. Es richtet sich an
_____ (2), die eine Stelle suchen. Der Referent spricht in den drei Tagen alle
wichtigen Bestandteile einer _____ (3) durch. Er gibt dazu praktische Tipps,
zum Beispiel für das _____ (4). Um darauf vorbereitet zu sein, empfiehlt er,
sich in der Zeitung mit aktuellen Themen aus der _____ politik (5) zu beschäftigen.
Die Bewerber sollen darauf vorbereitet sein, den für Einstellungen zuständigen Mitarbeitern der
_____ (6) anschaulich aus ihrem Leben zu erzählen. Die optimale
_____ (7) der Bewerbungsunterlagen bespricht der Referent anhand von Beispielen
aus der Gruppe. Der Lebenslauf muss gut _____ (8) sein, das Foto soll sympathisch
wirken. Für _____-Bewerbungen (9) empfiehlt er, möglichst auf alle Fragen offen und
klar zu antworten. Das Ziel sei die _____ (10) zum Bewerbungsgespräch.

## *Lehrgang in Selbstlob*

Für die meisten Menschen gibt es wenig Schlimmeres, als erklären zu müssen, warum ausgerechnet sie die besten für einen Job sind. Macht
5   nichts, dafür gibt es Seminare.
Es ist Donnerstag, kurz vor neun in der Münchner Arbeitsagentur, als Herr Winkler die nicht ganz so wachen Studierenden bittet, mal aufzustehen. Also erheben sie sich im Zeitlupen-
10  tempo und stellen sich im Kreis auf. In der Mitte steht Herr Winkler und fragt: „Können Sie die Finanzkrise erklären?" Schweigen, weiter nichts. „Aha", sagt Herr Winkler und nickt, als hätte er sich das schon gedacht. Dann sagt er: „Kann gut
15  sein, dass Sie das beim Bewerbungsgespräch gefragt werden."
Herr Winkler will den gut 20 Studierenden in den kommenden zwei Tagen zeigen, wie sie sich am besten für einen Job bewerben können. Auf
20  dem Stundenplan stehen: Lebenslauf, Anschreiben, Online-Bewerbung. „Was soll man denn auf die Finanzkrisen-Frage antworten?", will eine Studentin wissen. Sein Tipp: „Lesen Sie in der Zeitung zusammenfassende Analysen der Krise."
25  Auf die aufgebaute Leinwand projiziert Herr Winkler mit einem Beamer seine Präsentation. „Vermarkten Sie sich regelrecht", ist da zu lesen. „Es ist wie auf dem Flohmarkt", sagt Herr Winkler, „Sie müssen es schaffen, dass der Personaler
30  nicht an Ihrem Tisch vorbeigeht." Alles, was man brauche, seien kleine Storys aus dem eigenen Leben, ohne sich dabei zum Helden zu stilisieren. „Kommen Sie zur Sache: Namen, Orte, Handlungen, Leistungen, Erfolge." Eine Bewer-
35  berstory halt.

Die Studierenden haben ihre Bewerbungsmappen schon vorher an Herrn Winkler geschickt. Daraus zeigt er auf der Leinwand vorne Beispiele dafür, wie man es nicht macht. Zu sehen ist ein Lebenslauf mit viel zu kleiner Schrift und einem   40 Foto, schwarz-weiß, auf dem ein Mann zu sehen ist. „Man muss zu einem professionellen Studiofotografen", rät Herr Winkler. Danach geht es um die Visitenkarte eines jeden Bewerbers: den Lebenslauf. Luftig sollte er gestaltet sein, rät Herr   45 Winkler.
Auf dem Programm steht außerdem die Online-Bewerbung. Heutzutage haben vor allem die großen Unternehmen vorgefertigte Bewerbungsformulare auf ihrer Webseite. Auf die Leinwand   50 hat Herr Winkler seinen Tipp projiziert: „Reizen Sie die Online-Formulare aus. Füllen Sie alle Felder aus! Funktionieren Sie sie gegebenenfalls für Ihre Zwecke um." Die Devise sei dieselbe wie bei der klassischen Bewerbung. Herr Winkler bringt   55 sie auf die Formel „2E2A": Einfach und ehrlich, ansprechend und angemessen. Am wichtigsten sei es, mit seinen Unterlagen zu überzeugen, sodass man zum Bewerbungsgespräch eingeladen werde.   60

# LEKTION 4

zu Hören, S. 53, Ü3

## 12 Meine Bewerberstory 💻 ÜBUNG 6      SCHREIBEN

a   Entwerfen Sie Ihre eigene Bewerberstory.

Gibt es eine Arbeitsstelle, auf die Sie sich gern bewerben möchten? Oder denken Sie an Ihr letztes Vorstellungsgespräch: Welche Ereignisse und Entscheidungen in Ihrem Leben haben Sie dahin gebracht, sich auf diese Stelle zu bewerben? Erzählen Sie kurz, informativ und interessant. Beherzigen Sie dabei die folgenden Ratschläge:

- Greifen Sie die wichtigsten Punkte und die entscheidenden Phasen in Ihrer Biografie heraus, denken Sie an den „roten Faden".
- Erklären Sie die Gründe für Ihre jeweiligen Schritte und Entscheidungen.
- Sagen Sie, welche Personen (Ratgeber, Vorbilder) wichtig für Ihre Entwicklung waren.
- Beschreiben Sie sich positiv, ohne sich dabei zum Helden zu machen.

> *Nach meinem Abitur im Jahr 2007 begann ich eine Ausbildung zur Physiotherapeutin. Ich wollte unbedingt etwas Praktisches tun und auch ausprobieren, ob die Arbeit mit Kranken etwas für mich wäre, denn ich wartete außerdem auf die Zuteilung eines Medizinstudienplatzes. Während eines Praktikums aber, das ich als Physiotherapeutin in Argentinien ableistete ...*

b   Tragen Sie Ihre Bewerberstory Ihrer Lernpartnerin / Ihrem Lernpartner mündlich vor. Sie/Er gibt Ihnen Feedback.

zu Wortschatz, S. 54, Ü3

## 13 Steuer, Versicherung oder Zuschlag      WORTSCHATZ

a   Ergänzen Sie in der linken Spalte die passenden Verben.

~~erhalten~~ · befreien · eingezahlt · geleistet · genommen · verdient · wählen

| | |
|---|---|
| 1 Ab einem bestimmten Alter _erhalten_ Arbeitnehmer, die regelmäßig einbezahlt haben, diese Leistung bis zum Lebensende. | Rente nversicherung |
| 2 Ab einem bestimmten Verdienst können Arbeitnehmer _____ , ob sie gesetzlich oder privat versichert sein möchten. | Krank |
| 3 Die Höhe richtet sich danach, wie viel der Arbeitnehmer _____ _____ . Die Höchstsätze liegen zwischen 40 und 50 Prozent. | Lohn |
| 4 Je nachdem, wie viele Leistungen, zum Beispiel Hilfe bei der Körperpflege, in Anspruch _____ werden, gibt es drei Stufen. | Pflege |
| 5 Wer seine Stelle verliert, erhält ein Jahr lang einen festen Prozentsatz von seinem letzten Gehalt. Allerdings nur, wenn man gearbeitet und Beiträge _____ hat. | Arbeitslos |
| 6 Seit der Wiedervereinigung der beiden deutschen Staaten wird dieser Beitrag von Bürgern in West- und Ostdeutschland für den Wiederaufbau Ost _____ . | Solidarität |
| 7 Wer aus der Kirche austritt, kann sich von dieser Abgabe _____ lassen. | Kirche |

b   Ergänzen Sie die Form der Abgaben in der rechten Spalte. Achten Sie dabei auf die Fugenelemente.

zu Wortschatz, S. 54, Ü3

## 14 Gehaltszettel entziffern

HÖREN

Worüber ärgern sich die Angestellten? Hören Sie die Unterhaltung und markieren Sie.

1 Susanne findet, dass ... abgeschafft werden sollte.
   [a] der Gehaltszettel     [b] der Solidaritätszuschlag

2 Arun ärgert sich, dass von seinem Urlaubsgeld ... abgezogen wird.
   [a] die Sozialversicherung     [b] die Krankenversicherung

3 Niko möchte mehr von seinem Bruttogehalt behalten und keine ... zahlen.
   [a] Abzüge     [b] Kirchensteuer

4 Tania glaubt, dass die Beiträge für ... in Zukunft steigen werden.
   [a] die Kirchensteuer     [b] die Rentenversicherung

zu Wortschatz, S. 55, Ü4

## 15 Aus der Arbeitswelt ÜBUNG 7

WORTSCHATZ

**Was passt nicht? Streichen Sie durch.**

1 Brutto – Netto – ~~Honorar~~ – Abrechnung
2 Entgelt – Steuern – Lohn – Gehalt
3 Gehaltserhöhung – Zusatzleistung – Fachkraft – Gutschein
4 Unternehmen – ~~Beschäftigter~~ – Arbeitnehmer – Angestellter

zu Lesen 2, S. 57, Ü3

## 16 So kommt man mit schwierigen Kollegen aus. ÜBUNG 8

WORTSCHATZ

**Lesen Sie die Tipps und ergänzen Sie in der richtigen Form.**

> blenden · brüllen · ~~Choleriker~~ · klopfen · leicht haben ·
> Pedant · reden · übertrumpfen · Versager · wackeln · ziehen

Tipp 1: Während der _Choleriker_ (1) im Gespräch schreit, dass die Wände _____ (2), sollten Sie völlige Ruhe bewahren: Das Problem hat der, der _____ (3) – und nicht Sie.

Tipp 2: Schnell einen Strauß Blumen, wenn die Büro-Mutti ausnahmsweise still und unglücklich hinter ihrem Schreibtisch sitzt: Dann hat sie nämlich Geburtstag und niemand hat daran gedacht. Sie _____ es wahrscheinlich nicht ganz _____ (4) im Leben und braucht auch mal jemanden, der ihr auf die Schulter _____ (5).

Tipp 3: Meiden Sie den Karrieristen. Er versucht, Sie mit seinen Leistungen und Erfolgen zu _____ (6) und Sie als _____ (7), der nichts schafft, dastehen zu lassen. Beides ist nicht sehr angenehm.

Tipp 4: Simulieren Sie ein Telefongespräch, wenn die Quasselstrippe ohne Punkt und Komma _____ (8), und geben Sie einen wichtigen Termin vor, wenn sich Konferenzen wie Kaugummi in die Länge _____ (9).

Tipp 5: Am besten, man reagiert gar nicht auf die Angebereien, wenn ein Kollege versucht, die anderen mit Pseudowissen zu _____ (10): Strafen Sie den Kollegen mit Nichtachtung.

Tipp 6: Niemals einen Stift von seinem stets aufgeräumten Schreibtisch ausleihen! Der _____ (11) hat sie alle durchgezählt und nummeriert.

zu Lesen 2, S. 57, Ü4

## 17 Kollegengespräche

a  Schreiben Sie mit den Wörtern in Klammern Sätze und benutzen Sie dabei das Pronomen *es*.

1 Die Kollegin konnte das gewünschte Buch leider erst gestern bestellen. (hoffentlich morgen da sein)
*Hoffentlich ist es morgen da.*

2 Habt ihr das Projekt „Wohlfühlen im Team" schon durchgeführt? (nein, erst morgen beginnen)

3 Das innovative Design unseres neuen Logos ist wirklich gelungen. (also, ich hässlich finden)

4 Sag mal, wo findet das nächste Meeting eigentlich statt? (diesmal ausnahmsweise im Büro vom Chef sein)

5 Jetzt ist der Katalog endlich da. Wie findest du denn das neue Modell? (mir gut gefallen)

6 Ich kann die Chefin nicht erreichen, ihr Telefon ist dauernd besetzt. (ja, seit gestern kaputt sein)

b  Unterstreichen Sie in a das Wort, auf das sich *es* bezieht.

zu Lesen 2, S. 57, Ü4

## 18 *Es* als obligatorisches Satzelement

GRAMMATIK ENTDECKEN

a  Unterstreichen Sie *es* in den Sätzen und markieren Sie, worauf sich *es* bezieht.

1 Unser neuer Kollege Bernd ist ja sehr trainiert und sportlich. Ich bin es leider nicht.
2 Schickst du mir morgen deine Notizen von der letzten Sitzung? – Natürlich, ich verspreche es dir.
3 Jana gießt jeden Abend die Pflanzen in allen Büros. Sie behauptet, dass sie es gern macht.
4 Früher war unsere Chefin ja sehr pedantisch und übergenau, inzwischen ist sie es nicht mehr.
5 Frau Schreiner muss die Launen vom Chef ertragen und sehr oft Überstunden machen. Gern tut sie es nicht.

b  Was ist richtig? Markieren Sie.

☐ *Es* bezieht sich in diesen Sätzen auf Satzteile oder Adjektive.
☐ *Es* ist in diesen Sätzen Teil einer festen Verbindung.

c  Schreiben Sie die Sätze neu.
Beginnen Sie mit dem unterstrichenen Satzteil.

1 Es geht unserem Abteilungsleiter um neue, kreative Einfälle.
2 Wenn es etwas zu tun gibt, packt Klaus das mit großer Motivation an.
3 Anna hatte es am Anfang in ihrer Abteilung schwer, denn ihre Kollegen hielten sie für eine Konkurrentin.
4 Bei Herrn Müller hat man es mit einem Menschen zu tun, der schlecht über seine Kollegen redet.
5 Martina hat es eigentlich immer eilig. Sie ist dauernd im Stress und hat viele Kundenkontakte.

*1 Unserem Abteilungsleiter geht es um neue, kreative Einfälle.*

d  Schreiben Sie aus c die festen Verbindungen mit *es* heraus.

*1 es geht um*

zu Lesen 2, S. 57, Ü4

## 19 Was es alles gibt!                                                     GRAMMATIK

Ordnen Sie die Ausdrücke in die Tabelle ein.

es ist heiß · es klopft · es klingelt · es gibt · es geht um · es schneit · es ist acht Uhr ·
es gefällt mir · es riecht gut · es raschelt · es juckt · es handelt sich um · es geht mir gut ·
~~es schmeckt mir~~ · es tut mir weh · es zu tun haben mit · es ernst/gut/... meinen mit ·
es kommt darauf an

| Wetter und Zeit | Geräusche | Sinneseindrücke | persönliches Befinden | feste Wendungen |
|---|---|---|---|---|
| | | *es schmeckt mir* | | |

zu Lesen 2, S. 57, Ü4

## 20 Joballtag 🖥 ÜBUNG 9, 10, 11                                          GRAMMATIK

Ergänzen Sie *es* an der richtigen Stelle.

1 Es ist immer gut, wenn *es* eine Kollegin oder einen Kollegen gibt, mit der oder mit dem

man seine Probleme besprechen kann.

2 Bei diesem Projekt handelt sich um das Lieblingsprojekt von unserem Abteilungsleiter.

3 Weißt du eigentlich, ob Antje die Präsentation vorbereitet hat? – Ich hoffe.

4 Wenn regnet, kommt Kollege Müller immer zu spät, weil er dann nicht mit dem Fahrrad

fährt, sondern den Bus nimmt.

5 Nach dem letzten Meeting war Linda wirklich sauer auf die Chefin. Sie meint ernst mit

der Drohung zu kündigen.

6 Bei der nächsten Konferenz geht darum, die Strategie für das kommende Halbjahr

festzulegen.

7 In einer schwierigen Situation kommt darauf an, die Nerven zu behalten und eine neue

Strategie zu entwickeln.

8 Hast du eine Ahnung, wo die Unterlagen für den Vertrag hingekommen sind? –

Nein, ich weiß leider nicht.

9 Alexandra ist entspannt und richtig gut erholt aus dem Urlaub zurückgekommen. –

Bei dem Stress, den wir hier haben, wird sie nicht lange sein.

# LEKTION 4

zu Schreiben, S. 58, Ü1

## 21 Anredeformen in E-Mails

HÖREN

CDIAB

**Hören Sie das Gespräch mit einem Verlagsexperten. Was ist richtig? Markieren Sie.**

1 Was sagt der Experte über Anredeformen in E-Mails?
- [a] Sie ändern sich.
- [b] Sie drücken einen persönlichen Stil aus.
- [c] Sie sind anders als bei einem Brief.

2 Wie ist der Gebrauch von „Liebe/-r" und „Sehr geehrte/-r"?
- [a] Beide Anredeformen werden manchmal auch weggelassen.
- [b] „Liebe/-r" finden viele zu formell.
- [c] „Sehr geehrte/-r" wird öfter verwendet.

3 Wie erklärt der Experte den Verzicht auf eine Anrede?
- [a] Die Begrüßungen fallen auch bei Treffen häufig weg.
- [b] In E-Mails gelten dieselben Regeln wie in der gesprochenen Sprache.
- [c] Es stellt sich eher ein Gefühl von Vertrautheit ein.

4 Was empfiehlt der Experte für den Geschäftsverkehr?
- [a] Am besten verwendet man die höfliche Anrede.
- [b] Man braucht sich nicht mehr an Standards zu halten, sie gelten nicht mehr.
- [c] Man sollte Anreden weglassen und sich auf den Inhalt konzentrieren.

5 Was erklärt der Experte über die zusätzliche Verwendung des Vornamens?
- [a] Man versucht, damit Distanz zu schaffen.
- [b] Man verwendet diese Form genau wie andere informelle Anreden.
- [c] Sie ist zeitgemäß.

4

zu Schreiben, S. 58, Ü1

## 22 E-Mails im Geschäftsleben 🖳 ÜBUNG 12

KOMMUNIKATION

**Ergänzen Sie die Regeln.**

> Anhänge • Anrede • Anschreiben • Ausdrücke • Betreffzeile • Gruß • ~~Mailadresse~~

### Die richtige Form im elektronischen Schriftverkehr

❶ Absender mit unseriöser *Mailadresse* wie „the_croate@freemail.at" oder „darling@abcmail.net", die man vielleicht noch aus der Schulzeit hat, werden kaum ernst genommen.

❷ Bei der _____ sollte man auch auf eine persönliche Note wie „Hallo, ich bin der Jens" verzichten.

❸ Unpassend ist es außerdem, als _____ eine Abkürzung wie *MfG* für *Mit freundlichen Grüßen* zu verwenden.

❹ Eine nichtssagende _____ wie „Protokoll" oder „Wie geht's?" macht es schwer, die Nachricht später wiederzufinden, und wirkt unpräzise.

❺ _____, die länger als eine Seite sind, werden von schnell arbeitenden Personalern kaum gelesen.

❻ Zu viele _____ am Bewerbungsschreiben wirken abschreckend.

❼ Smileys, Emoticons und _____ wie „*g*" (für „Grinsen") gehören nicht in eine geschäftliche Nachricht.

LEKTION 4

zu Schreiben, S.58, Ü2

## 23 Dank an eine Vorgesetzte

SCHREIBEN

**Bilden Sie aus den Wörtern in Klammern Nomen und ergänzen Sie sie.**

Benedikt ist für ein dreimonatiges Auslandspraktikum in Zürich. Er bedankt sich bei seiner Vorgesetzten für die Vermittlung einer Wohnungsmöglichkeit.

> Liebe Frau Köhler,
>
> nach meiner angenehmen Anreise und problemfreien _Ankunft_ (1) (angekommen) möchte ich mich nun gleich bei Ihnen für Ihre _____ (2) (unterstützen) in Sachen Unterkunft bedanken. Gerade habe ich mein Quartier bezogen. Ihre _____ (3) (vermitteln) der Wohnung von Herrn Winterhagen hat mir wirklich geholfen.
> Sehr praktisch ist die schöne _____ (4) (einrichten) der Einzimmerwohnung. Der Wohnungsbesitzer, Herr Winterhagen, hat mir seine Haustiere anvertraut. Ich muss sein Aquarium und einen kontaktfreudigen Kanarienvogel während seiner _____ (5) (abwesend) versorgen.
> Dürfte ich Sie noch um die _____ (6) (weiterleiten) der beigefügten Fotos an die Kollegen im Bereich bitten?
>
> Beste Grüße aus Zürich
> Benedikt Saalfrank

zu Schreiben, S.58, Ü2

## 24 Ein supernetter Typ 📖 ÜBUNG 13, 14

GRAMMATIK

a **Bilden Sie so viele neue Adjektive wie möglich mit *voll-*, *extra-*, *hoch-*, *riesen-*, *super-*, *stein-*, *tief-*, *tod-* und den unten stehenden Adjektiven. Nicht immer sind alle Kombinationen möglich.**

> bepackt · blau · gut · groß · ~~intelligent~~ · lecker · müde · reich · talentiert

_intelligent: hochintelligent, superintelligent_

b **Lesen Sie die E-Mail von Gloria an ihre Freundin Linda und setzen Sie passende Adjektive aus a in der richtigen Form ein. Achten Sie darauf, dass der Text abwechslungsreich wird.**

> Hallo Linda,
>
> das muss ich Dir erzählen: Bei uns hat doch ein neuer Mitarbeiter, Bruno Alfredi aus Italien, angefangen. Also, er kam gestern _vollbepackt_ (1) in mein Büro und wollte sich die Schlüssel zu seiner Wohnung abholen. Der Typ sieht wirklich gut aus, er hat _____ (2) Augen, fast violett, unglaublich! Allerdings hat er _____ (3) Ohren. Naja. Ich bin dann mit ihm zu der Wohnung gefahren, um ihm alles zu zeigen – und dann hat er mich zu einem _____ (4) Essen eingeladen. Wir haben uns _____ (5) unterhalten und ich muss sagen, dieser Mann ist _____ (6) für Sprachen. Er spricht fließend Deutsch – Englisch, Französisch und Spanisch sowieso – und jetzt lernt er noch Chinesisch! In Italien haben seine Eltern ein großes Weingut und verdienen damit viel Geld, angeblich sind sie _____ (7). Das ist Bruno aber ganz egal, denn er ist _____ (8) und interessiert sich für alles Mögliche, bloß nicht für Geld. Also, das war wirklich ein schöner Abend, hoffentlich kommt er noch mal bei mir vorbei. So, jetzt weißt Du das Neueste – ich muss jetzt ins Bett, denn ich bin _____ (9). Bis bald!

zu Sehen und Hören, S. 59, Ü2

## 25 Mitarbeiterporträts eines Start-up-Unternehmens

LESEN

**Lesen Sie die Steckbriefe der Mitarbeiter und notieren Sie Stichpunkte
zu den folgenden Fragen.**

1 Welche Aufgaben haben die Personen jeweils in der Firma?
2 Nennen Sie mindestens ein besonderes Persönlichkeitsmerkmal oder ein Hobby von jeder Person.

Claudius D., Jahrgang 1989, Produktentwicklung. Als Mathematik-Student
mit sozialem Engagement kam ihm zusammen mit zwei Freunden die Idee
für ein Fitness-Workout ohne Geräte. Er stellte Filme ins Netz, in denen er
zeigt, wie man mit dem eigenen Körpergewicht Kraft- und Ausdauerübun-
gen durchführt. Zurzeit wächst die kleine Firma rasant. „Als Selbststän-   5
diger arbeitest du nach deinem eigenen Plan, da stehst du niemals unten
in der Hierarchie. Das war schon als kleiner Junge mein Ziel." Im Moment
arbeitet er an neuen Geschäftsideen.

Clemens H., Jahrgang 1987, Online-Vermarktung/Vertrieb, einer der drei
„C"s von CCC. Clemens studierte Betriebswirtschaft in München und lernte   10
Claudius an der Uni kennen. Sofort nach dem Bachelorabschluss machte er
sich mit Claudius und Christian selbstständig. Clemens kümmert sich heute
darum, dass die Idee von CCC im Netz, aber auch darüber hinaus, immer
bekannter wird. Und dass die Bezahlung im Netz richtig funktioniert.
Außer dieser Kernaufgabe ist ihm das Betriebsklima wichtig. Es geht ihm   15
auch um eine moderne Unternehmenskultur.

Christian S., Jahrgang 1977, Programmierung. Nach seinem Master in Software Systems Engineering an der Universität Lübeck lernte der Fitness-
begeisterte vor zwei Jahren die beiden anderen „C"s, Claudius und Clemens,
kennen. Die suchten gerade dringend nach jemandem, der ihre Inhalte für   20
das Internet umsetzen konnte. „Tolle Software bauen, die Spaß macht und
funktioniert", so lautet sein Credo. Christian hasst es, wenn andere Menschen ihn als Computerfreak oder Nerd bezeichnen. Er löst einfach gern
Probleme. Und darin ist er richtig innovativ.

Paolo M., Jahrgang 1959, Chef für gesunde Ernährung. Paolo ist der letzte   25
Neuzugang in dem bunt zusammengemischten Haufen der jungen Firma.
Seit letztem Herbst ist er für alles zuständig, was die Mitarbeiter zu sich
nehmen. Er macht Vorschläge für die Diät-Vorschriften, die Teil des CCC-
Programms sind. Aufgewachsen ist er in Süditalien, wo die Gerichte seiner
Mama seine Leidenschaft fürs Kochen geweckt haben. Mit 19 kam er nach   30
Deutschland. Nach einigen Berufsjahren als angestellter Koch hat er sich
mit einem vegetarischen Restaurant selbstständig gemacht.

zu Sehen und Hören, S. 59, Ü2

## 26 Meine Traumfirma

SCHREIBEN

**Stellen Sie sich vor, Sie würden Ihre eigene Firma gründen.
Wie sieht Ihre Geschäftsidee aus? Welche Unternehmenskultur finden Sie wichtig?
Wie viele Mitarbeiter brauchen Sie? Wie arbeiten Sie zusammen? Schreiben Sie einen Text.**

*Die Geschäftsidee meiner Traumfirma ist …*

# LEKTION 4

—— **AUSSPRACHE: Auslassungen und Verschleifungen, Rhythmus und Sprechflüssigkeit**

## 1 Auslassungen hören

 **a** Hören Sie den folgenden Text. Unterstreichen Sie alle *e*, die nicht zu hören sind.

### Die lieben Kollegen

Liebe Kollegen musst du nicht lange bitten, wenn du
Hilfe brauchst. Sie legen sich für dich mit dem Chef an
und schicken dir zum Geburtstag und zu Weihnachten
Karten. Einen Haken haben die lieben Kollegen aber
doch: Sie erwarten, dass du nach der Arbeit mit ihnen
noch was trinken gehst.

**b** Lesen Sie den Text laut und lassen Sie beim Sprechen die unterstrichenen *e* aus.

## 2 Gedichte

 Hören Sie die beiden kurzen Gedichte. Sprechen Sie sie dann im Chor und klatschen Sie den
Rhythmus dazu. Variieren Sie beim Sprechen das Tempo: mal langsam und deutlich, dann schnell.

### Die Köche

*Was machen die Köche?*
*Sie kochen und backen,*
*schneiden und hacken,*
*kneten und würzen,*
*tragen Mützen und Schürzen.*

### Die Chefs

*Was machen die Chefs?*
*Sie befehlen und ordern,*
*loben und fordern,*
*befördern und entlassen,*
*trinken aus Tassen.*

## 3 Betonung in Komposita ÜBUNG 15

 **a** Hören Sie die Wortreihen. Markieren Sie bei allen Wörtern jeweils die Silbe,
die am stärksten betont ist.

1 Kirche – Steuer – Kirchensteuer
2 Steuer – Erklärung – Steuererklärung
3 Rente – Versicherung – Rentenversicherung
4 Versicherung – Betrag – Versicherungsbetrag

**b** Sprechen Sie die Wortreihen aus a laut aus und klatschen Sie bei der Hauptbetonung in die Hände.

**c** Welches Wort trägt in deutschen Komposita die Hauptbetonung? Markieren Sie.

☐ Das Grundwort (Kirchen<u>steuer</u>)
☐ Das Bestimmungswort (<u>Kirchen</u>steuer)

 **d** Bauen Sie das Kompositum „Rentenversicherungsbeitragsberechnungsgrundlage"
von hinten auf: Sprechen Sie zuerst das Grundwort „Grundlage" aus und erweitern
Sie das Kompositum in einzelnen Schritten (Grundlage – Berechnungsgrundlage – usw.).
Achten Sie darauf, dass die Hauptbetonung immer auf das nächste Bestimmungswort
übergeht. Hören Sie anschließend und kontrollieren Sie.

**e** Wettbewerb: Bilden Sie möglichst lange Komposita und notieren Sie sie auf einen Zettel.
Wer das längste Wort gefunden hat und richtig aussprechen kann, hat gewonnen.

# LEKTION 4 LERNWORTSCHATZ

## EINSTIEGSSEITE, S. 49

die Balance, -n
die Berufung, -en

hineinschnuppern in (+ Akk.)
schuften

## LESEN 1, S. 50–51

die Ambition, -en
das Labyrinth, -e
die Renaissance, -n
die Spitzenkraft, ⸚e
der Universalist, -en
der Wert, -e

ausrichten nach
ausloten
streben (nach)
sich widmen (+ Dat.)

brachliegen, lag, hat/ist gelegen
etwas macht etwas/jemanden
    aus
das Risiko streuen
mit sich im Reinen sein
jemandem über die Schulter
    schauen

erfüllend
rational
simultan

## SPRECHEN, S. 52

das Betriebsklima (Sg.)
der Einwand, ⸚e
die Honorierung, -en
das Mitspracherecht, -e
der Spaßfaktor, -en
das Start-up-Unternehmen, -
der Umgangston, ⸚e
die Vertragssituation, -en

düster

## HÖREN, S. 53

die Abgabe, -n
die Anzeige, -n
der Berufseinsteiger, -
das Gewerbe, -

die Lohnsteuer, -n
die Migration, -en
der Minijobber, -
die Sozialabgabe, -n

zutreffen, traf zu,
    hat zugetroffen

geringfügig

## WORTSCHATZ, S. 54–55

die Abrechnung, -en
der Abzug, ⸚e
die Aushilfe, -n
das Bruttoeinkommen, -
das Entgelt (Sg.)
die Fachkraft, ⸚e
der Freiberufler, -
die Gehaltsabrechnung, -en
die Gehaltserhöhung, -en
der Gehaltszettel, -
das Honorar, -e
die Kirchensteuer, -n
der Nettolohn, ⸚e
die Pflegeversicherung, -en
der Posten, -
das Repertoire, -s
der Solidaritätszuschlag, ⸚e
der Stundenlohn, ⸚e
der Zuschlag, ⸚e

jemanden binden an, band,
    hat gebunden
einprägen

brutto
gesetzlich
netto

## LESEN 2, S. 56–57

die Attacke, -n
der Choleriker, -
die Eventualität, -en
das Nervenwrack, -s
der Pedant, -en
die Selbstvermarktung (Sg.)
der Trainee, -s
der Versager, -
die Zeitbombe, -n

jemandem etwas aufdrücken
(auf-/ab-)runden
blenden
brüllen
hasten
jetten
lahmlegen
übertrumpfen
wackeln
zelebrieren
zittern

Mist bauen
es weit bringen, brachte,
    hat gebracht
es geht um
es handelt sich um
es leicht/schwer/... haben
jemandem auf die Schulter
    klopfen
es kommt darauf an
es ernst/gut/... meinen
ohne Punkt und Komma reden
den Laden schmeißen, schmiss,
    hat geschmissen
hart im Nehmen sein
es zu tun haben mit
hoch hinaus wollen
sich in die Länge ziehen, zog,
    hat gezogen

lässig
schamlos
stilistisch
unberechenbar

## SCHREIBEN, S. 58

das Exposé, -s

hochtalentiert
steinreich
top

## SEHEN UND HÖREN, S. 59

der Haufen, -
die Hierarchie, -n
die Unternehmenskultur, -en

4

# LEKTIONSTEST 4

## 1 Wortschatz

**Was passt? Ordnen Sie zu.**

> ☐ die Ambition · ☐ die Hierarchie · ☐ das Gewerbe · ☐ das Honorar ·
> ☐ die Honorierung · ☐ der Versager

1 Selbstständige berufliche Tätigkeit im Bereich Industrie und Handwerk.
2 Jemand, der in wichtigen Dingen nicht die erwartete Leistung bringt.
3 Man will mit viel Ehrgeiz ein bestimmtes Ziel erreichen.
4 Wenn man die Leistung einer Person achtet und würdigt.
5 Bezahlung für jemanden, der freiberuflich arbeitet.
6 Die Ordnung von oben nach unten in einer Organisation.

Je 1 Punkt   Ich habe _____ von 6 möglichen Punkten erreicht.

## 2 Grammatik

**a Schreiben Sie die Sätze mit und ohne *es*, falls möglich, auf ein separates Blatt.**

1 fraglich sein / ob / Björn / anstrengenden Job als DJ / noch lange / durchhalten
2 Vanessa / nicht gefallen / dass / Chefin / zu / Kollegen/ oft / unfreundlich sein
3 im Hamburger Hafen / für viele Menschen / auch nachts / viel zu tun / geben
4 dass / Nils / Gehaltserhöhung / bekommen / mich / sehr freuen
5 normal sein / für einen Arzt / auch nachts / arbeiten
6 bei diesem Projekt / gehen um / Verbesserung der Kommunikation

Je 2 Punkte   Ich habe _____ von 12 möglichen Punkten erreicht.

**b Bilden Sie Adjektive und setzen Sie sie in der richtigen Form ein.**

> tief · tod · extra · top        schick · aktuell · schwarz · lang

1 Gestern schien der Mond nicht, es war _____ Nacht.
2 Dirk hört sich die _____ Hits immer erst im Internet an.
3 Karin hat sich ein _____ Kostüm gekauft, darin ist sie wirklich elegant.
4 Martin ist sehr groß, deshalb braucht er immer _____ Hosen.

Je 1,5 Punkte   Ich habe _____ von 6 möglichen Punkten erreicht.

## 3 Kommunikation

**Ordnen Sie die passenden Redemittel zu.**

> ☐ tut man dort · ☐ setzt auf · ☐ auch sehen, dass · ☐ mehr wert als ·
> ☐ sieht die Zukunft · ☐ muss damit rechnen, dass

1 Diese Firma _(1)_ flexible Arbeitszeiten, um für qualifizierte Fachkräfte attraktiv zu sein.
2 Außerdem _(2)_ sehr viel für die Weiterbildung der Mitarbeiter.
3 Man muss allerdings _(3)_ die Bezahlung in diesem Unternehmen nicht sehr gut ist.
4 Ein fester Vertrag ist für viele Mitarbeiter _(4)_ der Spaßfaktor.
5 Man _(5)_ die Arbeitsplätze in Zukunft nicht mehr so sicher sind.
6 In einigen Betrieben _(6)_ in Bezug auf Aufstiegschancen eher düster aus.

Je 1 Punkt   Ich habe _____ von 6 möglichen Punkten erreicht.

---

**Auswertung:** Vergleichen Sie Ihre Lösungen mit S. AB 112.
Ihre Erfolgspunkte tragen Sie unter jeder Aufgabe ein.

| 😊 | 🙂 | 🙁 |
|:---:|:---:|:---:|
| 30–26 | 25–15 | 14–0 |

**Ich habe** _____ **von 30 möglichen Punkten erreicht.**

## 1 Ausstellungsbesuche

**Finden Sie noch neun Wörter. Markieren Sie und ergänzen Sie.**

| | | | | | | | | | | | |
|---|---|---|---|---|---|---|---|---|---|---|---|
| Z | B | E | T | R | A | C | H | T | E | T | U | P | I |
| H | E | O | N | E | W | R | W | M | Y | Z | K | X | N |
| Q | W | R | V | G | U | C | I | K | I | L | R | T | T |
| K | E | C | A | N | S | P | R | E | C | H | E | N | E |
| T | R | N | X | E | Z | O | K | L | F | G | A | E | R |
| W | K | D | X | K | B | Z | E | D | M | I | T | A | P |
| L | E | R | U | C | B | T | N | L | E | N | I | X | R |
| Z | V | E | J | R | C | I | O | P | N | A | V | L | E |
| G | E | S | C | H | M | A | C | K | T | G | E | V | T |
| O | G | J | D | S | C | O | W | Q | D | X | B | Y | I |
| V | E | R | N | I | S | S | A | G | E | P | V | T | E |
| X | L | K | R | Y | V | M | E | Q | C | P | T | B | R |
| I | L | A | U | S | D | R | Ü | C | K | E | N | R | E |
| B | W | T | A | P | L | R | F | V | T | L | Q | S | N |

1 Vor Kurzem war ich in einer Galerie, die eindrucks-
   volle W____k__ unbekannter Künstler ausstellte.
2 Gern gehe ich auf die *Vernissage*,
   also zur Ausstellungseröffnung.
3 Dort trifft man interessante,
   k_____t_____ Menschen, die mit
   ihren Werken etwas Neues schaffen.
4 Junge Künstler haben zudem die Chance, vom
   Kunstmarkt e_____t zu werden.
5 Als Gast plaudert man meist ein bisschen und
   b__t__a_____ die ausgestellten
   Werke.
6 Vor Bildern, die mich a____p_____,
   bleibe ich länger stehen.
7 Ich lasse sie eine Zeit auf mich __i__k____.
8 Manchmal versuche ich, ein Werk zu ___n_____p___t_____.
9 Man weiß natürlich nie, was Künstler wirklich a_____d_____ wollen.
10 Mit meiner Freundin gehe ich nie auf Vernissagen, wir haben nämlich nicht denselben
   Kunst____s_____k.

---

zur Einstiegsseite, S. 61, Ü1

## 2 Beltracchi – Die Kunst der Fälschung

**FILMTIPP / LESEN**

a **Lesen Sie die Inhaltsangabe des Films und ergänzen Sie.**

> Betrug · ~~Dokumentation~~ · Gericht · Können ·
> Opfer · Kunstfälscher · Sammler · Schaden · Stil

b **Beantworten Sie die sogenannten W-Fragen zum Inhalt des Films.**
   Wer: _____
   _____
   _____

In dieser *Dokumentation* (1) erzählen Wolfgang und Helene Beltracchi exklusiv ihre abenteuerliche Lebensgeschichte. Wolfgang Beltracchi ist Maler und vor allem ein genialer _____ (2), dem es gelang, sein _____ (3) sowie sein kunsthistorisches Wissen dafür zu nutzen, seine Fälschungen auf dem Kunstmarkt einzuschleusen und zu höchsten Preisen zu verkaufen. Er malte nicht nur bekannte Bilder nach, sondern erfand auch neue Werke, für die er den _____ (4) berühmter Maler kopierte. Experten, Gutachter, Kuratoren und _____ (5) ließen sich jahrelang von ihm täuschen. Sogar die weltbekannten und hochprofessionellen Auktionshäuser Christie's und Sotheby's kamen zunächst nicht hinter den _____ (6), bis ihm „sein" Werk „Rotes Bild mit Pferden" zum Verhängnis wurde. Im Jahre 2011 stand Beltracchi dann vor _____ (7) – dort war von einem Betrugsgewinn zwischen 20 und 50 Millionen Euro die Rede. In dem „Kunstkrimi" kommen aber auch die _____ (8) sowie Kunstkritiker zu Wort. Sie berichten von dem erlittenen wirtschaftlichen wie auch ideellen _____ (9) für die Kunstwelt.

zur Einstiegsseite, S. 61, Ü1

## 3  Drei Atemzüge pro Bild

LESEN

**Lesen Sie den Artikel. Welche Aussagen sind richtig? Markieren Sie.**

1 Früher haben Menschen, die Kunstwerke betrachteten, manchmal körperlich reagiert. ☐
2 Heutzutage kommt es vor, dass Menschen vor Kunst weglaufen. ☐
3 Untersucht wurde, wie lange man Kunstwerke betrachtet und wie stark man auf diese reagiert. ☐
4 Die Probanden mussten Kunstwerke mit einem Spezialhandschuh berühren. ☐
5 Die meisten Menschen bleiben meist nur wenige Sekunden vor einem Bild stehen. ☐
6 Häufig schaffen es die Menschen nicht, im Museum so viele Bilder zu verarbeiten. ☐
7 Personen, die häufig Museen besuchen, verstehen viel von Kunst. ☐

## *Überraschende Ergebnisse über die Wirkung von Kunst*

**In einer Untersuchung zum Besucherverhalten im Kunstmuseum St. Gallen hat der Kultur-
wissenschaftler Martin Tröndle herausgefunden, wie Kunstrezeption körperlich wirkt.**

**St. Gallen** Noch im 19. Jahrhundert ließen sich
5  Kunstfreunde zu heftigen Gefühlswallungen
hinreißen. Der Anblick lediglich einer Repro-
duktion der Sixtinischen Madonna Raffaels
habe bei einer Gruppe junger Leute „eine
plötzliche Stockung der Gedanken" verur-
10  sacht, einige seien „in Tränen ausgebrochen",
heißt es in einer zeitgenössischen Quelle.
Heute sind wir nüchterner – und flüchtiger
Nur elf Sekunden oder drei Atemzüge ver-
weilt der durchschnittliche Museumsbesu-
15  cher vor durchschnittlichen Bildern, hat eine
Museumsstudie ergeben. „eMotion – mapping
museum experience" lautet der Titel der Studie, die der Kulturwissenschaftler Martin
Tröndle leitet.

20  Knapp 600 Museumsbesucher wurden mit
Datenhandschuhen durch eine eigens für das
Experiment eingerichtete Kunstausstellung
mit 76 Werken von Claude Monet über Andy
Warhol bis Imi Knoebel geschickt. Über den
25  Datenhandschuh erhielt das Forscherteam
Informationen über Herzfrequenzen und
Hautleitfähigkeit. Drei Monate lang wurden
Daten erhoben, drei Jahre lang dauerte die
Auswertung der Daten und der Fragebögen zu
30  Vorbildung und Erwartungen der Besucher.
Am geringsten waren die messbaren Reak-
tionen bei einem intensivfarbigen Pop-Art-
Kunstwerk von Andy Warhol. Ein „Antibild"
von Günther Uecker, aus dem Nagelspitzen
35  ragen, ließ hingegen die Herzen am höchsten
schlagen. Durchschnittlich verweilten die
Besucher 34,5 Sekunden vor dem Nagelbild.
„Zum ersten Mal können wir die körperliche
Wirkung von Kunstrezeption nachweisen",
40  sagt Tröndle.

Museen sollen Stätten der Kontemplation sein
und zugleich soziale Orte. Seit rund 30 Jahren
aber entwickeln sich Ausstellungen zu Mas-
senevents. Weltweit steigen die Museums-
besuche, in Deutschland gehen jährlich mehr  45
als 100 Millionen Menschen in Museen. Das
British Museum oder der Pariser Louvre zählen an manchen Tagen um die 9000 Besucher.
Glaubt man der Studie, sind Museen heute
Orte der systematischen Überforderung und  50
des oberflächlichen Sehens. Gerade die typische Konstellation – Skulpturen im Verbund
mit Bildern an der Wand – verwirre und
hemme das Sehen. Und wer etwa in Begleitung durchs Museum schlendere, und das  55
trifft für die Hälfte der Besucher zu, könne
sich am Museumsausgang an fast nichts
mehr erinnern.
Laut der Studie hat auch das Wissen über
die Kunstwerke einen deutlich geringeren  60
Einfluss auf die Kunstrezeption als bisher
geglaubt. Tröndles Fazit: „Museen sind weniger Orte der intellektuellen Auseinander-
setzung als vielmehr Orte der körperlichen
Erfahrung."  65

# LEKTION 5

zu Sehen und Hören 1, S. 62, Ü2

## 4 Im Atelier 🖥 ÜBUNG 1

WORTSCHATZ

**Was passt nicht? Streichen Sie durch.**

1 der Spachtel – der Pinsel – ~~die Mischtechnik~~ – der Stift
2 die Galerie – die Werkstatt – das Atelier – die Installation
3 die Leinwand – die Skulptur – der Zeichenblock – der Stoff
4 die Leichtigkeit – die Blockade – die Vitalität – die Freude
5 farbenfroh – lebendig – düster – hell
6 fertig – angefangen – vollendet – abgeschlossen
7 scheitern – schaffen – erreichen – gelingen

zu Wortschatz, S. 63, Ü1

## 5 Kunst im Park 🖥 ÜBUNG 2

GRAMMATIK

a **Bilden Sie aus den unterstrichenen Wörtern Verben mit _be-_.**

1 über etwas sprechen oder <u>schreiben</u>   → etwas  _beschreiben_
2 an etwas <u>arbeiten</u>   → etwas  _____
3 über etwas <u>urteilen</u>   → etwas  _____
4 auf etwas <u>antworten</u>   → etwas  _____
5 über etwas <u>staunen</u>   → etwas  _____
6 etwas <u>pflanzen</u>   → etwas  _____

b **Ergänzen Sie die Verben aus a in der richtigen Form.**

### Florale Kunst

Wir haben unseren alten Schlosspark neu mit Blumen
_____ (1) und für Sie geöffnet. Er bietet nun eine wunderbare Plattform für Begegnungen von Kunst mit Natur: Hier können Sie ungewöhnliche Installationen und Skulpturen _____ (2) und sich für Ihre eigenen Werke inspirieren lassen. Die Künstler sind anwesend, _beschreiben_ (3) den Entstehungsprozess ihrer Werke und _____ (4) gerne alle Ihre Fragen. In unseren Workshops können Sie dann selbst Ton oder Holz _____ (5).
Am Schluss _____ (6) unsere Jury die besten Arbeiten.

c **Ergänzen Sie die Präpositionen _an_, _auf_ oder _über_.**

1 etwas bespannen:   _auf_ etwas spannen
2 etwas bemalen:   _____ etwas malen
3 etwas bearbeiten:   _____ etwas arbeiten
4 jemanden beherrschen:   _____ jemanden herrschen
5 etwas besprechen:   _____ etwas sprechen
6 etwas bezweifeln:   _____ etwas zweifeln
7 etwas belächeln:   _____ etwas lächeln

zu Wortschatz, S. 63, Ü1

## 6  Im Kunst-Workshop

GRAMMATIK

**a** Bilden Sie Verben mit *be-* und schreiben Sie die Sätze mit Akkusativ-Ergänzung neu.

1 Die Teilnehmer sprachen über ihre eigenen Vorstellungen mit den Künstlern.
2 Über einige skurrile Ideen der Hobby-Künstler lächelte der Workshop-Leiter.
3 Fast alle folgten den konstruktiven Ratschlägen der jungen Bildhauerin.
4 Eine Gruppe stieg auf den Turm des Schlosses, um dort zu malen.

*1 Die Teilnehmer besprachen ihre eigenen Vorstellungen mit den Künstlern.*

**b** Bilden Sie Verben mit *be-* und schreiben Sie die Sätze mit Akkusativ-Ergänzung und *mit.*

1 Der Workshop-Leiter lud große Holzklötze in den Wagen.
2 Die Malerinnen haben wilde Tiere an die Wände gemalt.
3 Die Gruppe klebte viele Zeitungsausschnitte an die Wand.
4 Ein junger Künstler streute Rosenblätter auf die Wege.
5 Im Workshop druckten die Teilnehmer Blüten auf verschiedene Stoffe.
6 Der Aktionskünstler sprühte Graffitis an die Decke.

*1 Der Workshop-Leiter belud den Wagen mit großen Holzklötzen.*

zu Wortschatz, S. 63, Ü2

## 7  Gelungene oder misslungene Aktivitäten: Verben mit der Vorsilbe *ver-*

GRAMMATIK

**a** Ordnen Sie zu.

1 etwas falsch zusammenzählen
2 etwas zu stark würzen
3 etwas ohne Absicht neben ein Gefäß gießen
4 in die falsche Richtung gehen
5 das Licht abschirmen
6 einen Fortschritt erzielen
7 etwas hübscher machen
8 etwas oder jemand geht unter, z. B. im Meer
9 etwas so in die Erde stecken, dass man nichts mehr sieht
10 mittellos werden
11 etwas mit einem Edelmetall überziehen

A etwas verdunkeln
B sich verlaufen
C etwas verschönern
D sich verrechnen
E versinken
F etwas vergraben
G etwas versalzen
H etwas vergolden
I verarmen
J etwas verschütten
K sich verbessern

**b** Schreiben Sie eine kleine Geschichte, in der Sie möglichst viele der Verben mit *ver-* aus a verwenden.

*Es war einmal ein verarmter Maler, der sehr ungeschickt war. Er versalzte immer sein Essen und verschüttete oft seinen Wein …*

zu Wortschatz, S. 63, Ü2

## 8 Ölmalerei 🖥 ÜBUNG 3, 4

GRAMMATIK

**Schreiben Sie die Sätze neu mit einem Verb mit *ver-*.**

1 Die Malerin hat ihr Atelier dunkel gemacht.
2 Einige Sonnenblumen auf dem Bild hören langsam auf zu blühen.
3 Dieser Galerist versucht, die Fenster seiner Ausstellungsräume breiter zu machen.
4 Der Künstler will die Vergänglichkeit dadurch zeigen, dass er Obst malt, das faul wird.
5 Die Farben auf dem Foto werden blasser.
6 Am Ende seines Lebens wurde der Maler einsamer.

*1 Die Malerin hat ihr Atelier verdunkelt.*

zu Lesen, S. 64, Ü2

## 9 Meine erste „documenta" – Eindrücke von der Weltkunstausstellung in Kassel

HÖREN

 **a** **Hören Sie die Eindrücke einiger „dOCUMENTA (13)"-Besucher und ordnen Sie die Bilder A–D den einzelnen Personen zu.**

Besucher 1 ☐     Besucher 2 ☐     Besucher 3 ☐     Besucher 4 ☐

**b** **Hören Sie den Radiobeitrag noch einmal in zwei Abschnitten und lesen Sie die Aussagen. Was ist richtig? Markieren Sie.**

 **Abschnitt 1**

1 Besucher 1 lobt
  ☐ den großen Park.
  ☐ die praktischen Fahrräder.
  ☐ die vielen Installationen.

2 Besucher 2 beschreibt
  ☐ die Bedeutung der „documenta" für ihre Stadt.
  ☐ verschiedene Werke eines italienischen Künstlers.
  ☐ die Symbolik eines konkreten Kunstwerks.

**Abschnitt 2**

1 Besucher 3
  ☐ stellt ein eigenes Kunstwerk aus.
  ☐ macht als lebendes „Teilkunstwerk" bei einer Performance mit.
  ☐ hat als Zuschauerin schon einmal bei einer Kunstaktion mitgemacht.

2 Besucher 4
  ☐ beschäftigt sich normalerweise weniger mit Kunst.
  ☐ findet Kunst aus Schrott und Abfall weniger schön.
  ☐ spricht eine Empfehlung für den Besuch der „documenta" aus.

zu Lesen, S. 64, Ü2

## 10 „documenta 14": „Von Athen lernen"

LESEN

**Was passt? Ordnen Sie zu.**

1 Vor Kurzem fand in der Kunsthochschule Kassel

2 Dort präsentierte der künstlerische Leiter

3 Die grundlegende Neuheit daran ist, dass die Weltkunstausstellung neben Kassel

4 Die Entscheidung für einen zweiten Ausstellungsort wurde damit begründet,

5 Und Athen steht nicht nur für jahrtausendalte europäische Kultur,

6 Der Kasseler Oberbürgermeister findet die Idee äußerst spannend und sieht in dem Konzept der verdoppelten Perspektive eine Chance,

7 Ihren Schwerpunkt wird die „documenta 14" in Kassel haben,

A dass auf jeder „documenta" auch politisch-gesellschaftliche Fragen thematisiert werden, die ja auch künstlerisches Handeln motivieren.

B das Konzept der nächsten „documenta" im Jahr 2017.

C Kassel 2017 weltweit noch mehr Aufmerksamkeit zu bescheren.

D die Ausstellungteile in Athen finden zeitlich vor denen in Kassel statt.

E die griechische Hauptstadt Athen als zweiten Schauplatz haben wird.

F sondern ist derzeit auch ein Brennpunkt globaler gesellschaftlicher Herausforderungen.

G ein Symposium mit dem Titel „documenta 14, Kassel: Von Athen lernen" statt.

zu Lesen, S. 64, Ü2

## 11 Im Kunstbetrieb 🖥 ÜBUNG 5

WORTSCHATZ

**a Welche Definition passt zur Bedeutung im Text im Kursbuch, S. 64–65? Ordnen Sie zu.**

1 die Avantgarde

2 die Kuratorin/ Kurator

3 die Installation

4 die Performance

5 der Zeitgeist

6 der Nabel der Welt

7 der Tribut

8 der öffentliche Raum

9 die Kluft

10 der Grundstein

11 aus allen Winkeln der Erde

A Gestalter/in einer Ausstellung oder eines künstlerischen Konzepts

B zu einer bestimmten Zeit vorherrschende Denkweise oder Ansichten

C Ort, der jedermann zugänglich ist, wie z. B. eine U-Bahn-Station, ein Park oder ein zentraler Platz

D Zugeständnis, das man machen muss, um etwas zu erreichen oder durchzusetzen

E Basis, Anfang, Beginn einer Sache oder Entwicklung

F große Lücke, großer Unterschied

G meist großes, dreidimensionales, ortsgebundenes Kunstwerk

H Kunstwerk in Form einer Darbietung oder Aufführung, bei der meistens Menschen agieren

I Ort, an dem sich alles Wichtige abspielt

J von überall her

K Vorreiter einer neuen Kunstrichtung

**b Welche vier Begriffe aus a sind hier dargestellt?**

zu Lesen, S. 65, Ü3

## 12 Multitalent

Setzen Sie die Aussage des Künstlers Janis Meier für einen Zeitungsartikel
in die indirekte Rede.

### Das Leben hat so viel zu bieten

„Ich brauche verschiedene Wege, um mich ausdrücken
zu können. Das Leben ist so bunt und vielfältig, nichts
ist eindimensional. Deswegen male ich nicht nur,
sondern mache auch Musik. Für mich gehört das
5   zusammen, alles ist Kunst. Die meisten meiner Texte
stammen aus meiner Feder, vieles habe ich selbst
erlebt oder erfahren. Dass ich die Lieder auch selbst
singe, ist klar. Zum Glück habe ich tolle Freunde, die
10  die Melodien unter der Anleitung meines Freundes Cong Kong komponiert haben. Das
Album ist erst im Januar herausgekommen, weil wir zunächst auch noch ein Musikvideo
produziert haben. Zwei der Songs handeln von einer unmöglichen Liebe. Das ist traurig
und schön zugleich."

*Der Künstler Janis Meier erzählt, dass er verschiedene Wege brauche, um sich*
*ausdrücken zu können.*

---

zu Lesen, S. 65, Ü3

## 13 Fragen in der indirekten Rede

GRAMMATIK ENTDECKEN

a   Unterstreichen Sie die Fragewörter/Konnektoren und die Verben in den indirekten Fragesätzen.

### Wer war gleich noch mal ...?

#### AKTUELLES FÜR SIE ZUSAMMENGEFASST

Für das Online-Magazin „Ars & Sound" wurde der Künstler Janis Meier interviewt. Die erste Frage
war, ob er neben seiner Tätigkeit als Maler auch noch eine andere Leidenschaft habe. Von Interesse
5   war auch, wer die Texte der Songs geschrieben habe und ob er sie auch selbst singe. Dann wurde
er gefragt, wer die Melodien der Songs komponiert habe und was der Grund dafür sei, dass das
neue Album erst so spät erschienen sei. Zum Abschluss wurde die Frage gestellt, was die Themen
der neuen Songs seien und ob er diese schön oder traurig finde.

b   Was ist richtig? Markieren Sie.

    ☐ 1  Direkte Fragen werden in der indirekten Rede zu Hauptsätzen.
    ☐ 2  Direkte Fragen werden in der indirekten Rede zu Nebensätzen.
    ☐ 3  Das Fragewort fällt in der indirekten Rede weg.
    ☐ 4  Das Verb steht an Position 2.
    ☐ 5  Das Verb steht an letzter Stelle.
    ☐ 6  Fragen, die mit dem Verb beginnen, haben als Konnektor *ob*.

zu Lesen, S. 65, Ü3

## 14 Diskussionsrunde: Kunst 🖳 ÜBUNG 6, 7                                   GRAMMATIK

Ergänzen Sie den Bericht über die Diskussionsrunde in Noras Blog.

Diskussionsrunde:
# KUNST

**Sonntag, 11.30 Uhr
im „Kunstcafé"**

1 Welchen Zeitraum umfasst die moderne Kunst?
2 Leben wir heute in der Postmoderne?
3 Wie wird der Preis eines Kunstwerks festgelegt?
4 Gibt es heute noch Auftragskunst?
5 Was versteht man unter „Eat-Art"?
6 Ist Kunst eine Ware?

Das sind natürlich nur einige der Fragen, die sich viele Kunstinteressierte heute stellen und die am Sonntag mit dem Künstler Janis Meier diskutiert werden. Kommen Sie vorbei und diskutieren Sie mit!

Nora Höfler, 23

Am letzten Sonntag gab es eine wirklich interessante Diskussion im „Kunstcafé". Es wurde gefragt, *welchen Zeitraum die moderne Kunst umfasse* (1), _____ (2)
und _____ (3).
Ich fand es besonders interessant zu erfahren, wie der ja oft sehr hohe Preis von Kunstwerken zustande kommt. Dann ging es weiter mit den Fragen, _____ (4),
_____ (5)
und _____ (6). Dass sogar Kochen von einigen Künstlern wirklich als künstlerischer Akt angesehen wird, hat mir gefallen. Und dann wird das Kunstwerk manchmal gleich verspeist! Kunst ist – wie alles – vergänglich …

zu Sprechen, S. 66, Ü1

## 15 Drei Feedbacks                                                          HÖREN

 **a** Hören Sie, was Zuhörer zu einer Präsentation von Mitstudenten sagen.
Wie wirken die Rückmeldungen der drei Personen? Markieren Sie.

|  | Sven | Mara | René | positive Punkte | negative Punkte |
|---|---|---|---|---|---|
| ausgewogen, mit konstruktiver Kritik |  |  |  |  |  |
| unhöflich und sehr negativ |  |  |  |  |  |
| sehr höflich und freundlich, aber unkritisch |  |  |  | toller Vortrag |  |

 **b** Hören Sie die drei Rückmeldungen noch einmal einzeln. Welche inhaltlichen Punkte werden positiv hervorgehoben, was wird kritisiert? Ergänzen Sie in den beiden letzten Spalten Stichpunkte.

# LEKTION 5

zu Sprechen, S. 66, Ü1

## 16 Rückmeldungen formulieren 🖳 ÜBUNG 8, 9                          KOMMUNIKATION

a   Lesen Sie nun die drei Rückmeldungen aus Übung 15 und ergänzen Sie in der richtigen Form.

> anstatt so viele Daten und Zahlen zu nennen • viel Neues über den Künstler erfahren •
> eine kleine kritische Anmerkung • ~~besonders gefallen hat mir~~ • hätte man als Material •
> weiter nichts aufgefallen • wirklich spannend und die Präsentation nicht gut aufgebaut •
> wie du aufgezeigt hast • Zusammenhänge waren mir • wäre doch viel interessanter
> gewesen • über die dargestellte Epoche einbauen können

**Sven:**
„Das war ein toller Vortrag, vielen Dank dafür!
_Besonders gefallen hat mir_ _____ (1),
was du zu den einzelnen Bildern gesagt hast. Super!
Viele _____ (2)
vorher nicht so klar. Außerdem habe ich _____
_____ (3).
Ich bin total begeistert, wie gut du das gemacht hast.“

**Mara:**
„Danke für eure Ausführungen. Das Thema war allerdings nicht _____
_____ (4). Außerdem fand ich die Darstellung
ganz schön trocken. _____ (5),
hättet ihr den Werdegang des Künstlers lieber mit Anekdoten aus seinem Leben darstellen sollen.
Das _____ (6).
Sonst ist mir _____ (7).“

**René:**
„Alles in allem eine schöne Präsentation, das Zuhören hat richtig Spaß gemacht. Besonders
interessant fand ich, _____ (8), mit welchen Bildern
einzelnen Künstlern des Expressionismus der internationale Durchbruch gelang und welche
Vorläufer sie hatten. _____ (9) hätte ich
noch: Man hätte auch im Handout einen kurzen Überblick _____
_____ (10). Vielleicht _____
_____ (11) ja auch noch Postkarten oder einen Flyer verwenden können. Aber der
Ausschnitt aus dem virtuellen Rundgang mit euren Erläuterungen war auch sehr anschaulich.“

b   An welchen Stellen sind die Kommentare und die Kritik in a nicht gelungen?
    Markieren Sie und formulieren Sie die „unhöflichen" Stellen mithilfe folgender
    Ausdrücke in höflichere Kritik um.

„ _Erst einmal ..., dass mir ... gefallen hat._
  _... hätte es allerdings besser gefunden, wenn ..._
  _Ein Vorschlag, um das Ganze / die Präsentation weniger ... zu machen, wäre vielleicht ..._
  _Ich könnte mir vorstellen, dass man ... erreichen würde._ „

| eher unhöflich | eher konstruktiv |
|---|---|
| die Darstellung war ganz schön trocken ... | Ein Vorschlag, um das Ganze / die Präsentation weniger theoretisch / trocken zu machen, wäre vielleicht, ein paar Beispiele aus dem Leben des Künstlers zu erzählen. ... |

zu Sprechen, S. 66, Ü1

## 17 Wie gelingt konstruktive Kritik?

SCHREIBEN

Formulieren Sie mithilfe der Fragen fünf Regeln zum Thema „konstruktives Feedback"
bzw. „konstruktive Kritik". Die Stichpunkte unten können Anregungen liefern.

1 Was ist Ihrer Meinung nach wichtig, wenn man jemandem Feedback gibt?
2 Was versteht man unter „konstruktiver Kritik"?
3 Worauf muss man besonders achten?
4 Was sollte man Ihrer Erfahrung nach unbedingt vermeiden?
5 Auf welche Art und Weise kann man Kritik formulieren?
6 Welche Unterschiede könnte es im „Kritikverhalten" bei Menschen verschiedener Herkunft geben?

| | | |
|---|---|---|
| ehrlich, aber trotzdem immer freundlich sein | sich höflich ausdrücken und vorsichtig formulieren | „Gesichtsverlust" beim Kritisierten provozieren |
| jeder sollte sich äußern | Verständnis für die Situation des Vortragenden zeigen | sich über Fehler lustig machen · es besser wissen |
| Verbesserungsvorschläge machen | nicht in allen Kulturen üblich und bekannt | anschauliche Beispiele nennen |

1 Ein gutes Feedback kann für die kritisierte Person sehr hilfreich sein, aber nur,
wenn man einige Regeln beachtet. Ganz wichtig scheint mir dabei …

zu *Wussten Sie schon?*, S. 67

## 18 Beim Abschreiben erwischt!

LESEN

Lesen Sie den Artikel. Welche Aussagen sind richtig? Markieren Sie.

1 Der Begriff „Plagiat" bezieht sich auf das Abschreiben fremder Texte. ☐
2 Übernimmt man Textpassagen oder ganze Texte anderer Verfasser in eigene Werke, muss man bestimmte Regeln für das Zitieren beachten. ☐
3 In der sogenannten Grauzone ist genau festgelegt, wann ein Plagiat rechtswidrig ist. ☐
4 Unter Politikern gab es bereits mehrere Plagiatsfälle bei der Veröffentlichung politischer Schriften. ☐
5 Wem ein Plagiat nachgewiesen wird, der muss seinen Doktortitel oft wieder abgeben. ☐
6 Meist können sich „Plagiateure" nicht länger in politischen Ämtern halten. ☐

### Was ist ein Plagiat?
Von einem Plagiat spricht man, wenn jemand sogenannte „fremde geistige Leistung"
wortwörtlich übernimmt. Dabei kann es sich um Texte, Fotos, Film- oder Tonaufnahmen
oder auch Schöpfungen wie zum Beispiel Erfindungen, Musikstücke, Kunstwerke, Design
5 oder wissenschaftliche Erkenntnisse handeln. Plagiate können gegen Gesetze wie das
Urheberrecht verstoßen, wenn etwa ein fremder Text in einer eigenen Publikation nicht als
Zitat gekennzeichnet ist. Es ist allerdings nicht immer einfach zu entscheiden, ab welchem
Umfang und in welcher Form die Übernahme anderer Ideen und Konzepte nicht mehr legal,
also rechtswidrig ist. Hier gibt es eine sogenannte Grauzone.

10 ### Plagiate in der Wissenschaft
In Deutschland kam es in den vergangenen Jahren immer wieder zu Skandalen, weil man
Personen aus der politischen Öffentlichkeit dank Internetrecherchen nachweisen konnte,
dass sie in ihren Dissertationen auf nicht zulässige Weise von anderen Autoren kopiert
hatten. Sie verloren dann meist ihren Doktortitel und mussten sich aus der aktiven Politik
15 zurückziehen.

zu Schreiben, S. 68, Ü1

**19 Brotlose Kunst** 🖳 ÜBUNG 10                                              LESEN

Lesen Sie den Artikel und notieren Sie Stichpunkte zu den folgenden Fragen.

1 Welche beneidenswerten Aspekte und welche weniger reizvollen Seiten bringt das Künstlerleben laut diesem Text mit sich?
2 Welche wichtige Information kann man aus einer Statistik der Künstlersozialkasse herauslesen?
3 Was scheint generell für die Karriere junger Künstler sinnvoll zu sein?
4 Wofür können Kunststudenten sogenannte „Selbstmarketing-Kurse" brauchen?
5 Welche weiteren Überlegungen sollten die Künstler in Bezug auf ihre Zukunftsgestaltung anstellen?

*1 weniger reizvoll: berufliche Unsicherheit*

## Wird die Kunst den Künstler ernähren?

**Wer schafft den Durchbruch zum großen Künstler? Die meisten Kunststudenten sehen einer ungewissen Zukunft entgegen – der Konkurrenzkampf tobt. Und doch werden Einzelkämpfer wohl nicht weit kommen.**

5 Jährlich gegen Ende des Sommersemesters verwandeln sich die Flure und Räume so mancher Kunstakademie in riesige, spannende Galerien, in denen Studenten ihre hier entstandenen Arbeiten zum ersten Mal einer
10 größeren Öffentlichkeit präsentieren. Ein Rundgang durch so eine Jahresausstellung mag noch so beeindruckend sein und gelegentlich sogar etwas Neid aufkommen lassen auf die freien Entfaltungsmöglichkeiten,
15 die man Künstlern gemeinhin zuschreibt – eine Frage beschäftigt nicht nur die Besucher, sondern drängt sich vor allem den jungen Schaffenden auf: Werde ich einmal von der Kunst leben können? Einen Anhaltspunkt
20 über das Einkommen von Künstlern geben statistische Zahlen der Künstlersozialkasse: Demnach verdienten die dort versicherten Künstler im letzten Jahr unter 14 000 Euro. Dass es auf dem „ungerechten" Kunstmarkt
25 auch Stars wie den Leipziger Maler Neo Rauch gibt, die mit ihren Bildern Millionen verdienen, ist bekannt. Das bedeutet natürlich Konkurrenz unter den vielen übrigen Künstlern. Dennoch meint eine Studentin auf der Jahres-
30 ausstellung: „Einzelkämpfer kommen nicht weit und ohne gute Kontakte und Bekanntschaften läuft gar nichts." Viele Kunststudenten versuchen, ihre Kräfte zu bündeln, sich gegenseitig über Stipendien zu informieren,
35 Gruppenausstellungen zu organisieren und einander auch sonst zu helfen. Und sogar die Selbstmarketing-Kurse, die an der Wand einer Kunsthochschule angepriesen werden und angehenden Künstlern vermit-

teln wollen, „wie man sich vor Ort verkauft, 40
ohne sich selbst zu verkaufen", könnten aus
Sicht der Studentin sinnvoll sein. Es gehe eben
auch darum, sich besser und professioneller
zu präsentieren und schneller die richtige
Galerie zu finden. Möglichst aber, ohne sich 45
und seine Arbeit übertrieben anzupreisen und
damit sehr aufgesetzt zu wirken.
Dennoch bleibt das Leben als bildender Künstler unsicher. Sich ein zweites Standbein zuzulegen, beispielsweise indem man Kunst mit 50
Lehramtsoption studiert, bietet die Chance
auf ein sicheres Einkommen. Dann kann man
später sogar wählen, ob man Vollzeit- oder nur
Teilzeit-Kunstlehrer sein will.
Und jenseits der Überlegungen zu den Geset- 55
zen des Kunstmarkts finden sich auch andere
Möglichkeiten. Alternativ zum Verkauf könnte
man seine Werke auch gegen Dienstleistungen oder gegen andere Kunstwerke tauschen.
Um gemeinsam zu arbeiten, statt gegeneinan- 60
der zu kämpfen.

# LEKTION 5

zu Schreiben, S. 68, Ü1

## 20 Was angehende Künstler beachten sollten!

WORTSCHATZ

Ergänzen Sie in der richtigen Form.

> einreichen • nachahmen • beeindrucken • entmutigen • ~~durchlaufen~~ •
> lassen • zulegen • vermarkten • entwickeln • halten • überfordern

Wer an einer Akademie ein Aufnahmeverfahren fürs Kunststudium _durchläuft_ (1),
muss auf jeden Fall eine Mappe mit eigenen Werken _____ (2). Auch wenn es
beim ersten Mal nicht klappt, sollte man sich auf keinen Fall _____ (3) lassen.
Wenn man mit dem Studium begonnen hat, muss man erst einmal seinen eigenen Stil
_____ (4).
Natürlich holt man sich Inspiration von außen, allerdings darf man niemals seine künstlerischen Vorbilder zu sehr _____ (5). Wichtig ist auch zu lernen, wie man
sich selbst geschickt _____ (6). Vielleicht schafft man es ja auch, einen
Galeristen durch die Originalität seiner Werke zu _____ (7). Allerdings
kann es leicht passieren, dass man sich durch die eigenen hohen Ansprüche an sich selbst
_____ (8). Wer sich nicht allein auf den späteren Erfolg als Künstler verlassen
will, sollte sich am besten ein zweites Standbein _____ (9). Möglicherweise
_____ (10) man in jungen Jahren nicht sehr viel von dieser Idee. Aber man
darf nicht völlig außer Acht _____ (11), dass diese Option später, wenn man
eventuell sogar eine eigene Familie hat, sehr sinnvoll sein kann.

zu Schreiben, S. 69, Ü2

## 21 Imperativ in der indirekten Rede

GRAMMATIK ENTDECKEN

a Lesen Sie die Marketing-Tipps für Künstler und unterstreichen Sie
die Modalverben in der indirekten Rede.

| direkte Rede | indirekte Rede |
|---|---|
| „Schaffen Sie sich im Internet eine Webseite oder einen Blog an!" | Die Agentur empfiehlt, man solle sich im Internet eine Webseite oder einen Blog anschaffen. |
| „Posten Sie dort keine Kommentare wie ‚Danke für Ihre schreckliche Post' oder ‚So etwas lese ich nicht!'" | Man dürfe dort keine Kommentare wie „Danke für Ihre schreckliche Post" oder „So etwas lese ich nicht!" posten. |
| „Schaffen Sie sich unbedingt ein Organisations-system, bei dem keine wichtigen Adressen Ihrer Interessenten verloren gehen!" | Man müsse sich ein Organisationssystem schaffen, bei dem keine wichtigen Adressen seiner Interessenten verloren gingen. |
| „Bitte wenden Sie sich bei weiteren Fragen an unsere Agentur!" | Bei weiteren Fragen möge man sich an die Agentur wenden. |

b Ergänzen Sie die Tabelle.

| direkte Rede | Modalverb in der indirekten Rede |
|---|---|
| Imperativ mit *unbedingt, auf jeden Fall* | |
| Imperativ mit *bitte* | |
| Imperativ mit Negation | dürfe nicht / dürfe kein(e) |
| Imperativ | |

zu Schreiben, S. 69, Ü2

## 22 Marketing-Tipps für Künstler 🖥 ÜBUNG 11, 12                    GRAMMATIK

**Setzen Sie die Tipps einer Marketing-Agentur in die indirekte Rede.**

1 Informieren Sie Ihre Interessenten regelmäßig über Ausstellungen, neue Werke und Ideen!

*Die Agentur empfiehlt, man solle seine Interessenten regelmäßig über Ausstellungen, neue Werke und Ideen informieren.*

2 Recherchieren Sie Blogs und Webseiten anderer Künstler und kommentieren Sie die Arbeiten Ihrer Kollegen!

3 Nutzen Sie soziale Netzwerke, denn Kunst ist Kommunikation! Kommunizieren Sie also unbedingt!

4 Versäumen Sie es nicht, Abbildungen Ihrer Kunstwerke weiträumig über so viele Medien wie möglich zu streuen!

5 Veranstalten Sie Tage der offenen Tür, Ausstellungen und Vernissagen – gerne auch mit anderen Künstlern zusammen! Vermarkten Sie Ihre Kunst!

6 Hinterlassen Sie bitte einfach einen Kommentar, falls Sie Schwierigkeiten haben.

zu Sehen und Hören 2, S. 71, Ü5

## 23 Bilder einer Ausstellung 🖥 ÜBUNG 13                    GRAMMATIK

**Ergänzen Sie *laut*, *nach*, *zufolge* oder *wie*.**

*Laut* (1) der Meinung meines Mannes sind die Bilder in dieser Ausstellung völlig falsch gehängt. Meiner Ansicht _____ (2) stimmt das aber nicht.

Elfriede Zack,
Kunstinteressierte

_____ (4) schon der Kunsthistoriker Habersack gesagt hat, sind ‚Alt' und ‚Neu' ganz falsche Kategorien, wenn man die Entwicklung eines Künstlers beurteilen will. Die Kunst soll als Prozess sichtbar werden.

Franz Schneider,
Studienrat

Dem Galeristen _____ (3) ist das beabsichtigt. Denn nur so kann man den Kontrast zwischen ‚Alt' und ‚Neu' entdecken.

André Klein,
Kurator

_____ (5) dem Katalogtext geht es hier gar nicht darum, eine Entwicklung zu zeigen. Dem Künstler _____ (6) steht jedes Werk für sich selbst.

Bettina Baum,
Museumspädagogin

zu Sehen und Hören 2, S. 71, Ü5

**24 Kunstkritik** 🖥 ÜBUNG 14    GRAMMATIK

Schreiben Sie den Satz mit der Präposition oder dem Ausdruck in Klammern neu.

1 Der Kunstkritiker meint, dass komplexe Zusammenhänge erkennbar werden müssen. (nach)

*Nach Meinung des Kunstkritikers müssen komplexe Zusammenhänge erkennbar werden.*

2 Ein Gerücht besagt, dass die moderne Kunst nichts dringender braucht als Kritik. (zufolge)

3 Die Kunstkritikerin Astrid Mania meint, Kunst sollte Stellung beziehen. (wie + Nebensatz)

4 Konrad Richter findet, dass Konzeptkunst heutzutage wichtiger ist als Malerei. (laut)

5 Er ist der Ansicht, dass man sich als Kritiker mit Künstlern über Kunst unterhalten sollte, weil die sich Vollzeit mit Kunst beschäftigen und die Tricks kennen. (nach)

6 Ich persönlich meine, dass die Ausstellung „Kunst und Fußball" am schönsten war. (nach)

zu Sehen und Hören 2, S. 71, Ü5

**25 Überlegungen zur Kunst** 🖥 ÜBUNG 15    SCHREIBEN

Wählen Sie im Kursbuch auf S. 70 eines der Zitate der im Film befragten Personen und auf S. 71 ein Zitat einer berühmten Person aus.

- Erläutern Sie, was diese Definitionen von Kunst Ihrer Meinung nach aussagen wollen.
- Überlegen Sie sich dafür ein konkretes Beispiel oder eine Situation, die dazu passt.
- Erklären Sie auch, warum diese Definitionen von Kunst Sie besonders ansprechen.

Verwenden Sie einige der folgenden Redemittel.

„ *Mit dem Ausspruch: ... wird auf die ... von Kunst angespielt.*
*Es wird darauf aufmerksam gemacht, dass Kunst ...*
*Man kann sich beispielsweise ... vorstellen: ...*
*Die Betonung liegt hier auf ..., wie man es auch*
*in ... vorfindet.*
*Ich finde dieses Zitat ..., weil damit ... hervorgehoben wird.*
*Sehr passend scheint mir auch die Definition von ...,*
*denn sie stellt die Kunst ... dar.* „

*Ein Mann im Film sagt: „Kunst ist, was verblüfft." Er macht darauf aufmerksam, dass Kunst uns überraschen und erstaunen soll, manchmal auch wachrütteln aus unserem täglichen Trott. Der deutsche Künstler Baselitz hat beispielsweise damit überrascht, dass er alle Motive auf den Kopf gestellt hat, wie ein umgedrehtes Bild.*

# LEKTION 5 LERNWORTSCHATZ

## EINSTIEGSSEITE, S. 61

die Interpretation, -en
die Wirkung, -en

## SEHEN UND HÖREN 1, S. 62

das Atelier, -s
die Blockade, -n
das Porträt, -s
die Vitalität (Sg.)

## WORTSCHATZ, S. 63

der Bildhauer, -
die Leinwand, ⸚e
der Meißel, -
der Rahmen, -
die Skulptur, -en

bearbeiten
bemalen
bespannen
etwas spannen (auf)
vereinfachen
vergolden
sich verhören
sich verlaufen, verlief,
   hat verlaufen
versäumen
verschönern
sich verwählen
sich/jemanden verwandeln

unterirdisch
verwirrt

## LESEN, S. 64–65

die Avantgarde, -n
die Installation, -en
die Kluft, ⸚e
der Kurator, -en
die Performance, -s
der Tribut, -e
der Winkel, - (hier: kleiner Ort)
der Zeitgeist (Sg.)

angehen (+ Akk.), ging ... an,
   ist ... angegangen
   Was die Besucher angeht, ...
dahinterstecken
institutionalisieren
konzipieren
platzieren
verbleiben, verblieb,
   ist verblieben
wirbeln

jemandem einen Gefallen tun,
   tat, hat getan
den Grundstein für etwas legen
vertreten sein

lateinisch
trivial

der Nabel der Welt
der öffentliche Raum

## SPRECHEN, S. 66–67

der Durchbruch, ⸚e
die Epoche, -n
das Handout, -s
die Skizze, -n
das Urheberrecht, -e
der Vorläufer, -
der Werdegang (Sg.)

das Zitat, -e
der Zyklus, Zyklen

zitieren

einen Überblick geben
ein Resümee ziehen, zog,
   hat gezogen

originell

## SCHREIBEN, S. 68–69

der Galerist, -en
das Lehramt (Sg.)
die Option, -en
der Raumausstatter, -
der Sponsor, -en
das Verfahren, -

viel/wenig/nichts halten von,
   hielt, hat gehalten
nachahmen (+ Akk.)
sich/jemanden überfordern
vermarkten

etwas außer Acht lassen, ließ,
   hat gelassen
beeindruckt sein
sich ein zweites Standbein
   zulegen

umfangreich

## SEHEN UND HÖREN 2, S. 70–71

der Staub (Sg.)
das Unaussprechliche

angucken
etwas bewirken (bei)
hinterlassen, hinterließ,
   hat hinterlassen
verblüffen

# LEKTIONSTEST 5

## 1 Wortschatz

**Was passt? Ergänzen Sie.**

1 Eine Malerin / Ein Maler arbeitet in ihrem/seinem _____ .
2 Mit Ölfarben malt man auf eine _____ .
3 Wer Bilder von Künstlern in seinen Räumen verkauft, ist ein _____ .
4 Bevor man anfängt, ein Bild zu malen, macht man eine _____ .
5 Wer Skulpturen anfertigt, ist ein _____ .
6 Die Person, die eine Ausstellung konzipiert, ist ein _____ .
7 Einen Zeitabschnitt in der Kunstgeschichte nennt man eine _____ .

> Je 1 Punkt   **Ich habe** _____ **von 7 möglichen Punkten erreicht.**

## 2 Grammatik

**a Schreiben Sie die Sätze mit Verben mit den Vorsilben *be-* oder *ver-* neu auf ein separates Blatt.**

1 Ich bin in die falsche Richtung gelaufen.
2 Ich habe meine Wohnung schöner gestaltet.
3 Ich habe auf eine Holzplatte gemalt.
4 Ich habe über das tolle Gemälde gestaunt.
5 Ich habe die Erklärung einfacher gemacht.
6 Ich habe nicht das gehört, was du gesagt hast.

> Je 1 Punkt   **Ich habe** _____ **von 6 möglichen Punkten erreicht.**

**b Formen Sie die Sätze auf einem separaten Blatt in die indirekte Rede um.**

1 Tina fragte ihren Galeristen Sven: „Wie viele Werke von mir wirst du ausstellen?"
2 Sven fragte zurück: „Hast du deine letzte Serie denn schon beendet?"
3 Tina bat ihn nun: „Sieh dir doch bitte meine neuen Bilder mal an!"
4 Sven sagte: „Dann bring sie mir auf jeden Fall bis Anfang der Woche vorbei!"
5 Da meinte Tina: „Sei aber nicht böse, wenn ich am Sonntag vor der Tür stehe!"

> Je 2 Punkte   **Ich habe** _____ **von 10 möglichen Punkten erreicht.**

**c Ergänzen Sie *wie, laut, nach, zufolge* oder *wie*.**

1 _____ meinem Professor geht es nun darum, seinen eigenen Stil zu finden.
2 Den Organisatoren _____ hatte das neue Museum bereits eine halbe Million Besucher.
3 _____ Ansicht einiger Besucher ist der Eintrittspreis für Normalverdiener jedoch zu hoch.
4 _____ die Museumsleitung verkünden ließ, wird es bald Sonderpreise für Familien geben.

> Je 0,5 Punkte   **Ich habe** _____ **von 2 möglichen Punkten erreicht.**

## 3 Kommunikation

**Was passt? Schreiben Sie das passende Wort ans Zeilenende und markieren Sie die Stelle, an der es fehlt.**

> gefallen · gelungene · zusammenhängen · einige Zitate · zum Aufbau

1 Ich finde, das war eine Präsentation . _____
2 Besonders haben mir die vielen tollen Bilder . _____
3 Eine kleine Anmerkung hätte ich noch deines Vortrags . _____
4 Nicht so klar war mir nämlich, wie die Schaffensperioden des Künstlers . _____
5 Anstatt hier nur Daten zu nennen, wären vielleicht aussagekräftiger . _____

> Je 1 Punkt   **Ich habe** _____ **von 5 möglichen Punkten erreicht.**

---

**Auswertung:** Vergleichen Sie Ihre Lösungen mit S. AB 112.
Ihre Erfolgspunkte tragen Sie unter jeder Aufgabe ein.

| ☺ | ☺ | ☹ |
|---|---|---|
| 30–26 | 25–15 | 14–0 |

**Ich habe** _____ **von 30 möglichen Punkten erreicht.**

# LEKTION 6 STUDIUM

## 1 Rund um die Uni

a **Welcher Dreiwortsatz steckt in diesen Buchstaben? Schreiben Sie.**

C – D – I – I – E – E – E – G – H – N – R – R – S – T – U

Lösung: _____ _____ _____

b **Was passt? Ordnen Sie zu.**

| | |
|---|---|
| 1 Studien | A bereich |
| 2 Vorlesungs | B wissenschaft |
| 3 Lehr | C aufenthalt |
| 4 Fach | D verzeichnis |
| 5 Auslands | E veranstaltung |
| 6 Sprach | F gang |

c **Was passt nicht? Streichen Sie durch.**

| | |
|---|---|
| 1 eine Frage | stellen – haben – ~~halten~~ – beantworten |
| 2 ein Referat | halten – ausarbeiten – vorbereiten – zustimmen |
| 3 eine Vorlesung | bringen – besuchen – halten – vorbereiten |
| 4 einen Eindruck | vermitteln – haben – bekommen – halten |
| 5 einen Überblick | bekommen – durchführen – vermitteln – haben |
| 6 eine Rede | vorbereiten – halten – ablesen – geben |
| 7 eine Entscheidung | treffen – fällen – gewinnen – vermeiden |
| 8 eine Meinung | fällen – vertreten – haben – verteidigen |
| 9 Kenntnisse | vertiefen – treffen – erweitern – erwerben |

---

zur Einstiegsseite, S. 73, Ü2

## 2 Studium mit 50 💻 ÜBUNG 1

 **Hören Sie das Interview. Was ist richtig? Markieren Sie.**

1 Wer wird hier interviewt?
   - a Ein 50-Jähriger, der Ingenieur werden möchte.
   - b Ein Ingenieur, der noch einmal zur Uni zurückkehrt.
   - c Ein Hochschullehrer, der Ingenieurbau lehrt.

2 Der Mann möchte ...
   - a sein Arbeitsleben in anderthalb Jahren abschließen.
   - b Neues dazulernen.
   - c Baumanager werden.

3 Wie schafft er sein Arbeitspensum? Er ...
   - a richtet seine Arbeitstermine nach dem Stundenplan an der Uni.
   - b legt Uni-Termine so, dass er voll im Beruf arbeiten kann.
   - c legt berufliche Termine so, dass seine Frau viel übernehmen kann.

4 Nach Abschluss des Masters könnte er sich vorstellen, ...
   - a als Angestellter tätig zu sein.
   - b in der Schule weiterzulernen.
   - c Mathe und Physik zu studieren.

# LEKTION 6

zu Lesen 1, S. 74, Ü1

## 3  Studieninhalte

WORTSCHATZ

Ergänzen Sie in der richtigen Form.

> ~~auswerten~~ · inszenieren · entwerfen · dokumentieren ·
> simulieren · schlichten · übertragen · verfassen

1  David macht in Chemie gerade eine praktische Übung im
   Labor und lernt, wie man die Ergebnisse von Experimenten
   _auswertet_ .
2  Anschließend muss er in einem Protokoll _____ ,
   mit welcher Methode er gearbeitet hat.
3  Heidi studiert Architektur. Sie soll umweltfreundlichere Häuser _____ .
4  Alex möchte später mal in einem Opernhaus arbeiten und, wenn möglich, selbst als Regisseur
   Opern _____ .
5  Barbara hat sich für ein Seminar eingeschrieben, in dem man lernt, eine Kritik zu einer
   Theateraufführung zu _____ .
6  Christof befasst sich in Informatik damit, wie man große Mengen von Informationen zwischen
   Computern _____ kann.
7  Gabi fand die letzte Vorlesung über Kriminalrecht toll, weil der Dozent nicht nur die Theorie
   lehrte, sondern auch eine Gerichtsverhandlung _____ .
8  Ingrid macht in einem Fernstudium eine Ausbildung zur Mediatorin. Darin lernt sie, einen
   Streit unter Kollegen zu _____ .

zu Lesen 1, S. 74, Ü1

## 4  Hochschulen und Studiengänge

WORTSCHATZ

a  **Was passt nicht? Markieren Sie.**

| | | | |
|---|---|---|---|
| 1 ☐ Kunstakademie | ☐ Hochschule | ☒ Realschule | ☐ Technische Universität |
| 2 ☐ Sozialarbeit | ☐ Psychologie | ☐ Sozialpädagogik | ☐ Geologie |
| 3 ☐ Fachrichtung | ☐ Studienordnung | ☐ Studiengang | ☐ Studienfach |
| 4 ☐ Veranstaltung | ☐ Seminar | ☐ Mitschrift | ☐ Vorlesung |
| 5 ☐ Fundament | ☐ Basis | ☐ Grundlage | ☐ Facette |
| 6 ☐ Prinzip | ☐ Regel | ☐ Konstruktion | ☐ Gesetz |
| 7 ☐ Germanistik | ☐ Jura | ☐ Gesetzeskunde | ☐ Rechtswissenschaft |

b  **Was passt? Ergänzen Sie.**

> Berufsakademie · Fachhochschulen · Pädagogischen Hochschule ·
> ~~Technische Universitäten~~ · Universität

_Technische Universitäten_ (1) bieten ein breites Angebot an ingenieur- und naturwissen-
schaftlichen Fächern. Hauptausrichtung einer _____ (2) ist
die Lehr- und Lernforschung. Sie ist für die Aus- und Fortbildung von Lehrern zuständig.
Das Studienangebot einer _____ (3) umfasst ein breites
Spektrum an unterschiedlichen Studiengängen.
Eine _____ (4) bietet in Deutschland ein Studium mit
starkem Praxisbezug. Die theoretische Ausbildung ist mit der praktischen Ausbildung in
einem Unternehmen verknüpft (duales System). In jüngerer Zeit haben sich neben den
kostenfreien staatlichen zunehmend private _____ (5)
etabliert, die meist geringere Studentenzahlen aufweisen und Gebühren verlangen.

zu Lesen 1, S. 74, Ü1

## 5  Der deutsche Wortschatz aus Sicht der Wissenschaft  ÜBUNG 2, 3          LESEN

**Lesen Sie den Zeitungsartikel. Ergänzen Sie dann die Textzusammenfassung.**

Sprachwissenschaftler erklären aufgrund ihrer _Forschungsergebnisse_ (1), wie die deutsche
Sprache sich im _____ (2) Jahrhundert entwickelt hat. Sie zeigen, dass
sich deutsche Muttersprachler heute differenzierter _____ (3) als früher.
Der Wortschatz hat stark _____ (4). Bei der Grammatik sieht die Situation
_____ (5) aus. Sie ist im Gebrauch einfacher geworden. Einige Sprachwissenschaftler befassen sich damit, wie englische Wörter ins Deutsche _____ (6)
werden. Dabei kommt es immer wieder zu schwierigen Entscheidungen: Lexikografen müssen
festlegen, ob ein solches aus dem Englischen entlehntes Wort ins _____ (7)
aufgenommen wird.

### Alles dreht sich um unsere Sprache

Sprachwissenschaftler beschäftigen sich unter anderem mit dem Wortschatz einer
5  Sprache. In den letzten 100 Jahren ist die Zahl der Wörter im Deutschen um 1,6 Millionen Wörter gewachsen. Vor allem die Komposita, d. h. die
10  zusammengesetzten Wörter, haben sich vermehrt. Manche Begriffe hängen dabei schlicht mit technischen Neuerungen zusammen. Die Worte „Parklücke" und „Führerschein" tauchen erst im 20. Jahrhundert
15  auf. „Auszeit" oder „Teilzeit" gelten als neue Begriffe, obwohl sie sich aus zwei bekannten Worten zusammensetzen. Das Konzept der „Teilzeit" erschließt sich jedoch nicht automatisch, nur weil man die Worte „Teil" und
20  „Zeit" kennt. Durch den starken Anstieg der Wortmenge haben sich die Ausdrucksmöglichkeiten im Deutschen vergrößert.
Die Ergebnisse der Wortschatzforscher sind wichtig für Lexika. Für die Arbeit an neuen
25  Wörterbüchern ist aber auch die Entwicklung der Grammatik wichtig. Während die Anzahl der Wörter stark wächst, sind bei der Grammatik leichte Einbußen zu verzeichnen, etwa beim Konjunktiv I, der immer
30  seltener benutzt wird. Insgesamt wird die Grammatik einfacher. Das gilt nicht nur für das Deutsche. Es ist vielmehr eine Entwicklung, die für große Kultursprachen typisch ist. Skeptiker sprechen von „Formenverfall".
35  Tatsächlich vermeiden beispielsweise viele Sprecher im Deutschen heute den Genitiv:

...gen (lat.) (Bi...
...ches, eingeschle...
...einer anderen Ar...
gend)
**Trans|gen|der** [trans
-s, - ⟨lat.: engl.⟩ (jr
Geschlechtszugeh...
akzeptiert)

Den „Besuch vom Onkel" gibt es häufiger als den „Besuch des Onkels".
40  Die wichtigsten Wörterbücher bilden den Sprachgebrauch ab. Wörter, die Menschen häufig benutzen, werden automatisch in die
45  Lexika aufgenommen. Doch längst nicht alle Wörter setzen sich durch. Der „City Call" der Deutschen Telekom hatte nur eine kurze Lebensdauer. Sinnvolles dagegen bleibt und trägt zur Differenzierung der deutschen Sprache bei. Das „Event" hat die „Veranstal-
50  tung" nicht verdrängt, sondern um eine Facette ergänzt. Für Wissenschaftler, die am Erstellen von Wörterbüchern beteiligt sind, ist die Frage zu klären, was als Wort zählt. Das ist allerdings schwer zu sagen, denn
55  viele Worte sind mehrdeutig: „Verband" kann sowohl einen „Arbeitgeberverband" meinen als auch einen medizinischen „Verband". Zählt man das Wort also doppelt? Sprachwissenschaftler beschäftigen sich
60  aber auch mit dem Einfluss des Englischen auf die deutsche Sprache. Begriffe wie „Babyalter" zählen wir inzwischen nicht mehr zu den geliehenen, sondern zu deutschen Sprachprodukten. Kulturkritiker sprechen
65  von einer Dominanz des Englischen. Doch das sehen andere nicht als Problem, vor allem, weil die Wörter wie deutsche Wörter flektiert werden. Ob man beispielsweise „downgeloaded" oder „gedownloaded" sagt,
70  ist im Deutschen egal.

# LEKTION 6

zu Lesen 1, S. 75, Ü2

## 6 Modernes Studium

**Welche Präposition mit Dativ passt? Markieren Sie.**

1 Die moderne Lehre an der Universität soll den Studierenden *dank / laut /(außer)* theoretischem Wissen auch Kompetenzen vermitteln, die sie im Berufsleben gebrauchen können.

2 Professor Huber *laut / zufolge / außer* muss ein gutes Studium so angelegt sein, dass nicht nur Fähigkeiten vermittelt werden, sondern auch das Weltbild geprägt wird.

3 *Laut / Dank / Zufolge* dem Uni-Präsidenten sollte die Universität ein Zentrum für Lebenswissenschaft sein.

4 Seiner Meinung *nach / dank / laut* ist es wichtig, in die Medizinerausbildung auch Geisteswissenschaften wie Philosophie einzubeziehen.

zu Lesen 1, S. 75, Ü2

## 7 Präpositionen mit Dativ

GRAMMATIK ENTDECKEN

a **Markieren Sie die Präpositionen mit Dativ.**

> Liebe Larissa,
>
> jetzt bin ich samt Mann und Kind in Hamburg gelandet und studiere hier fern meiner Heimatstadt Dortmund Sozialpädagogik. Norbert hat eine gute Stelle entsprechend seiner Qualifikation als Informatiker gefunden. Inzwischen haben wir uns auch eingelebt, wir
> 5 haben eine schöne Altbauwohnung und einen kleinen Garten. Es stimmt übrigens nicht, dass es hier im Norden immer regnet, man kann alles draußen machen, wenn man dem Wetter entsprechend angezogen ist. Eigentlich wollten wir ja auch unsere beiden Papageien Max und Lora mitnehmen, den neuen Nachbarn zuliebe haben wir aber beide Vögel samt ihrem Käfig verkauft. Die beiden vermisse ich schon – und Dich, meine Dortmunder Freunde und
> 10 Dortmund natürlich auch! Besuch uns doch bald mal, wir haben Platz!
>
> Liebe Grüße
> Kerstin

b **Was ist richtig? Markieren Sie.**

|  | steht vor dem Nomen | steht nach dem Nomen | steht vor oder nach dem Nomen |
|---|---|---|---|
| entsprechend |  |  |  |
| fern |  |  |  |
| samt |  |  |  |
| zuliebe |  |  |  |

zu Lesen 1, S. 75, Ü2

## 8 Studierende und Ex-Studierende 📖 ÜBUNG 4

GRAMMATIK

**Schreiben Sie die Sätze mit *entsprechend, fern, samt* und *zuliebe* neu.**

1 Ein Semester hat Sven in Rom verbracht, weil sich seine italienische Freundin das so gewünscht hat.

2 Katharina ist mit dem Gartenbau-Studium gerade fertig geworden und hatte ihren ersten Auftrag: Der Park, den sie entworfen hat, entspricht ihren Vorstellungen und ist sehr schön geworden.

3 Dominik hat für sein Examen in den Bergen, weit weg von seinen Freunden, gelernt.

# LEKTION 6

4 Hier steht der Roman „Der Campus" zusammen mit seiner Entstehungsgeschichte im Mittelpunkt.

5 Um ihrem Kommilitonen zu helfen, hat Franziska die letzten beiden Vorlesungen über die Geschichte des Mittelalters ganz genau mitgeschrieben.

*1 Ein Semester hat Sven seiner italienischen Freundin zuliebe in Rom verbracht.*

---

zu Wortschatz, S. 76, Ü2

## 9 Studienfächer und Fachausdrücke ⌨ ÜBUNG 5, 6, 7      GRAMMATIK

a Ergänzen Sie die Endungen -ment, -anz/-enz, -ismus/-asmus oder -ar/-är und den passenden Artikel.

| 1 Architektur: | d *as* | Apart*ment* | d | Mechan |
|---|---|---|---|---|
| 2 Zoologie: | d | Organ | d | Experi |
| 3 Rhetorik: | d | Argum | d | Sark |
| 4 Kunstgeschichte: | d | Impression | d | Eleg |
| 5 Medizin: | d | Medika | d | Instru |
| 6 Politikwissenschaft: | d | Femin | d | Journal |
| 7 Psychologie: | d | Intellig | d | Enthusi |
| 8 Wirtschaft: | d | Manage | d | Bil |
| 9 Berufe: | d | Bibliothek | d | Sekret |

b Bilden Sie vier Beispielsätze.

*1 Tom studiert Architektur. Zurzeit beschäftigt er sich mit der Raumaufteilung von Apartments.*

---

zu Hören, S. 77, Ü2

## 10 Korrekte Anrede ⌨ ÜBUNG 8      WORTSCHATZ

Ergänzen Sie in der richtigen Form.

> Dozent · Tutor · Gleichstellungsbeauftragte · Anrede · Geschlechter · ~~differenzieren~~ · Titel · Kommilitone · Gleichstellung · Schriftverkehr

96_Nina

Ich habe jetzt im Wintersemester mein Studium angefangen und habe eine Frage: Welche _____ (1) benutze ich, wenn ich einem Professor, einer Professorin oder einem anderen _____ (2) schreibe? Inzwischen wird das Thema _____ (3) ja überall diskutiert. Besonders im _____ (4) bin ich da sehr unsicher. Man will ja keine Fehler machen. Heißt es Frau Professor oder Frau Professorin oder kann ich einfach nur „Sehr geehrte Frau XY" schreiben. Und wie rede ich meine Mitstudentinnen und Mitstudenten an? Kann mir da jemand weiterhelfen?

frag_paul

Ich habe kürzlich genau über diese Fragen mit unserem _____ (5) und unserer _____ (6) gesprochen! Dabei kam heraus, dass sehr viele unserer _____ (7) die Professoren in E-Mails mit „Liebe Frau / Lieber Herr X" anschreiben. Einige Professoren legen aber Wert auf ihren _____ (8) und wollen mit „Sehr geehrte/r Frau/Herr Professorin/Professor" angesprochen werden. Man muss also sowohl bei Titel und Anrede aufpassen und *differenzieren* (9). Und wenn Du eine Rundmail an Deine KommilitonInnen schreibst, solltest Du auf jeden Fall beide _____ (10) berücksichtigen.

*zu Wussten Sie schon?, S. 77*

## 11 Was macht eine Frauen- oder Gleichstellungsbeauftragte?   LANDESKUNDE/LESEN

**Lesen Sie den Zeitungsartikel. Was ist richtig? Markieren Sie.**

1 Die Frauenbeauftragte in Aachen wurde ...
   a vom Stadtrat ausgewählt.
   b von den Bürgerinnen und Bürgern gewählt.
   c von einer PR-Firma gesucht.

2 Die ausgewählte Person ...
   a hat noch vor, eine Familie zu gründen.
   b hat ein Studium absolviert.
   c hat noch keine Berufserfahrung.

3 Klara Jansen gefällt es, dass ...
   a Frauen wichtige Aufgaben übernehmen.
   b sie mehr Frauen in die Politik bringen kann.
   c sie einige Positionen im Stadtrat neu besetzen kann.

4 Was sind die Aufgaben einer Frauenbeauftragten? Sie ...
   a geht in Betriebe und kämpft dort für bessere Bezahlung von Frauen.
   b macht Werbung für die Stadt Aachen.
   c setzt sich für die Interessen und Belange der Frauen ein.

5 Womit hat ihr erstes Projekt zu tun?
   a Mit Beratung.
   b Mit Wahlen.
   c Mit der Organisation einer Beratungsstelle.

## Neue Frauenbeauftragte für Aachen

Nach langer Suche ist es endlich soweit. Der Stadtrat von Aachen hat sich für eine der Bewerberinnen für die Stelle der Frauenbeauftragten entschieden. Klara Jansen ist studierte Soziologin und Mutter von drei Kindern. Sie
5 hat bisher als PR-Beraterin für das Infocenter für Ökologie und Nachhaltigkeit der Stadt Münster gearbeitet. „Ich habe mich schon immer für das Thema ‚Gleichstellung' interessiert und engagiert", berichtet Klara Jansen im Gespräch. „Gerade in der Politik braucht man Frauen, die klar Stellung beziehen und Schlüsselpositionen besetzen, von denen aus sie etwas bewe-
10 gen können. Aus diesem Grund habe ich mich auf die Stelle beworben."
Es gibt auch in vielen anderen deutschen Großstädten eine Frauen- oder Gleichstellungsbeauftragte. Was denken die Bürger über diese neue Stelle? Und was sind eigentlich die Aufgaben einer Frauenbeauftragten? Eine kleine Umfrage in der Innenstadt von Aachen erbrachte: Die Bürger wissen es nicht.
15 Klara Jansen will das mit ihrer Arbeit ändern. „Die Frauenbeauftragte wirkt in alle Bereiche hinein, die mit Frauenfragen zu tun haben", erläutert sie. Dazu zählt unter anderem das Thema Gleichstellung von Männern und Frauen. Zum Beispiel, ob sie für die gleiche Arbeit in ihren Betrieben auch wirklich gleich bezahlt werden. Nachdem in Aachen Wahlen zum Stadtrat anstehen, findet Frau Jansen ihr erstes Projekt sehr schnell. Es heißt: „Mehr Frauen in die Politik." Neben den Projekten zu aktuellen
20 Anlässen ist die Frauenbeauftragte immer für die Bürgerinnen und Bürger da. Fast täglich kommen Ratsuchende bei ihr im Büro vorbei. Sie wollen ein Problem besprechen oder suchen eine Anlaufstelle für ihre Fragen.

zu Lesen 2, S. 78, Ü1

## 12 Ausländische Studierende WORTSCHATZ

**Was passt? Lesen Sie die Forumsbeiträge und markieren Sie die im Text gemeinte Bedeutung.**

1 pauken
- ☐ auf die Pauke hauen
- ☒ lernen

2 weitergeben
- ☐ verschenken
- ☐ vermitteln

3 die Perspektiven (Pl.)
- ☐ Berufsaussichten
- ☐ Sichtweisen

4 bereuen
- ☐ bedauern
- ☐ Buße tun

5 der Ruf
- ☐ der Name
- ☐ die Berufung

6 verlangen
- ☐ wollen
- ☐ fordern

Hoa Phan

„Berlin ist eine crazy City! Alles ist voller Leben. Ich habe von Anfang an intensiv Deutsch gepaukt (1), sonst lernt man eine Stadt nicht kennen. Ich arbeite im Uni-Krankenhaus Charité und werde in drei Jahren mit meiner Promotion fertig sein. Die Kollegen in unserer Abteilung kommen aus 20 Nationen. Und ich lerne hier molekulare Techniken, die wir bei uns nicht haben. Mein Wissen möchte ich später gern als Dozentin in meiner Heimat weitergeben (2). Mit einem deutschen Abschluss habe ich sehr gute Perspektiven (3)."

Nilay_in_D

„In Bangladesch habe ich bereits drei Jahre Informatik studiert. Darum wollte ich ursprünglich auch nur für kurze Zeit als Austauschstudent nach Deutschland gehen. Aber dann habe ich es mir anders überlegt und an der Technischen Universität Darmstadt noch einmal von vorne mit dem Bachelor-Studiengang Computational Mechanical and Process Engineering begonnen. Die Entscheidung habe ich bisher nicht bereut (4). Die Universität ist klasse! Kein Wunder, dass sie international so einen guten Ruf (5) hat. Aber es wird auch einiges verlangt (6). Obwohl ich schon zu Hause am Goethe-Institut ein Jahr lang Deutsch gelernt hatte, habe ich hier an der Universität weitere Kurse besucht. All die technischen Fachbegriffe zum Beispiel kannte ich nicht auf Deutsch."

**6**

zu Lesen 2, S. 78, Ü2

## 13 Studium international 🖳 ÜBUNG 9 WORTSCHATZ

**Wie heißen die Wörter in Klammern? Ergänzen Sie.**

1 Jelena kommt aus Polen und hat schon in ihrer Heimat in der Exportabteilung einer Firma gearbeitet. In ihrem BWL-Studium in Bremen beschäftigt sie sich mit dem _Außenhandel_ (HANAUSSENDEL).

2 Sehen Sie sich in aller Ruhe auf dem Campus um, so bekommen Sie am besten einen _____ (DREINUCK) von unserer Universität. Und wenn Sie noch Fragen haben, wenden Sie sich an das International Office. Dort finden Sie weitere _____ (SPRANECHTNERPAR).

3 Stefano aus Italien studiert jetzt in Berlin Biologie und soll ein Referat über „Schnecken" halten. Dazu muss er sich zuerst einen _____ (ERÜBCKBLI) über diese Gruppe und über die _____ (HEITSONDERBEEN) der Weichtiere verschaffen. In seinem Referat will er auch _____ (ZGUBE) auf die letzte Konferenz der Schnecken-forscher nehmen.

4 Über das Programm „Erasmus" unterstützen die Hochschulen und Universitäten den _____ (TSCHAUAUS) von Studierenden in ganz Europa.

5 Die Semesterferien dauern im Sommer _____ (TTSCHNIDURLICHCH) 10 Wochen, im Winter nur 6 Wochen.

zu Lesen 2, S. 79, Ü3

## 14 E-Mail aus Berlin

a   Lesen Sie die E-Mail und unterstreichen Sie die Verweiswörter.

Hi Simon,

im Moment sind Semesterferien und ich bin nicht in Braunschweig, sondern zum Arbeiten und Lernen in Berlin.

Abends bin ich im Restaurant meines Onkels beschäftigt, das hilft mir, ein

5   bisschen Geld zu verdienen. Und das kann ich gut gebrauchen. Vormittags bin ich meistens etwas müde und kann nicht so gut für meine Informatik-Prüfung lernen, was daran liegt, dass ich immer erst gegen zwei Uhr nachts ins Bett komme. Die Prüfung ist in zwei Wochen in Braunschweig (drück mir dafür bitte die Daumen!!!). Ich überlege mir, eine IT-Fachzeitschrift zu abonnieren – das hat

10  mir mal jemand zur Prüfungsvorbereitung empfohlen. Ob ich das mache, weiß ich noch nicht. Ich freue mich jedenfalls darauf, Dich bald mal wiederzusehen!

Liebe Grüße

Chung

b   Worauf beziehen sich die Verweiswörter? Markieren Sie.

zu Lesen 2, S. 79, Ü3

## 15 Verweiswörter

GRAMMATIK ENTDECKEN

a   Bringen Sie die Textteile in die richtige Reihenfolge.

- ☑ Die TU Braunschweig genießt als eine der ältesten Technischen Universitäten Deutschlands national und international hohes Ansehen,
- ☐ Die TU Braunschweig gehört damit zu den mittelgroßen Universitäten Deutschlands, an denen es sich hervorragend studieren lässt,
- ☐ und das auch und gerade im Bereich der Informatik.
- ☐ Aktuell sind etwa 17 200 Studierende hier eingeschrieben.
- ☐ Dementsprechend beliebt ist die Technische Universität bei ausländischen Studierenden.
- ☐ Dies zeigt sich auch daran, dass im Rahmen von Austauschprogrammen viele ausländische Studierende hierher kommen und dann z. B. für ein Master-Studium an diese Universität zurückkehren.
- ☐ wobei man aber nicht auf individuelle Betreuung verzichten muss. Studierende aus dem Ausland werden von Mentoren unterstützt.

b   Woran haben Sie die richtige Reihenfolge erkannt? Markieren Sie.

c   Ergänzen Sie.

stilistisch · logische · Textteilen

Verweiswörter dienen dazu, _____ Beziehungen zwischen Satzteilen und _____ herzustellen und _____ gute und flüssige Texte zu formulieren.

# LEKTION 6

zu Lesen 2, S. 79, Ü3

## 16 Informationen für Informatikstudenten                                    GRAMMATIK

a   Was passt? Markieren Sie das richtige Verweiswort im folgenden Forumsbeitrag.

Jakob

Als Informatikstudent muss man sich so viel Wissen wie möglich aneignen, ☒ infolgedessen ☐ stattdessen (1) halte ich es für nötig, mich regelmäßig auch über Neuerungen auf diesem Gebiet zu informieren. ☐ Dazu ☐ Dafür (2) hat uns auch unser Professor in der letzten Vorlesung geraten, ☐ demnach ☐ andernfalls (3) möchte ich jetzt eine richtig gute Fachzeitschrift abonnieren. Er hat leider keine empfohlen, ☐ andernfalls ☐ folglich (4) frage ich jetzt hier in diesem Forum. Kennt jemand von Euch eine gute IT-Zeitschrift, die nicht allzu umfangreich und ausführlich ist, und ☐ stattdessen ☐ demzufolge (5) kurz und knapp den wichtigsten Stoff vermittelt? Danke schon mal!

b   Schreiben Sie, worauf sich die Verweiswörter in a beziehen.

*1 infolgedessen: weil man sich so viel Wissen wie möglich aneignen muss*

zu Lesen 2, S. 79, Ü3

## 17 Wie studiert man effektiv? 🖳 ÜBUNG 10, 11                                GRAMMATIK

Schreiben Sie im Forum Linas Antwort auf Jakobs Frage in Übung 16 mit den Verweiswörtern am Rand neu.

Lina96

Hallo Jakob, gleich zu Deiner Frage: Ich hatte auch mal eine Fachzeitschrift abonniert, war aber ziemlich teuer (1). Am Anfang habe ich viel in der Zeitschrift gelesen und vieles nicht verstanden – ich war dann ziemlich frustriert (2). Das Abo würde ich mir sparen, es ist möglich (3), sich online zu informieren oder in die Uni-Bibliothek zu gehen. Einmal habe ich auch einen Kommilitonen in einem höheren Semester nach seiner Vorbereitung auf Prüfungen gefragt und er hat gesagt: „Studiere einfach richtig!" Es reicht aus (4), wenn man in den Vorlesungen und Übungen intensiv mitmacht, ist aber echt anstrengend (5). Ich habe vier Wochen lang mal alle wichtigen Vorlesungen, Seminare und Übungen besucht und hatte so eine 40-Stunden-Woche – ich war kaputt (6). Also vielleicht doch lieber eine Fachzeitschrift…? ☺

1 das

2 infolgedessen

3 stattdessen

4 demnach

5 das

6 dementsprechend

*Hallo Jakob, gleich zu Deiner Frage: Ich hatte auch mal eine Fachzeitschrift abonniert, das war aber ziemlich teuer. …*

zu Sprechen, S. 80, Ü2

**18 Mentoring** 🖥️ ÜBUNG 12                                                       KOMMUNIKATION

Ergänzen Sie in diesem Gespräch die Redemittel aus dem Kursbuch, S. 80.

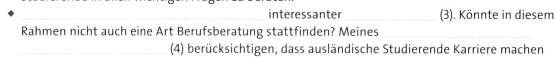

- Lass uns sammeln, mit welchen Problemen ausländische Studierende zu kämpfen haben.
- ◆ Also, vor allem brauchen sie eine gute Betreuung.
- _Da hast du völlig_ (1) recht.
- ◆ Ich wäre für ein Programm zur besseren Betreuung.
- _____ (2) gerne aufgreifen. Hast du schon mal von Mentoring gehört?
- ◆ Meinst du damit ein Programm, bei dem ein Student mit einem Mentor in direkten persönlichen Kontakt tritt?
- Ja. Es gibt regelmäßige Treffen. Der Mentor hat die Aufgabe, Studierende in allen wichtigen Fragen zu beraten.
- ◆ _____ interessanter _____ (3). Könnte in diesem Rahmen nicht auch eine Art Berufsberatung stattfinden? Meines _____ (4) berücksichtigen, dass ausländische Studierende Karriere machen möchten.
- _____ (5) überzeugend, aber am wichtigsten finde ich festzulegen, was genau das Ziel des Mentoring ist.
- ◆ _____ (6) anders sehen. Ich fände es besser, wenn jeder ausländische Studierende die Ziele mit dem Mentor selbst aushandelt. Sonst hätten wir viel zu tun.
- _____ leuchtet _____ (7). Wir könnten eine Webseite machen und dort ein paar allgemeine Ziele formulieren. Vielleicht könnte man am Semesteranfang alle zu einem Treffen einladen.
- ◆ Das ist ein toller Vorschlag. Unser _____ (8): Wir machen eine Webseite zum Mentoring und darauf laden wir alle Interessierten zu einem Treffen ein.

zu Sehen und Hören 1, S. 81, Ü1

**19 Vorlesung gestern, heute und morgen**                                          WORTSCHATZ

Ergänzen Sie.

### Vorlesungen im Wandel

Als _Vorlesung_ (1) bezeichnet man eine _____ (2) an einer _____ (3). Sie wird meistens von _____ (4) gehalten. Der Begriff „Vorlesung" stammt aus dem Mittelalter. Vorlesungen bestanden damals hauptsächlich darin, dass die/der Dozierende den _____ (5) eigene oder fremde Werke vorlas und kommentierte.

Auch heute noch wird oft aus einem Skript vorgelesen. Heutzutage hören mehrere hundert Studierende in einem _____ (6) zu und das Gehörte _____ (7)

Das technische _____ (8) des Internets eröffnet nun ganz neue Möglichkeiten: Vorlesungen können auf Video aufgezeichnet werden und als MOOCs (Massive Open Online Courses) im _____ (9) abgerufen werden. So kann man Vorlesungen an Universitäten, die irgendwo am anderen Ende der Welt liegen, verfolgen.

zu Sehen und Hören 1, S. 81, Ü2

## 20 Motivierende Vorlesung 🖳 ÜBUNG 13

LESEN

Lesen Sie den Bericht. Markieren Sie bei den Aufgaben 1–8 das Wort (a, b, c oder d), das in den Satz passt. Es gibt jeweils nur eine richtige Antwort.

Nachmittags im Hörsaal 1103: Der Dozent steht vor einem Laptop und (1). Mittlerweile ist er etwa drei Dutzend Folien durchgegangen. Nur bestenfalls ein Drittel der Studierenden scheint noch aufmerksam zu sein. Das ist der traurige Alltag an vielen Universitäten.

Der Biologieprofessor Erwin Gärtner hat das alte Format (2) radikal verändert. Wenn der Biologe seine Vorlesung hält, geht es anders zu als in den meisten Hörsälen. Zum Einstieg (3) er heute aus einem Elternbeschwerdebrief: „Unser Sohn folgt nur dann dem Unterricht, wenn der auch interessant ist." Wie also kann ich als Lehrer den Schüler für mein Fach interessieren und möglichst sogar (4)? So lautet die Kernfrage der Vorlesung zu „Interesse und Motivation".

Zukünftige Biologielehrerinnen und -lehrer im dritten Semester werden in dieser Veranstaltung in die „Grundlagen der Biologiedidaktik" (5). Was auffällt, ist ein allgemeines Gemurmel. Ein paar Studierende blicken (6) in ihre Laptops, andere diskutieren mit ihren Nachbarn halblaut darüber, wie man das Interesse von Schülern am Unterricht messen könnte.

Hier und da wird fleißig (7). Gärtner läuft durch die Reihen, um Fragen zu klären oder eine Diskussion zu begleiten. Nur die hörsaaltypischen Sitzreihen weisen noch darauf hin, dass es sich hier um eine „Vorlesung" (8). Auch so kann der Universitätsalltag aussehen. Man kann nur hoffen, dass dieses Beispiel Schule macht.

**(1)**
- a differenziert
- b inszeniert
- ☒ referiert
- d diskutiert

**(2)**
- a dann
- b deshalb
- c trotzdem
- d indem

**(3)**
- a berichtet
- b motiviert
- c referiert
- d zitiert

**(4)**
- a bestellen
- b begeistern
- c befragen
- d begleiten

**(5)**
- a eingeführt
- b eingeleitet
- c eingeleuchtet
- d eingestellt

**(6)**
- a fundiert
- b konzentriert
- c interaktiv
- d überflüssig

**(7)**
- a gehört
- b getippt
- c nachvollzogen
- d angefertigt

**(8)**
- a geht
- b zeigt
- c handelt
- d vorstellt

6

zu Sehen und Hören 1, S. 81, Ü2

## 21 Was passt am besten zusammen?

WORTSCHATZ

Ordnen Sie zu.

1 Präsentationsfolien
2 Protokolle
3 Sekundärliteratur
4 Seminararbeiten
5 Vorlesungen/Vorträge
6 Recherchen

A durchführen
B mitschreiben
C schreiben
D exzerpieren
E entwerfen
F verfassen

# LEKTION 6

## 22 Körpersprache in verschiedenen Ländern  ÜBUNG 14                    WORTSCHATZ

a   Was erläutert Alexander Groth in seiner Vorlesung im Kursbuch, S. 81? Ergänzen Sie.

> die Beziehung ist gut · Interesse und Aufmerksamkeit ·
> keine Durchsetzungskraft · unangenehm · unhöflich · Vertrauen

1 Argentinien:      am Ellenbogen anstupsen bedeutet:  *Interesse und Aufmerksamkeit*
2 Indien:           die Hand nehmen und halten bedeutet: _____
3 Deutschland:      a schlaffer Händedruck bedeutet: _____
                    b Blickkontakt bedeutet: _____
4 Großbritannien:   a kräftiger Händedruck wirkt: _____
                    b in die Augen schauen wirkt: _____

b   Was versucht die Frau mit ihrer Körperhaltung wohl auszudrücken?
    Ordnen Sie die Bilder der jeweiligen Sprechabsicht zu.

☐ jemanden für ihre Idee gewinnen        ☐ jemand anderem die Schuld
☐ einen Vorschlag ablehnen                   für etwas geben

c   Welches Redemittel passt zu welcher Sprechabsicht in b? Ordnen Sie zu.

1 Stell dir mal vor, was wir erreichen könnten.                          B
2 Deine Argumente leuchten mir nicht ein. Das kann ich nicht nachvollziehen.   ☐
3 Du warst der, der es so machen wollte. Du hast uns in diese Lage gebracht.   ☐
4 Wenn du mir da entgegenkommst, wird das gut laufen.                    ☐
5 Also davon bin ich nicht so begeistert!                               ☐

zu Schreiben, S. 82, Ü1

## 23 Mitschriften verfassen: Abkürzungen                           SCHREIBEN

Um effektive Mitschriften verfassen zu können, die man auch nach einer
gewissen Zeit noch versteht, sollte man sich ein kleines Repertoire an Abkürzungen
und Symbolen zulegen. Ordnen Sie die Symbole zu.

> → · ↗ · > · ↔ · ≠ · ‹ · + · ↘ · − · =

1 steigen, Zunahme, sich erhöhen       ↗        6 negativ
2 mehr/größer als …                              7 Folge: deshalb, deswegen,
3 fallen, Abnahme, sich verringern,                 folglich, sodass
   zurückgehen                                   8 Gegensatz, Unterschied
4 weniger/kleiner als …                          9 gleich
5 positiv                                        10 nicht gleich

AB 100

# LEKTION 6

zu Sehen und Hören 2, S. 83, Ü2

## 24 Anruf bei der Studienfachberatung

HÖREN

CD IAB

Hören Sie ein Telefongespräch zwischen einer Studentin und einem Mitarbeiter der Studienfachberatung und notieren Sie Stichpunkte.

1 Beratung für das Fach:    *Kunstgeschichte*
2 Grund des Anrufs:
3 Anlass:
4 empfohlener Ansprechpartner:
5 Handlungsvorschlag:
6 Weiteres Vorgehen:

zu Sehen und Hören 2, S. 83, Ü2

## 25 E-Mail an das International Office 🖥 ÜBUNG 15

SCHREIBEN

Sie möchten gern in einem deutschsprachigen Studiengang an einer Universität in Österreich, der Schweiz oder Deutschland studieren. Schreiben Sie eine E-Mail an das International Office und stellen Sie darin eine Frage, zu der Sie noch nicht genug Informationen auf der Webseite gefunden haben bzw. die Sie unbedingt vor der Abreise klären wollen, z. B. zu einem der folgenden Themen:

> ~~Angebote für Ihre Spezialisierung~~ · Krankenversicherung · Papiere für die Einreise · mögliche finanzielle Unterstützung · technische Ausstattung im Studentenwohnheim

Berücksichtigen Sie dabei folgende Punkte:

- Nennen Sie zunächst Ihren angestrebten Studiengang und den Studienbeginn.
- Sagen Sie, warum Sie schreiben.
- Erklären Sie Ihr Problem und Ihre Frage.
- Bitten Sie um Bearbeitung.

---

Sehr geehrte Damen und Herren,

ab dem kommenden Wintersemester werde ich in Bayreuth Musikwissenschaft im Masterstudiengang studieren. Nun benötige ich noch Informationen zum Inhalt dieses Studiengangs.

5   In meinem Bachelor an der Universität in Seoul/Korea habe ich bereits Lehrveranstaltungen zur Komposition und zur Musiktheorie besucht. Ich würde gerne wissen, ob ich diese Spezialisierung in Bayreuth fortführen kann. Gibt es bereits jetzt die Möglichkeit, den Inhalt der einzelnen Seminare zu erfahren? Mich würden auch die Dozenten interessieren, die diese Kurse geben.

10   Ich möchte Sie höflich bitten, mir entsprechende Unterlagen zu schicken oder eine Webseite zu nennen, auf der ich Informationen zu meinen Fragen finden kann.

Mit freundlichen Grüßen

---

# LEKTION 6

## — AUSSPRACHE: Betonung von Prä- und Suffixen —

### 1 Präfixe (Vorsilben)

**CD I AB**  a  Hören Sie die folgenden Verben im Infinitiv. Unterstreichen Sie jeweils die betonte Silbe.

| | | | |
|---|---|---|---|
| 1 bel<u>ei</u>digen | 3 abnehmen | 5 zerreißen | 7 ausfüllen |
| 2 verletzen | 4 wegfallen | 6 erfüllen | 8 abreißen |

b  Formulieren Sie Sätze mit den Verben aus a. Verwenden Sie dabei keine Hilfsverben.

*Beispiel: Der Mann beleidigt den Polizisten.*

### 2 Suffixe (Nachsilben) bei Nomen

**CD I AB**  a  Hören Sie die Wörter aus dem Kursbuch, S. 76. Welche Nachsilben sind immer betont? Markieren Sie.

das Argument, der Bibliothekar, die Bilanz, die Distanz, das Dokument, die Eleganz, das Experiment, das Instrument, der Volontär, der Sekretär, die Intelligenz, der Enthusiasmus, der Journalismus, der Kommentar, die Kompetenz, die Konferenz, die Konkurrenz, der Sarkasmus, das Medikament, der Organismus, die Resonanz, der Feminismus

**CD I AB**  b  Hören Sie den folgenden Rap und markieren Sie, welche Nachsilben in jeder Zeile betont werden.

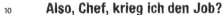

## Der Bewerbungs-Rap

Meine Intelligenz kennt keine Konkurrenz
Auf jeder Konferenz zeig' ich meine Kompetenz.
Ich bin kein Bibliothekar, kein Kommissar.
5    Bin ich ein Star? – Kein Kommentar.
Meine unfassbare Eleganz erhöht jede Bilanz.
Was heißt da Arroganz? Bitte mehr Toleranz!
Meine derzeitige Situation ist keine Illusion.
Ich brauch' eine neue Funktion, daher diese Aktion.
10    Also, Chef, krieg ich den Job?

**CD I AB**  c  Hören Sie den Rap noch einmal und klatschen Sie den Rhythmus. Rappen Sie mit!

### 3 Berufsbezeichnungen mit Betonungswechsel

**CD I AB**  a  Hören Sie die folgenden Berufsbezeichnungen in männlicher und weiblicher Form. Unterstreichen Sie jeweils die betonten Silben. Was fällt Ihnen auf?

| | |
|---|---|
| 1 der Dozent – die Dozentin | 5 der Professor – die Professorin |
| 2 der Bäcker – die Bäckerin | 6 der Konditor – die Konditorin |
| 3 der Richter – die Richterin | 7 der Juror – die Jurorin |
| 4 der Jurist – die Juristin | 8 der Doktor – die Doktorin |

b  Finden Sie analog zu den Beispielen aus a die richtige weibliche Form zu den männlichen Bezeichnungen und sprechen Sie sie mit der richtigen Betonung aus.

| | |
|---|---|
| 1 der Kommissar – _____ | 4 der Konkurrent – _____ |
| 2 der Inspektor – _____ | 5 der Direktor – _____ |
| 3 der Bibliothekar – _____ | 6 der Moderator – _____ |

**CD I AB**  c  Hören Sie und kontrollieren Sie.

# LEKTION 6 LERNWORTSCHATZ

## LESEN 1, S. 74–75

die Akademie, -n
das Design (Sg.)
die Fachrichtung, -en
die Germanistik (Sg.)
das Ingenieurwesen (Sg.)
das Jus, Jura (Recht,
    Rechtswissenschaft)
die Konstruktion, -en
die bildende Kunst, -e
die Präferenz, -en
das Prinzip, die Prinzipien
die Sozialarbeit (Sg.)
die Sozialpädagogik (Sg.)
die Studienordnung, -en

simulieren

einen Streit schlichten
im Mittelpunkt stehen, stand,
    hat/ist gestanden

fern
samt
zuliebe

im weitesten Sinne

## WORTSCHATZ, S. 76

die Bilanz, -en
die Eleganz (Sg.)
der Enthusiasmus (Sg.)
der Feminismus (Sg.)
die Kompetenz, -en
die Konkurrenz (Sg.)
die Periode, -n
die Recherche, -n
die Resonanz, -en
der Sarkasmus (Sg.)
der Volontär, -e

sich auswirken auf (+ Akk.)
sich (Dat.) etwas einfangen,
    fing ein, hat eingefangen
einführen
ergeben, ergab, hat ergeben
ermitteln

ans (Tages)Licht bringen,
    brachte, hat gebracht
eine lange Leitung haben

geschlechtlich

## HÖREN, S. 77

die Ausführung, -en
die/der Dozierende, -n
die/der Frauenbeauftragte, -n
das Geschlecht, -er
die Gleichstellung (Sg.)
die Orthografie -n (meist Sg.)
die Publikation, -en
der Schriftverkehr (Sg.)

differenzieren
referieren

einseitig
fundiert
spezifisch

die öffentliche Einrichtung, -en

## LESEN 2, S. 78–79

der Ansprechpartner, -
der Außenhandel (Sg.)
der Austausch (Sg.)
die Besonderheit, -en
der Bezug, -e
der Mentor, -en
die Perspektive, -n
die/der Studierende, -n
das Studium, die Studien
    das Bachelor-/Masterstudium
der Überblick über (+ Akk.)

ein Referat, eine Vorlesung
    halten, hielt, hat gehalten
sich wohlfühlen

vor den Kopf gestoßen sein
schade sein

anschaulich
verstörend
vertieft

dementsprechend

## SPRECHEN, S. 80

die Äußerung, -en
die Mitschrift, -en

anfertigen
bibliografieren
jemandem einleuchten
exzerpieren
mitnotieren

zu einer Einigung kommen,
    kam, ist gekommen

## SEHEN UND HÖREN 1, S. 81

die Anekdote, -n
die Ansprache, -n
die Ausdrucksweise, -n
die Sekundärliteratur, -en
das Statement, -s

Erfahrungen einfließen lassen,
    ließ, hat gelassen

peinlich

## SCHREIBEN, S. 82

der Abstand, -e
die Brüstung, -en

anfassen
antippen
schlendern

expressiv
interkulturell
mäßig
reserviert
tragfähig

## SEHEN UND HÖREN 2, S. 83

das BAföG (Sg.)
der ECTS-Punkt, -e
die Einschreibung, -en
das Stipendium, Stipendien

6

# LEKTIONSTEST 6

## 1 Wortschatz

**Wie heißen die Wörter? Schreiben Sie.**

1 Eine Wettbewerbssituation, die Rivalität: (KURKONRENZ) die _____
2 Alle für einen bestimmten Zweck verwendbaren Möglichkeiten: (ZIALTENPO) das _____
3 Die Suche nach Informationen für einen bestimmten Zweck: (CHECHERRE) die _____
4 Unterstützung für Studenten, damit sie ohne finanzielle Probleme studieren können: (STIUMDIPEN) das _____
5 Regel, nach der eine Gruppe lebt; der Grundsatz: (PZIPRIN) das _____
6 Die Veröffentlichung von Texten oder Büchern: (KALIPUBTION) die _____

Je 1 Punkt   **Ich habe** _____ **von 6 möglichen Punkten erreicht.**

## 2 Grammatik

**a Ergänzen Sie die passenden Verweiswörter und die Präpositionen *samt, zuliebe* und *fern*.**

Hallo Ronya, schön, dass es Dir gut geht. Nach all den schlechten Nachrichten hat mich _____ (1) sehr gefreut. Ich dachte, Du bist immer noch in Aachen, _____ (2) arbeitest Du in Hamburg! _____ (3) finde ich toll! Hast Du schon gehört, dass Marco jetzt _____ (4) der Heimat in Hongkong ein Praktikum macht? Patricia hat ihrem Freund _____ (5) den Studienort gewechselt, sie ist jetzt in Karlsruhe. Und Hanayo ist _____ (6) Hund und Katze zum Tiermedizin-Studium nach Hannover gegangen. Alle sind in Bewegung ...
Ich habe nächste Woche meine Abschlussprüfung in Psychologie, _____ (7) muss ich gerade viel lernen. Aber danach würde ich Dich gern mal in Hamburg besuchen, wenn Du Zeit und Lust _____ (8) hast. ...

Je 1 Punkt   **Ich habe** _____ **von 8 möglichen Punkten erreicht.**

**b Bilden Sie Nomen auf *-ar, -enz* oder *-ment* und ergänzen Sie Nomen und Artikel in der richtigen Form.**

| argumentieren · experimentieren · intelligent · kommentieren · kompetent · Bibliothek |
|---|

1 Der letzte Versuch ist missglückt. Hoffentlich klappt _____ diesmal.
2 _____ „Mit einem Auslandsstudium hast du bessere Berufs-chancen" leuchtete Ekaterina ein – sie bewarb sich um einen Studienplatz in Deutschland.
3 _____ fachliche und persönliche _____ von Paola wurde nicht angezweifelt, aber es gab Kritik an ihren Sprachkenntnissen.
4 Die bekannten Universalgenies wie Archimedes, Leonardo da Vinci oder Leibniz verfügten alle über _____ weit überdurchschnittliche _____.
5 In _____ guten _____ sollten die Hintergründe zu einer Nachricht analysiert werden und die Meinung des Schreibers argumentativ belegt werden.
6 Durch das digitale Zeitalter ändert sich auch das Berufsbild _____.

Je 2 Punkte   **Ich habe** _____ **von 12 möglichen Punkten erreicht.**

## 3 Kommunikation

**Welche Redemittel drücken eine Zustimmung (Z), welche eine Ablehnung (A) aus? Ordnen Sie zu.**

1 Dein Argument leuchtet mir ein. ☐
2 Das klingt zwar gut, aber es überzeugt mich nicht wirklich. ☐
3 Ich möchte deinen Vorschlag aufgreifen. ☐
4 Diese Argumentation kann ich nicht nachvollziehen. ☐

Je 1 Punkt   **Ich habe** _____ **von 4 möglichen Punkten erreicht.**

---

**Auswertung:** Vergleichen Sie Ihre Lösungen mit S. AB 112.
Ihre Erfolgspunkte tragen Sie unter jeder Aufgabe ein.

| ☺ | ☺ | ☹ |
|---|---|---|
| 30–26 | 25–15 | 14–0 |

**Ich habe** _____ **von 30 möglichen Punkten erreicht.**

# ANHANG

**Wichtige Redemittel / Kommunikation**     AB 107–AB 110

**Lösungen der Lektionstests**     AB 111–AB 112

# WICHTIGE REDEMITTEL / KOMMUNIKATION

an ein Thema heranführen
*Wen oder was verbindet ihr mit folgendem Ausspruch: ...?*
*Was fällt euch ein, wenn ihr ... hört?*

die Auswahl begründen
*Vor Kurzem wurde ... gefeiert. / Derzeit kann man in ... sehen. Aus diesem Grund haben wir ... für unseren*
*Vortrag gewählt.*

den Aufbau des Vortrags vorstellen
*In unserem Kurzvortrag befassen wir uns mit dem Thema „...".*
*Zunächst möchten wir folgenden Aspekt darstellen: ...*
*Als nächstes betrachten wir dann ...*
*Danach wird ... über einen weiteren wichtigen Aspekt berichten.*
*... wird am Ende ein Beispiel aus ... vorstellen.*

einzelne Aspekte erläutern
*Zu diesem Punkt möchte ich noch erwähnen, dass ...*

auf Wichtiges hinweisen
*Besonders bedeutend ist in diesem Zusammenhang auch ...*

von einem Vorredner das Wort übernehmen
*Das war ... mit der Einführung. Jetzt ...*
*In meinem Beitrag geht es nun um das Thema „...". / einen weiteren Aspekt des Themas „..."*
*Danke, liebe/lieber ... Ich greife nun einen neuen Aspekt auf.*

verschiedene Situationen beschreiben und vergleichen
*Es ist zu beobachten, ...*
*Es ist auffällig, dass ...*
*Verglichen mit der Situation vor ... Jahren ...*
*Heute gibt es eine vergleichbare Situation ...*
*Die Entwicklung in den letzten Jahren zeigt, dass ...*

einen Vortrag beenden
*Abschließend könnte man sagen, dass ...*
*Als Fazit/Ergebnis lässt sich festhalten ...*
*Alles in allem zeigt sich, ...*
*Wenn man die Entwicklung der letzten Jahre betrachtet, ...*
*Die kurze Beschreibung führt zu der Frage, ob ...*
*Es wird deutlich, dass ...*

auf Einwände reagieren
*Das ist eine gute Frage / ein interessanter Einwand: Dazu kann ich noch sagen, ...*
*Richtig, auf ... konnten wir aus ... Gründen nicht weiter eingehen. Vielleicht nur kurz: ...*

# WICHTIGE REDEMITTEL / KOMMUNIKATION

eine Präsentation kommentieren
*Ich finde, das war eine sehr ... und ... aufgebaute Präsentation.*
*Besonders gefallen hat mir ...*
*Nicht so klar war mir allerdings, ...*
*Beim Aufbau ist mir aufgefallen, dass ...*
*Eine Anmerkung hätte ich noch zu ...*

Verbesserungsvorschläge machen
*Anstatt ... zu zeigen, wäre es vielleicht interessanter gewesen ...*
*Als Material hätte man auch ... verwenden können.*
*Ein Vorschlag, um das Ganze / die Präsentation weniger ... zu machen, wäre vielleicht ...*
*Ich könnte mir vorstellen, dass man ... erreichen würde.*

Argumente anführen
*Ich finde, dass man mit solchen Methoden ...*
*Ein zentraler Punkt bei dieser Diskussion ist doch die Frage, ...*
*Ich würde mir wünschen, dass mehr Gewicht auf ... gelegt wird. Dadurch ...*
*Ich vertrete den Standpunkt ...*

eigene Vorlieben benennen
*Wenn ich verreise, steht ... im Vordergrund.*
*Als Unterkunft stelle ich mir ... vor. Da fühlt man sich wie ...*
*Natürlich könnte/sollte man unterwegs auch einmal ...*
*Auf keinen Fall möchte ich die schönste Zeit im Jahr hauptsächlich damit verbringen, ...*
*... kommt für mich gar nicht infrage, da ...*
*... würde ich auch / nicht so gern in Kauf nehmen.*
*Das verstehe ich schon, aber würde es dir nicht auch gefallen, ...?*

Maßnahmen darlegen
*Wir setzen auf ein gutes Betriebsklima / ...*
*Wir tun sehr viel für ...*
*Wir werden in Zukunft mehr für ... tun.*
*Bei uns bekommt man einen festen Vertrag / ... Das ist mehr wert als ...*
*Wir bieten regelmäßige Arbeitszeiten / ...*

auf ein Argument eingehen
*Dein Argument leuchtet mir ein ...*
*Ich sehe das anders ...*
*Natürlich haben solche Tests eine Berechtigung, aber man sollte ...*
*Einerseits lässt sich damit ... feststellen, andererseits ...*
*Da hast du recht, problematisch finde ich ...*
*Dem kann ich nicht zustimmen, weil ...*

# WICHTIGE REDEMITTEL / KOMMUNIKATION

auf einen Vorschlag eingehen
*Dein Vorschlag ist sehr interessant. Das kann man durchaus so sehen.*
*Ich würde deinen Vorschlag gern aufgreifen.*
*Könnte man nicht auch sagen, dass …?*
*Ja, aber wäre es dann nicht sinnvoll, …*
*Meines Erachtens sollte man noch berücksichtigen …*

Einwände äußern
*Das kann ich nicht nachvollziehen. Ist es nicht so, dass …*
*Das klingt zwar überzeugend, aber …*
*Das könnte man auch anders sehen, zum Beispiel …*
*Man muss allerdings auch sehen, dass …*
*Es gibt jedoch große Probleme bei/in …*
*Allerdings sieht die Zukunft in Bezug auf … düster/kritisch/… aus: Man muss damit rechnen, dass …*

## EINE DISKUSSION LEITEN                                    LEKTION 1, 3, 6

eine Diskussion einleiten
*Heute wollen wir uns mit dem Thema „…" auseinandersetzen.*
*Wollen wir uns … noch ein Meinungsbild von … einholen?*

eine Diskussion leiten
*Du lässt also das Argument von … gelten, meinst aber auch, dass …*
*Vielleicht sollten wir uns noch intensiver mit der Frage beschäftigen, …*
*Wer möchte sich dazu noch äußern?*
*… können wir später noch einmal aufgreifen.*

eine Entscheidung einleiten
*Wenn wir alle Argumente noch einmal zusammenfassen, was stellen wir dann fest?*
*Für welchen der drei Bereiche gab es denn die stärksten Argumente?*
*Unser Fazit wäre also …*

eine Diskussion abschließen
*Alles in allem könnte man also sagen, …*
*Abschließend könnten wir also festhalten, …*

## SCHRIFTLICH DIE MEINUNG ÄUSSERN                           LEKTION 1, 3, 5

Bezug auf die Quelle nehmen
*Während der Themenwoche zum Thema „Glück" las ich einen interessanten Beitrag: …*
*Unter anderem ging die Autorin / der Autor darauf ein, dass …*
*Das …, von dem … schreibt, finde ich sehr wichtig / finde ich einen wichtigen Gedanken.*

auf etwas Bezug nehmen
*Neulich hörte ich von …*
*Schön, mal wieder von Dir …*
*… ist mir nicht ganz unbekannt.*
*Dazu kann ich allerdings … sagen.*
*… kann ich überhaupt nicht nachvollziehen.*
*Besonders kritikwürdig ist …*

# WICHTIGE REDEMITTEL / KOMMUNIKATION

über eigene Erfahrungen berichten
*Die wichtigste Erfahrung war ...*
*Mit ... habe ich eigene Erfahrungen gemacht.*
*... hat für mich große Bedeutung, weil ...*
*Das konnte ich persönlich beobachten, als ...*

den eigenen Standpunkt erläutern
*Meine Ansicht dazu ist folgende: Ich ...*
*... beurteile ich positiv/negativ, weil ...*
*... sehe ich eher kritisch/positiv/entspannt.*
*Ich bin der festen Überzeugung, dass ...*

Stellung nehmen
*Es freut mich ganz besonders, dass Du ...*
*Ich bin beeindruckt davon, wie ... Du ...*
*Gern schreibe ich Dir, wie ich ... sehe.*
*Grundsätzlich halte ich (nicht) sehr viel von ...*
*Andererseits darf man / sollte man ... nicht außer Acht lassen.*
*Vielleicht ... ein paar nützliche Hinweise.*
*Mein persönliches Fazit ist ...*

generalisierende Vorschläge machen und begründen
*Wenn ich zu entscheiden hätte, würde ich ... mit Steuern finanzieren.*
*Ich fände es gut, wenn die Politik / die Politiker ..., da ...*
*Außerdem sollten Steuern für ausgegeben werden, weil ...*
*Steuern sollten vor allem für Bildung ausgegeben werden, denn ...*

---

Lösungen zu Seite 37:

**1** in der Steinzeit; **2** Jäger und Sammler; **3** Geschicklichkeit und Vorsicht

Lösungen zu Seite 44:

**1** 39 (Begründung: Die zwei vorgehenden Zahlen werden zusammen addiert: 15 + 24 = 39.)

**2** N (Begründung: Der letzte Buchstabe ist jeweils zwei Schritte hinter dem vorhergehenden Buchstaben.)

**3** a (Begründung: Wenn heute Sonntag ist, ist der Tag nach übermorgen Mittwoch und Mittwoch ist vier Tage nach Samstag.)

**4** T (Die beiden Worte lauten *Haut* und *Tasche*.)

**5** c (Begründung: Erst kommt ein Rechteck, dann ein Quadrat, dann wieder ein Rechteck, also muss es sich um ein Quadrat handeln. Da jede Figur zur Hälfte ausgefüllt ist, muss es c sein.)

# LÖSUNGEN DER LEKTIONSTESTS

**1 Wortschatz**
1 zur Kenntnis
2 Beachtung
3 einer Sache
4 Aufmerksamkeit
5 eine Sache

**2 Grammatik**

a 1 soll  5 soll
  2 muss  6 müsste
  3 dürfte  7 will
  4 könnte  8 kann nicht

b 1 hat ... zerschnitten
  2 hat ... missachtet
  3 hat ... entladen
  4 demotiviert
  5 zerbrochen
  6 hat ... enträtselt
  7 missdeutet hat
  8 hat ... demaskiert

**3 Kommunikation**
B – A – C – E – D

**1 Wortschatz**

a 1 Anstrich  4 Weg
  2 Pike  5 Faust
  3 Kulissen  6 Probe

b 1 reizvoll  4 liebenswert
  2 fachkundig  5 nachhaltig
  3 hautnah  6 abgelegen

**2 Grammatik**

a 1 Wenn das Stellenangebot auch sehr reizvoll war, Antje hat darauf verzichtet.
  2 Wie gesund die Speisen im Meier's auch sind, sie schmecken uns nicht.
  3 Das neue Kurhaus ist toll ausgestattet und hat Flair, nur dass es etwas abgelegen ist.
  4 Marc macht gern längere Segeltörns, außer wenn lauter „Neulinge" an Bord sind.
  5 Ich kann an Pauschalreisen nichts Vorteilhaftes finden, außer dass sie oft sehr günstig sind.
  6 Linda freut sich über Mitbringsel, es sei denn, sie sind geschmacklos.

b 1 kamen ... zur Sprache
  2 übten ... Kritik
  3 zur Verfügung standen
  4 stießen ... auf ... Kritik
  5 brachte ... zur Sprache
  6 zur Verfügung zu stellen

**3 Kommunikation**

a Wenn ich verreise, steht die Erholung im Vordergrund.
b Als Unterkunft stelle ich mir eine Hütte vor.
c Ein Luxushotel kommt für mich gar nicht infrage.
d Aber eine kleine Familienpension würde ich auch in Kauf nehmen.

**1 Wortschatz**
1 einem etwas abverlangt
2 schmeichelt ihr
3 sie sich einprägen
4 stimulieren
5 versäumen
6 überlegen
7 töricht

**2 Grammatik**

a 1 Morgen habe ich leider keine Gelegenheit, dich anzurufen, da bin ich auf Fortbildung.
  2 Während des Experiments ist es untersagt zu telefonieren. / ist Telefonieren untersagt.
  3 Bei großer Nervosität wäre es ratsam, pflanzliche Beruhigungstropfen einzunehmen.
  4 Einige Eltern sind bestrebt, ihre Kinder schon in jungen Jahren zum Leistungsdenken zu erziehen.
  5 Wer Mitglied im Sportverein ist, hat das Recht, die Fitnessgeräte immer zu nutzen.
  6 Manche Lehrer sind nicht imstande, das Potenzial ihrer Schüler richtig einzuschätzen.
  7 Wer einen Vertrag unterschreibt, ist verpflichtet, die vereinbarten Inhalte zu befolgen.
  8 Wenn Simone die Führerscheinprüfung nicht besteht, bleibt ihr nichts anderes übrig, als noch einmal anzutreten.

b 1 Das Leben in der Steinzeit war zu hart, um schwächere Menschen durchzufüttern. // Das Leben in der Steinzeit war zu hart, als dass man schwächere Menschen durchgefüttert hätte.
  2 Ältere Personen sind oft zu stolz, um sich in ungewohnten Situationen helfen zu lassen.
  3 Studenten wird an der Uni manchmal zu viel abverlangt, als dass sie ihr Lernpensum schaffen könnten.

**3 Kommunikation**

1 D  6 B
2 A  7 G
3 J  8 C
4 E  9 F
5 H  10 I

# LÖSUNGEN DER LEKTIONSTESTS

## 1 Wortschatz

1 das Gewerbe  
2 der Versager  
3 die Ambition  
4 die Honorierung  
5 das Honorar  
6 die Hierarchie

## 2 Grammatik

**a** 1 Es ist fraglich, ob Björn seinen anstrengenden Job als DJ noch lange durchhält. // Ob Björn seinen anstrengenden Job als DJ noch lange durchhält, ist fraglich.

2 Vanessa gefällt es nicht, dass ihre Chefin oft unfreundlich zu den Kollegen ist. // Dass ihre Chefin oft unfreundlich zu den Kollegen ist, gefällt Vanessa nicht.

3 Im Hamburger Hafen gibt es auch nachts für viele Menschen viel zu tun.

4 Es freut mich sehr, dass Nils eine Gehaltserhöhung bekommen hat. // Dass Nils eine Gehaltserhöhung bekommen hat, freut mich sehr.

5 Es ist normal für einen Arzt, auch nachts zu arbeiten. // Für einen Arzt ist es normal, auch nachts zu arbeiten. // Auch nachts zu arbeiten, ist für einen Arzt normal.

6 Bei diesem Projekt geht es um die Verbesserung der Kommunikation.

**b** 1 tiefschwarze  
2 topaktuellen  
3 todschickes  
4 extralange

## 3 Kommunikation

1 setzt auf  
2 tut man dort  
3 auch sehen, dass  
4 mehr wert als  
5 muss damit rechnen, dass  
6 sieht die Zukunft

## 1 Wortschatz

1 Atelier  
2 Leinwand  
3 Galerist  
4 Skizze  
5 Bildhauer  
6 Kurator  
7 Epoche

## 2 Grammatik

**a** 1 Ich habe mich verlaufen.  
2 Ich habe meine Wohnung verschönert.  
3 Ich habe eine Holzplatte bemalt.  
4 Ich habe das tolle Gemälde bestaunt.  
5 Ich habe die Erklärung vereinfacht.  
6 Ich habe mich verhört.

**b** 1 Tina fragte ihren Galeristen Sven, wie viele Werke von ihr er ausstellen werde.  
2 Sven fragte zurück, ob sie ihre letzte Serie denn schon beendet habe.

3 Tina bat ihn nun, er möge sich ihre neuen Bilder mal ansehen. / ..., dass er sich ihre neuen Bilder mal ansehen möge.

4 Sven sagte, sie müsse sie ihm bis Anfang der Woche vorbeibringen.

5 Da meinte Tina, er dürfe/solle ihr nicht böse sein, wenn sie am Sonntag vor der Tür stehe./stehen würde.

**c** 1 Laut  
2 zufolge  
3 Nach  
4 Wie

## 3 Kommunikation

1 (eine) gelungene (Präsentation)  
2 (Bilder) gefallen / Besonders (gefallen)  
3 (noch) zum Aufbau (deines Vortrags)  
4 (des Künstlers) zusammenhängen  
5 (vielleicht) einige Zitate (aussagekräftiger)

## 1 Wortschatz

1 die Konkurrenz  
2 das Potenzial  
3 die Recherche  
4 das Stipendium  
5 das Prinzip  
6 die Publikation

## 2 Grammatik

**a** 1 das  
2 stattdessen  
3 Das  
4 fern  
5 zuliebe  
6 samt  
7 dafür  
8 darauf/dazu

**b** 1 das Experiment  
2 Das Argument  
3 Die ... Kompetenz  
4 eine ... Intelligenz  
5 einem ... Kommentar / – ... Kommentaren  
6 des Bibliothekars

## 3 Kommunikation

Zustimmung: 1, 3  
Ablehnung: 2, 4

## Quellenverzeichnis Kursbuch

Cover: © Getty Images/OJO Images

S. 13:  © Thinkstock/Wavebreak Media
S. 14:  © Hueber Verlag/Meier
S. 15:  © Thinkstock/iStock/jakubzak
S. 16:  © Thinkstock/iStock/defun; Texte: *Entdeckung der Langsamkeit* und *Die neuen Helden* von Axel Hacke © Axel Hacke, *Die neuen Helden,* aus: *Süddeutsche Zeitung Magazin*, Heft 32/2010
S. 18:  © dpa Picture-Alliance/Horst Ossinger; Text: *Was bedeutet Glück?* Mit freundlicher Genehmigung von Eckart von Hirschhausen
S. 19:  © Laif/Johannes Arlt
S. 20:  CD-Cover © Minor Music Records; Text: *Lisa Bassenge singt sich auf Wolke 8* von Heinrich Oehmsen aus dem *Hamburger Abendblatt*, 07. 03. 2013; Lied: *Van Gogh*; Text: Lisa Bassenge und Thomas Melle, Komposition von Lisa Bassenge und Paul Kleber © Minor Music Records
S. 21:  von links: © Thinkstock/Monkey Business Images, © Thinkstock/BananaStock/Jupiterimages, © Thinkstock/Stockbyte/Comstock Images
S. 22:  © Thinkstock/iStock/Suat Gürsözlü; Text: *Der Trailer genügt* von Max Fellmann aus *Süddeutsche Magazin*, Heft 36/2013
S. 23:  © Interfoto/NG Collection und Warner Bros.
S. 25:  © drubig-photo/fotolia.com
S. 26:  links © Thinkstock/Fuse; rechts © Thinkstock/Goodshoot
S. 26–28: Text: *Menschen im Hotel* von Alexandra Bülow aus der *Berliner Morgenpost*, 19. 07. 2013
S. 27:  © Christian Kielmann
S. 29:  © iStockphoto/RichPhotographics
S. 30:  A © Thinkstock/Hemera/Ivan Hafizov; B © Thinkstock/iStock/CandyBox Images; C © Thinkstock/iStock/nickrlake; D © Thinkstock/iStock/Kolett
S. 31:  Wörterbucheintrag *Schwierigkeit* zitiert nach *Brockhaus WAHRIG Deutsches Wörterbuch* Gütersloh 2011, S. 1331 © 2012 wissenmedia in der inmediaONE] GmbH, Gütersloh/München
S. 32:  links © PantherMedia/Beate Tuerk; rechts © Thinkstock/Wavebreak Media/Wavebreakmedia Ltd.
S. 33:  © Thinkstock/Stockbyte/Jupiterimages
S. 34:  von links: © PantherMedia/Erich Teister, © Thinkstock/iStock/gpointstudio, © DeVIce/fotolia.com
S. 35:  von oben: © Hueber Verlag/Erol Gurian (2x), © Sibila Tasheva
S. 37:  © dpa picture-alliance/akg-images
S. 38:  © Thinkstock/Wavebreak Media
S. 38/39: Text: *Der Mensch ist heute anders intelligent als früher* von Johanna Uchtmann aus der *Welt*, 14. 12. 12
S. 40:  A © Thinkstock/Top Photo Group/Top Photo Corporation; B © Thinkstock/iStock/FamVeld; C © Thinkstock/iStock/pshenina_m

S. 42:  von links: © iStockphoto/lukelight, © Thinkstock/Hemera/Roger Jegg, © fotolia/Franz Pfluegl
S. 44:  oben © Thinkstock/Digital Vision/Kim Carson; unten © Thinkstock/Photodisc/Kevin Petersen
S. 46:  Text: *Der Rabe und der Fuchs* von Jean de La Fontaine
S. 47:  Screenshots aus *Das Wissen der Welt*, Kariem Saleh, 2008 © Filmakademie Baden-Württemberg
S. 49:  © Thinkstock/Huntstock
S. 50/51: Text: *Wissen Sie was in Ihnen steckt* © Roman Krznaric 2013. All Rights Reserved. Reproduced by permission of Roman Krznaric, c/o The Hanbury Agency, 28 Moreton Street, London SW1V 2 PE
S. 50:  links © Thinkstock/Digital Vision/Getty Images; rechts © Thinkstock/iStock/LuminaStock
S. 52:  links © Thinkstock/Digital Vision/Chris Clinton; rechts © contrastwerkstatt/fotolia.com
S. 53:  oben © Thinkstock/iStock/JackF; unten © MEV
S. 54:  A © Thinkstock/Pixland/Jupiterimages; B © PantherMedia/Daniel Petzold; C © iStockphoto/J-Elgaard; Lohnabrechnung: mit freundlicher Genehmigung von a.b.S. Rechenzentrum GmbH
S. 55:  von links: © Thinkstock/Ingram Publishing, © Thinkstock/iStock/dolgachov
S. 56/57: Text: *Die lieben Kollegen* aus dem DAK-Magazin *Praxis und Recht*, 04/2012 von Dela Kienle
S. 58:  © Thinkstock/iStock/boggy22
S. 59:  Fotos und Text: *Die Idee hinter Jimdo* © Jimdo
S. 61:  © Olivia Hayashi
S. 62:  oben © Olivia Hayashi; unten (2) © Miriam Staber
S. 64:  oben © action press/KS-Fotografie; unten © action press/Sippel, Roland
S. 64/65: Text: *Wissenswertes über die „documenta"* © Hessischer Rundfunk
S. 66:  links © DDR Museum, Berlin 2014; rechts © Glow Images/Superstock RM
S. 68:  © Thinkstock/moodboard
S. 70:  beide Fotos © Kunstfilm GbR
S. 71:  © Thinkstock/Getty Images
S. 73:  © Monkey Business/fotolia.com
S. 74:  von oben: © Thinkstock/iStock/ivosar, © Thinkstock/iStock/yangphoto, © Thinkstock/iStock/Epitavi
S. 75:  oben © Thinkstock/iStock/LuminaStock, unten © Thinkstock/Hemera/Sergei Popov
S. 76:  oben © Thinkstock/iStockphoto; unten © Thinkstock/iStock/IPGGutenbergUKLtd
S. 78:  links © Thinkstock/iStock/Dirima; rechts © Thinkstock/iStock/haisondang; Text: *Ausländische Studentinnen im Gespräch* aus *Studieren in Deutschland – Ausländische Studierende im Gespräch*, www.sciencegarden.de © Birgit Milius
S. 80:  A © Thinkstock/Wavebreakmedia Ltd; B © Thinkstock/iStock/Viktor ÄÃ¡p; C © Thinkstock/iStock/ViktorCap
S. 81:  © Alexander Groth
S. 83:  © Institut für Politikwissenschaft, Universität Zürich, http://www.ipz.uzh.ch

## Quellenverzeichnis Arbeitsbuch

S. 9: © iStockphoto/Squaredpixels
S. 12: © Thinkstock/iStock/konstantynov
S. 13: © fotolia/LaCatrina
S. 14: © Thinkstock/iStock/Dmitriy Shironosov; Text: *Jugendliche trennen nicht mehr zwischen online und offline* © dpa, 06.03.2014
S. 17: © Thinkstock/Blend Images/ERproductions Ltd
S. 18: © Thinkstock/Wavebreak Media
S. 19: oben © fotolia/Jürgen Fälchle; unten © Thinkstock/iStock
S. 21: oben © Thinkstock/iStock/Dmitriy Shironosov; unten © Interfoto/NG Collection
S. 22: Text: *Deutsche Komödien* von Wiebke Töbelmann aus *TV digital*
S. 25: © fotolia/Simonkr
S. 26: © Thinkstock/Wavebreak Media
S. 27: © Hueber Verlag/Meier; Text: *Berufsbezeichnungen in englischer Sprache verwirren Bewerber* © dpa, 21.02.2011
S. 28: © fotolia/Sven Ostheimer
S. 29: © iStock
S. 31: © PantherMedia/Michael Overkamp
S. 32/33: Text: *Sanfter Tourismus* von Brot für die Welt – Evangelischer Entwicklungsdienst, Evangelisches Werk für Diakonie und Entwicklung e. V., www.tourism-watch.de
S. 32: © Thinkstock/iStock/Bryan Busovicki
S. 33: © Thinkstock/iStock/CandyBox Images
S. 34: oben © Thinkstock/Creatas/Jupiterimages; unten © Thinkstock/iStock/mjbs
S. 35: von oben: © Thinkstock/iStock/Moma7, © MEV, © Thinkstock/iStock/dmodlin01
S. 36: von oben: © fotolia/Benicce, © fotolia/Yuri Arcurs, © BananaStock, © fotolia/andreaxt, © Thinkstock/Fuse
S. 37: Text: *Unternehmensgründung* von Martin Gadt, *www.computerbild.de*, 02.11.2013; © PantherMedia/Monkeybusiness Inc.
S. 38: © Thinkstock/iStock/hikesterson
S. 41: © Thinkstock/iStock/Klaus Nilkens
S. 42: oben © Thinkstock/iStock/RossellaApostoli; unten Cover: *Rabenschwarze Intelligenz* von Josef H. Reichholf © Piper Verlag
S. 43: © Thinkstock/iStock/samsonovs
S. 44: © Hueber Verlag/Meier
S. 45: © Thinkstock/Digital Vision/Christopher Robbins
S. 46: © Thinkstock/Wavebreak Media
S. 47: © Thinkstock/iStock/diego cervo
S. 48: © Thinkstock/iStock/CoreyFord
S. 49: © PantherMedia/werner.heiber
S. 50: oben © Thinkstock/iStock/monkeybusinessimages; unten © Thinkstock/iStock/nyul
S. 52: © fotolia/contrastwerkstatt
S. 53: Text: *Vom Frosch und der Maus* von Martin Luther
S. 54: oben © PantherMedia/Tomasz Pietrzak; unten: Screenshot aus *Das Wissen der Welt*, Kariem Saleh, 2008 © Filmakademie Baden-Württemberg

S. 57: © Thinkstock/iStock
S. 58: © iStock/Aleksandar Petrovic
S. 59: © Thinkstock/iStock/Vicki Reid
S. 60: oben © Hueber Verlag/Meier; unten © Thinkstock/iStock/simonkr
S. 61: oben © iStockphoto/Stock Shop Photography LLC; unten © fotolia/michaeljung
S. 62: © Thinkstock/iStock/LuckyBusiness; Text: *Lehrgang in Selbstlob* von Alexander Mühlauer, *Süddeutsche Zeitung*, 02.11.2011
S. 63: © Thinkstock/iStock/BartekSzewczyk
S. 64: © Thinkstock/iStock/maros_bauer
S. 67: © Thinkstock/iStock/dolgachov
S. 69: von oben: © Thinkstock/iStock/m-image-photograph, © Thinkstock/iStock/progat, © Thinkstock/iStock/NADOFOTOS, © Thinkstock/iStock/Jani Bryson
S. 70: links © Thinkstock/Photos.com/Jupiterimages; rechts © Thinkstock/iStock/Szepy
S. 74: © iStock/EdStock; Text: *Überraschende Wirkung von Kunst* von Johanna Di Blasi, *Waldeckische Landeszeitung*, 22.04.2012
S. 75: oben © Thinkstock/iStock/Lefthand666; unten © PantherMedia/Dmitry Orlov
S. 76: © Thinkstock/BananaStock/Jupiterimages
S. 77: A © Götz Braun; B © Thinkstock/Steve Hix/Fuse; C © imago/ecomedia/robert fishman; D © Götz Braun
S. 79: © Thinkstock/moodboard
S. 80: © fotolia/Aleksandr Bedrin
S. 81: © fotolia/Matej Kastelic
S. 83: © iStock/mediaphotos
S. 85: von oben links: © Hueber Verlag/Florian Bachmeier, © Thinkstock/iStock/Vicki Reid, © Thinkstock/Comstock/Stockbyte Images, © Thinkstock/Purestock
S. 86: © fotolia/Fotoschlick
S. 89: oben © Thinkstock/iStock/gpointstudio; unten © Thinkstock/Digital Vision
S. 90: © Thinkstock/iStock/ViktorCap
S. 91: © Thinkstock/iStock/andhal
S. 93: oben © Thinkstock/iStock/lukas_zb; unten © Thinkstock/iStock/LuminaStock
S. 94: © Thinkstock/Photos.com
S. 95: oben © Thinkstock/iStock/XiXinXing; unten © Thinkstock/iStock/m-imagephotography; Text: *Ausländische Studierende* © DE Magazin Deutschland, www.deutschland.de
S. 97: oben © Thinkstock/iStock/Ridofranz; unten © Thinkstock/iStock/Daniel Ernst
S. 98: oben © Thinkstock/iStock/agencyby; unten © Thinkstock/Wavebreak Media
S. 100: © Hueber Verlag/Meier
S. 101: © Thinkstock/iStock/Icodacci

Illustrationen: Jörg Saupe, Düsseldorf

Bildredaktion: Britta Meier, Hueber Verlag, München